ANY DOGS.
THINK IT'S A
OOD AMOUNT.

WHAT IF? 2

ADDITIONAL SERIOUS SCIENTIFIC ANSWERS
TO ABSURD HYPOTHETICAL QUESTIONS

RANDALL MUNROE

ホワット・イフ?

地球の1日が
1秒になったらどうなるか

ランドール・マンロー
吉田三知世＝訳

早川書房

WHAT IF? 2

Additional Serious Scientific Answers to Absurd Hypothetical Questions

by

Randall Munroe

Translated by
Michiyo Yoshida
First published 2023 in Japan by
Hayakawa Publishing, Inc.
This book is published in Japan by
arrangement with
The Gernert Company
through Tuttle-Mori Agency, Inc., Tokyo.

カバー・本文イラスト：© Randall Munroe
装幀：日高祐也

目　次

※本文中の訳者による注は小さめの（　）で示した。

おことわり

どれも絶対にご家庭では試さないでください。

本書の著者はインターネット・コミックの作者であり、保健・衛生や安全の専門家ではありません。あくまでも書いたものが好評になったり大受けしたりするのが著者にとっての喜びであり、読者のみなさんのためにという考えはまったくありません。本書に含まれる情報から、直接もしくは間接的に生じた損害に関しては、それがいかなるものであろうと、出版者、著者ともに責任を負いかねます。

はじめに

私はばかばかしい質問が大好きなのだが、そのわけは、この手の質問は、誰も答えなんて知るわけないさ、と思われているだろうから、返事にまごついたって、恥ずかしくも何ともないからだ。

私は大学で物理学を学んだので、「これは自分が知っているべきなんだな」と思うようなことがたくさんある――たとえば、電子の質量とか、風船をこすりつけると髪の毛が立つのはなぜかなどだ。もしもあなたが私に、電子の重さはどれだけですかと尋ねたとすると、私はちょっとどぎまぎするだろう。抜き打ちテストのようなものだ。何も調べずに答えられなかったら、バツが悪いだろうな、という感じがするのだ。

だが、あなたの質問が「バンドウイルカに含まれるすべての電子の重さはどれぐらいですか?」だったなら、状況はまったく違う。その数を即答できる人はいない――ものすごくクールな仕事をしているのでなければ。だから、どぎまぎして、ちょっとばかな質問だと思ったり、少し時間をかけて調べてもいいということになる(もしかしたら誰かに訊かれるかもしれないので、答えをお知らせしておこう。約250グラムだ)。

単純な質問が、じつは意外な難問だったということも珍しくない。「そんなことはいいから、風船をこすりつけると髪の毛が立つのはいったいなぜなんだい?」と言いたい読者に、理科や物理の授業で普通教わる答えを申し上げよう。それは、「髪の毛から風船へと電子が移動して、髪の毛が正に帯電し、帯電した髪の毛どうしが反発し合って立つのです」。

でも……どうして電子は髪の毛から風船へと移動するの?　どうして逆向きじゃないの?　と、当然次の疑問が湧いてくる。

これは素晴らしい疑問で、じつはその答えは誰にもわからないのである。物理学者たちは、他のものと接触していると表面から電子を失う物質と、逆にその電子を獲得する物質とがある理由を説明する、まっとうな普遍的理論を持っていないのだ。摩擦電気と呼ばれるこの現象は、最先端の研究領域なのである。

真剣な問題に答えるときと、ばかげた質問に答えるときとで、使う科学の種類が違うわけじゃない。摩擦電気は、嵐のなかで雷が発生する仕組みも説明する。生物の体内に存在する素粒子の数を把握することは、物理学者がモデルを使って放射線障害を予測するときに必要だ。ばかげた質問に答えようとがんばることで、真剣な科学について学べることもあるわけである。

たとえ答えが何の役にも立たなかったとしても、答えを知るのは楽しい。あなたが手にしているこの本は、２頭のイルカの体内にあるすべての電子と大体同じくらい重い。この情報は、きっと何の役にも立たないだろうが、それでもこれを楽しんでいただけるようにと願っている。

1章　「スーピター」

太陽系を木星のところまでスープでいっぱいにしたら、どうなりますか？

――アメリア、5歳

スープでいっぱいにするのは、みんながちゃんと安全に太陽系を脱出してからにしてください。

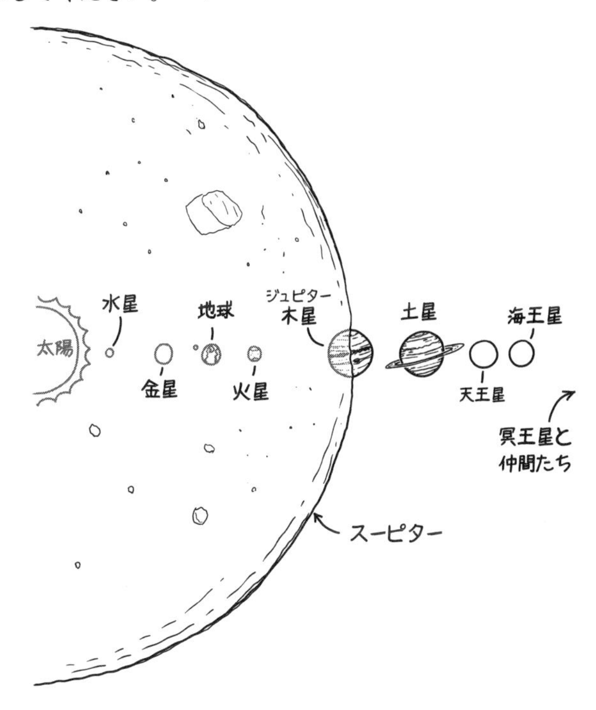

太陽系が木星の軌道までスープで満たされたとしても、人によっては数分間は何の問題も感じないだろう。だが、その後の30分間は、誰にとっても間違いなく「やばい」ことになりそうだ。さらにそのあとは、時間が終わってしまうだろう。

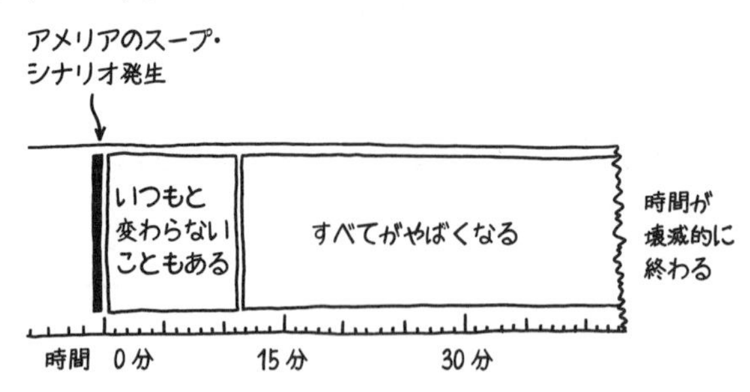

太陽系を満たすには、約2×10^{39}リットルのスープが必要だ。トマトスープを使うなら、全部で約10^{42}キロカロリーに相当し、太陽がこれまでに放出した総エネルギーを超える。

このスープ、とてつもなく重いので、その猛烈な重力を逃れられるものは何もないだろう。つまり、ブラックホールになるということだ。このブラックホールの事象の地平面、すなわち、重力が強すぎて光すら逃れられない領域は、天王星の軌道まで広がるだろう。冥王星は最初、事象の地平面の外側だが、だからといって逃げおおせるわけではない。冥王星には、吸い込まれる前に電波でメッセージを発信するぐらいの時間はあるだろう、というだけのことだ。

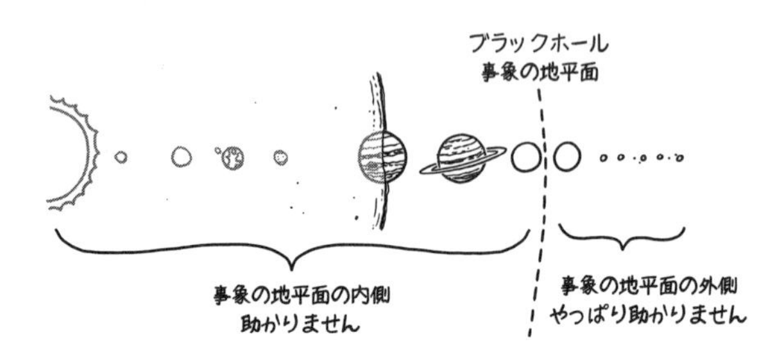

このスープ、そのなかにいる人にはどんなふうに見えるだろう？

地球の表面には立っていないほうがいい。たとえスープが太陽系の惑星たちと同じように回転していると仮定しても、惑星の表面に接する部分のスープが静止しているので、どの惑星の周囲にもたくさんの小さな渦巻きができ、地球なら地球の重力によるスープ圧で、地球上にいるものはすべて、数秒以内に押しつぶされるだろう。地球の重力はブラックホールほど強くはないだろうが、スープの海を激しく下向きに引っぱるので、あなたはぐしゃっとつぶれてしまうだろう。そもそも、普段の海の水圧でも、地球の重力のおかげで、それと同じことが起こり得るのだし、アメリアのスープは私たちが知っている海よりずっと深いのである。

もしもあなたが、地球の重力を離れて、惑星のあいだで浮かんでいるとしたら、あなたは実際、少しのあいだ平気で過ごせるかもしれない。というのは、ちょっと妙なのだが。というのも、スープで死ななかったとしても、あなたはブラックホールの内部にいるのだから。ブラックホールのなかだったら、何かが起こって瞬間的に死ぬはずなんじゃないだろうか。

奇妙なのだが、そうではないのだ！　普通ブラックホールに近づくと、潮汐(ちょうせき)力であなたはズタズタになる。しかし、大きなブラックホールほど潮汐力は小さい。木星スープ・ブラックホールの質量は天の川銀河の質量の約500分の１だ。これは、天文学の基準からしても怪物級だ——知られている最大のブラックホールと同じぐらいの大きさになるはずだ。アメリアの超大質量ブラックホールは十分大きいので、体の離れた部分（頭と足など）はほぼ同じくらいの潮汐力を受け、あなたは引っ張られていることなどまったく感じないだろう。

しかし、たとえスープの重力に引っ張られているとは**感じ**ないとしても、やはり加速はしていき、あなたはすぐにブラックホールの中心に向かって

落ち始めるだろう。１秒後、あなたは20キロメートル落下しており、速さは秒速40キロメートルになっている。たいていの宇宙船よりも速い。だが、スープもあなたと一緒に落ちているので、あなたは何の問題も感じないだろう。

スープが太陽系の中心へと内向きに崩れていくにつれて、スープの分子は互いに距離がどんどん縮まって集まっていき、圧力が高まるだろう。この圧力が、あなたを押しつぶすレベルにまで高まるには数分かかるだろう。スープ対応のバチスカーフ――深い海溝まで行くのに使う耐圧の深海用潜水艇――の類（たぐい）に乗っていたとすると、ひょっとしたら10分か15分耐えられるかもしれない。

このスープから抜け出そうにも、なす術（すべ）はない。そのなかにあるものはすべて、内側へ、内側へと、特異点に向かって流れるだろう。普段の宇宙なら、私たちはみな、時間のなかを未来へ、未来へと引っぱられ、止まったり後戻りしたりすることはできない。しかし、ブラックホールの事象の地平面の内側では、ある意味で時間は未来へと流れるのをやめて、内側へと流れ始める。すべてのタイムラインは、中心に向かって収束する。

このブラックホールのなかにいる、不運な観察者の視点から見ると、スープがそのなかにあるすべてのものと一緒に中心に落ちるまでに約30分かかるだろう。そのあと、私たちが定義している時間——と、私たちが理解している物理学のすべて——は崩壊する。

スープの外側では、時間は経過しつづけ、問題は発生しつづけるだろう。スープのブラックホールは、太陽系の残りを呑み込みはじめるだろう。まずは、ほとんど間をおかずに冥王星を。続いてカイパー・ベルト（太陽系外縁部と呼ばれる海王星の軌道の外側で太陽を周回する、岩石と氷からなる多数の小天体で形成された円盤状の帯）を。その後数千年にわたって、スープのブラックホールは天の川銀河のかなりの範囲に広がって派手な活動をして、恒星を呑み込んだり、四方八方に電磁波を放射したりするだろう。

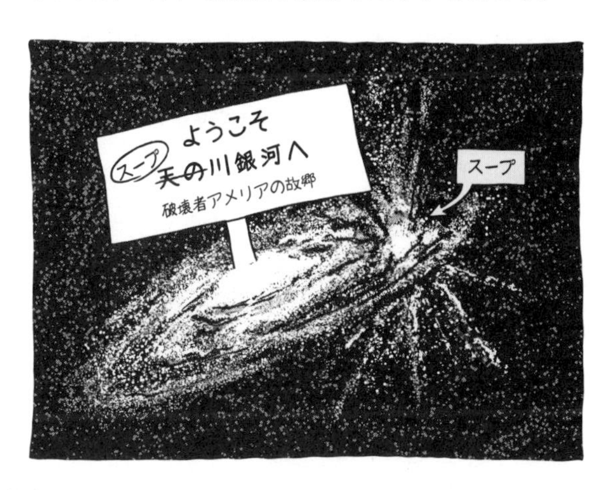

最後にもう1つ、わからないことが残っている。「これは、いったいどんなスープなんだ？」というのがそれだ。

アメリアが、野菜や肉を煮込んで取ったブロス（だし）のスープで太陽系を満たしたとすると、そのなかを惑星がいくつも漂っているわけなので、「惑星スープ」と呼ぶべきだろうか？　そのスープに最初からヌードルが入っていたとすると、「惑星・アンド・ヌードル・スープ」になるのか、それとも、惑星はクルトンのような「浮き実」と見なすべきなんだろうか？　ヌードル・スープを作ったのに、誰かがそこに小石や泥を混ぜたとすると、「ヌードル・アンド・泥・スープ」になるのか、それともただの「泥混じりのヌードル・スープ」なんだろうか？　それに、太陽があるのだから、もしかすると「恒星スープ」なのだろうか？

インターネットでは、スープの分類をめぐる議論で盛り上がることが多い。ありがたいことに、このケースについては物理学が議論に決着をつけてくれる。物理学では、ブラックホールは内部に落ちてくる物体の特徴を一切保たないと考えられているのだ。物理学者はこのことを、ブラックホールの「無毛定理」と呼ぶ。ブラックホールでは、区別がつくような特徴や、何かを定義づけるような特性はまったくないので「無毛」というわけだ。ブラックホール全体の質量、スピン、電荷という三つのシンプルな変数以外は、どのブラックホールもまったく同じなのである。

つまり、ブラックホール・スープにどんな材料を入れようが、どうでもいいということだ。どのレシピでも最後には同じものができているのだから。

ウェイターさん、このスープ、髪の毛が入ってるよ
あり得ません。ブラックホールに毛はありませんから

2章　ヘリコプターに乗る

ヘリコプターのブレードにしがみついているときに、誰かがブレードを回しはじめたらどうなりますか？

——コーバン・ブランセット

このような、カッコいい映画のアクション・シーンをあなたは期待しているのかもしれない。

もしもそうなら、がっかりすることになる。だって、本当に起こるのは、むしろ、このようなことだから。

ヘリコプターのローターは、必要なスピードに達するまでに少し時間がかかる。回転を始めたローターが、最初の１回転を終えるまでに10から15

秒かかるはずなので、あなたはパイロットと目を合わせたまま、気まずい時間をかなり過ごしてから、ようやくパイロットの視界から消え去る。

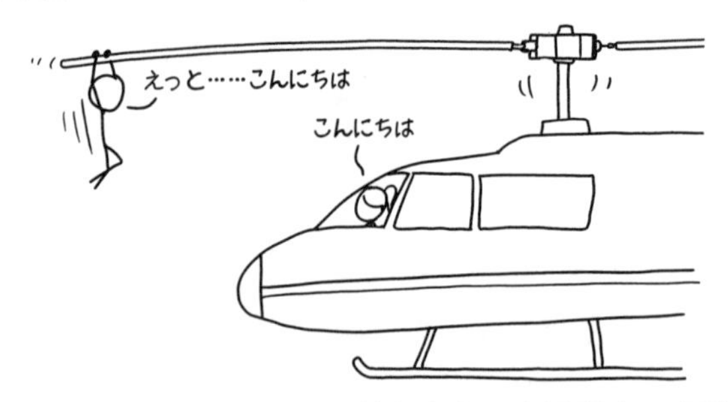

ありがたいことに、パイロットの前をもう一度通過する必要はないだろう。なぜなら、あなたは恥ずかしいくらいすぐに落ちてしまうからだ。

ブレードのつるつるした表面にしがみついているのは、ヘリコプターが停止しているときでも大変だろうが、たとえ楽につかめる場所が見つかったとしても、ブレードが1回転し終えるまでにはきっと、しがみついていた手が離れてしまうだろう。

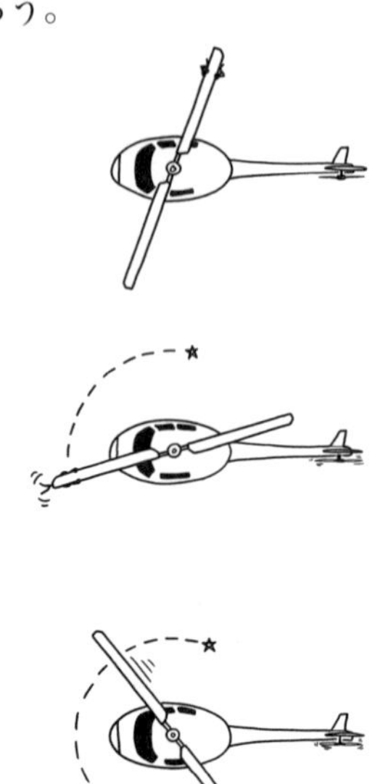

ヘリコプターのブレードはかなり大きいが、そのせいで実際よりもずっとゆっくり動いているように見えている。本当にそれほど速く動いている大きな物体には、私たちは慣れていない。ヘリポートに停まっているヘリコプターのブレードがゆっくり回転しているとき、それはまるでベビーベッドの上で回っているモビールのように、とても優しく見えるかもしれない。だが、ブレードの先端にしがみつこうとすると、びっくりするほどの勢いで放り出されるだろう。

ローターが動き始めてから、最初の半回転を終えるまでに、5から10秒かかるだろう。あなたがブレードにしがみついていたなら、その時点までに間違いなく外に向かって振れており、遠心力のせいで体重が5から10キログラムほど増えたように感じているはずだ。さいわい、たいていのヘリコプターのブレードは地面に十分近いので、落ちても大したけがはなく、自尊心が傷付くだけで、命に別状はなかろう。

もしもずっとしがみついていられたとすると、状況は急激に悪化の一途をたどるだろう。ブレードが1回転し終えるまでには*、あなたを引っぱる遠心力は重力を超え、あなたはさらに外側へと大きく振れるに違いない。このとき加わる遠心力は、もう1人だれかがあなたにしがみついているときにあなたに加わる重さと同じぐらいだろう。

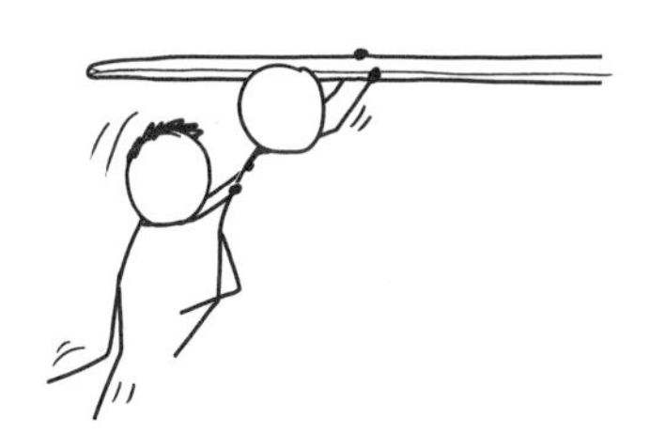

たとえしっかりしがみついていたとしても、そうし続けるのは至難の業だ。しがみついたまま1周したいのなら、手をブレードに固定する何らかのシステムを用意しなければならないだろう。

---

* しがみつくなら絶対に、主ブレード（主回転翼）と、後ろのテール・ローター（尾部回転翼）との間隔が十分広いヘリコプターにすること。そうでない場合は、正確なタイミングで懸垂ができる人以外不可能。

ヘリの翼にしがみつこうとするたびに、こうなるのはもう嫌じゃありません？

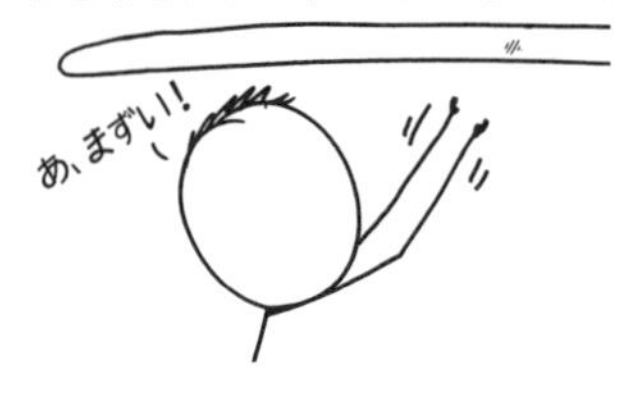

最新型のスゴピタ・ハンド・アンカーをお試しください

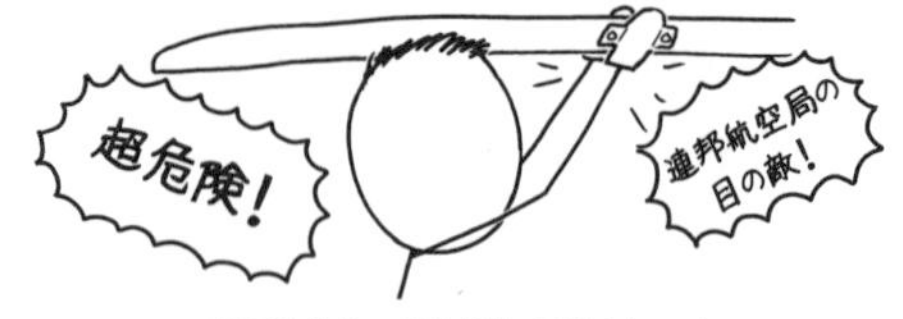

スゴピタ・ハンド・アンカー：
そんなもん誰が買うか！™

ローターが通常のペースで加速しつづけ、あなたが何とかしがみつきつづけるとすると、ローターが２度目の回転を終えたあと、あなたの体は外向きに振られて、ほぼ水平になっているはずである。そのとき両手は、あなたの体重の何倍もの重さを支えようとしているだろう。この状態で20秒間耐えられたとすると、ローターは毎秒１回転しているはずで、両手にかかる力は数トンの重さに匹敵するだろう。どうがんばっても、30秒後には、ヘリにしがみついていた手は離れてしまうに違いない。もしも両手がまだローターにくっついているとしたら、どちらの手も体からは分離しているだろう。

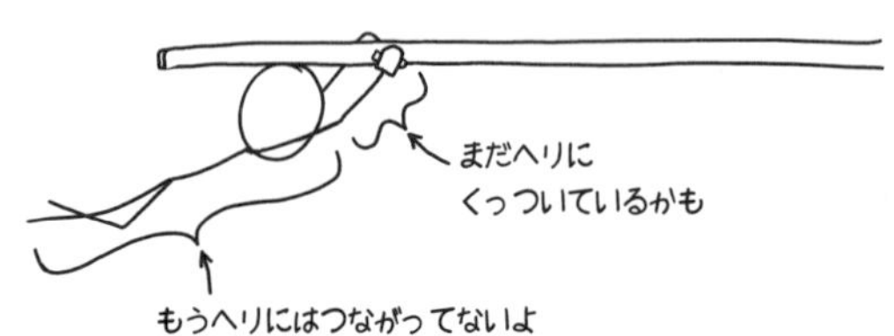

この経験は、ヘリコプターにしてみても、あなたより少しでもまし、などということはないだろう。ローターは、いつもの始動動作で可能な加速を妨害されるのだから。要するに、あなたの手がこれだけの力を受けてい

るなら、ヘリコプターだってそうなのだ。ヘリコプターのブレードは、何トンもの張力に対処できるように設計されているが、それは張力が、それぞれのブレードに均等に配分されているという想定の下でだ。１枚のブレードにほかのブレードよりも大きな力が加わっていると、そのブレードはヘリコプターを大きく揺さぶるだろう。バランスの悪い洗濯機と同じだ。

ブレードの付け根に数十グラムのおもりを付けるだけでも、不快なほど強い振動が生じる（または、打ち消される）ことがある。ブレードの先端に人間と同じくらいのおもりを付ければ、ヘリコプターは必要な回転速度に達するずっと前に、ひっくりかえって、ばらばらになるだろう。

考えてみれば、これはもしかしたら映画のアクションシーンにうまく使えるかもしれない。悪役がヘリコプターに乗って逃げようとしていて、ヒーローが走って追いかけて飛びつき、着陸スキッドからぶら下がっているシーンをご存じですよね？

ヒーローが、本気で悪役の逃亡を阻止したければ……。

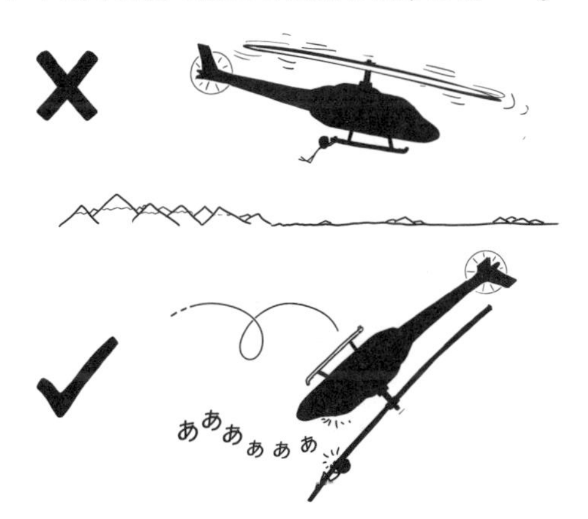

……定番よりももうちょっと高いところに飛びつけば、それでいいわけだ。

3章　危険なほどの冷たさ

0ケルビンの大きな物体のそばに立っていると、何か危ないことがありますか？

――クリストファー

つまり、おうちのリビングルームに、途方もなく冷たい巨大なサイコロ型の鉄を置くことにしたわけですね。

まず、絶対にさわらないこと。さわりたいな、という気持ちをおさえられるかぎり、直接の害はたぶんないだろう。

冷たいものと熱いものは違う［要出典］。熱いもののそばに立っていると、ごく短時間で死んでしまう――これに関する詳細は、本書のほかのページをランダムに開いていただきたい。しかし、冷たいもののそばに立っているだけでは、瞬時に凍死することはない。熱い物体は外に熱を放射するので、周囲のものは熱くなっていくが、冷たい物体は冷気を放射したりしない。ただそこに存在しているだけだ。

冷気を放射しなくても、熱を放射しないせいで、冷たく感じるだろう。人間の体は、すべての温かい物体と同じで、常に熱を放射している。さいわい、あなたの周囲のすべてのもの――家具や壁や木など――も、やはり熱を放射している。このような放射があなたの体に入って、体から出ていく熱の一部を補ってくれる。

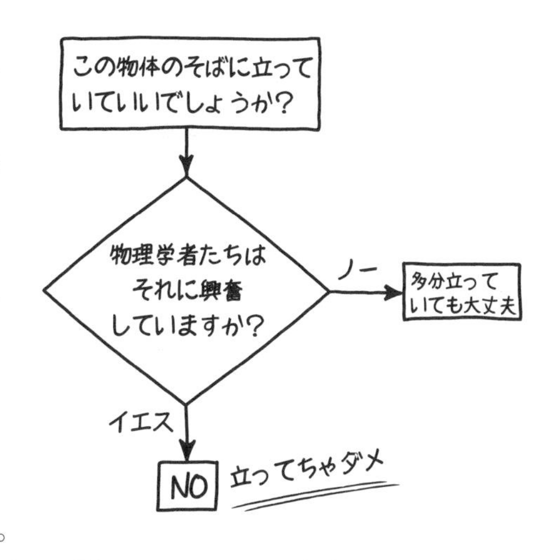
この物体のそばに立っていていいでしょうか？
物理学者たちはそれに興奮していますか？
ノー
多分立っていても大丈夫
イエス
NO
立ってちゃダメ

部屋の温度は普通摂氏か華氏かで測るが、ケルビン（K）目盛の温度計を使うことにすると、室内にあるほとんどのものが絶対温度でほぼ同じレベルの熱を持っていることがはっきりするだろう――なにしろ、どれもだいたい250から300ケルビンなのだから。そして、どれをとっても熱を放射しているわけだ。

部屋の温度よりもずっと冷たいもののそばに立っているとき、体からその方向へと失われていく熱を補ってくれるような熱放射がないので、体の冷たいものに近い側は、速いペースで冷えていく。だから、あなたからすれば、その物体が冷気を放射しているように感じられるわけだ。

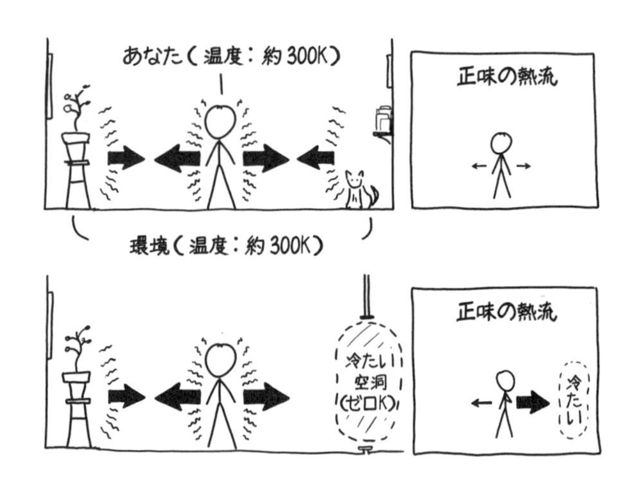

この「冷気の放射」は、夏の夜に星を見上げると実感できる。そのとき顔が冷たく感じるはずだが、それは、あなたの体の熱が空間へと流れ出ているからだ。傘をさして、空が見えないようにすると、暖かくなったように感じるだろう――まるで傘が空からやってくる「冷気をさえぎっている」かのように。この「冷たい空」の効果を利用し、ものを周囲の気温よりも低い温度まで冷やすことができる。夜、水を張った皿を晴れた空の下に置いておくと、たとえ気温が摂氏零度（氷点）よりもある程度高くても、一晩で氷になることがある。

巨大サイコロの隣に立っていれば寒く感じるだろうが、それほど寒くはないだろう——暖かい冬用コートがあれば大丈夫だ。だが、極低温巨大サイコロを早速調達しに行く前に、空気についてお話しするので聞いてほしい。

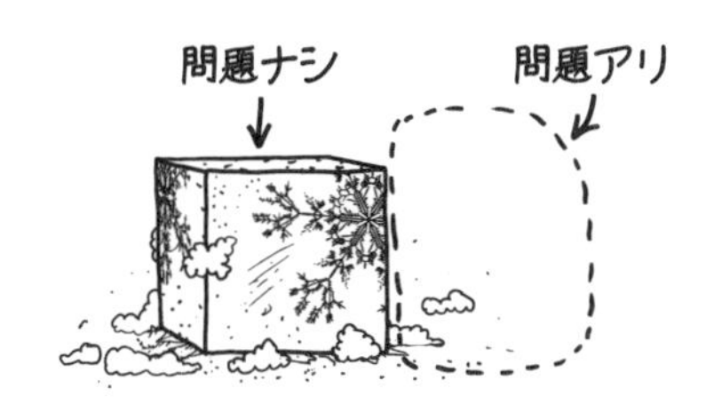

冷たい物体は、空気そのものを凝結させるので、表面に液体酸素が結露のように集まる。十分冷たければ、酸素は凍って固体になる。低温の産業機器を扱う技術者たちは、液体の酸素がこのように集結しないように常に注意する必要がある。なぜなら、液体酸素はかなり危険なものだからだ。反応性が高く、燃えやすいものを自然発火させる。ほんとうに冷たいものは、家を火事にしてしまうことができるのだ。

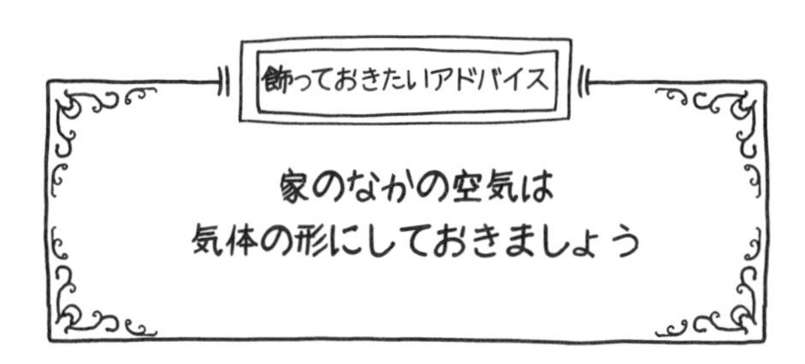

飾っておきたいアドバイス
家のなかの空気は
気体の形にしておきましょう

極低温物質の最大の危険の１つは、極低温でなくなろうとする傾向があることだ。液体窒素やドライアイスが温まり、気体になると、とてつもなく膨張し、通常の空気をすべて部屋の外に押しだしてしまうことが多い。バケツ１杯の液体窒素は、部屋１つを満タンにできるだけの窒素ガスになってしまうが、あなたが呼吸で酸素を吸っているとすると、これはまずい状況だ。

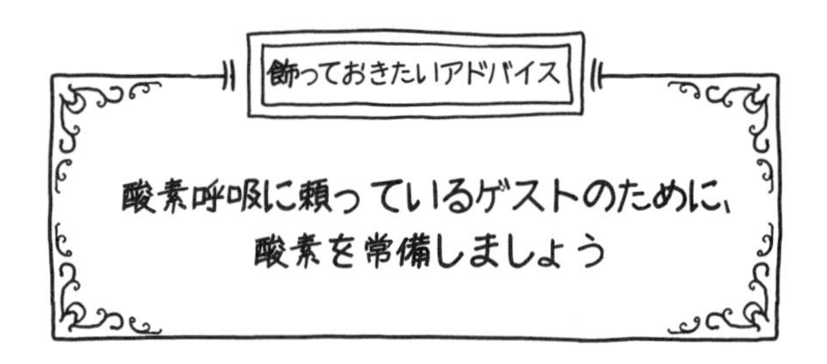

飾っておきたいアドバイス
酸素呼吸に頼っているゲストのために、
酸素を常備しましょう

さいわい、鉄は室温では固体なので、鉄の巨大サイコロが蒸発しないか心配する必要はない。触れないようにし、表面に結露した酸素が燃えやすいものに絶対接触しないようにし、冬用のコートを着こんでいるかぎり、あなたはおそらく安全だ。

というわけで、凍った巨大サイコロを家に置くのはよしましょう。

巨大サイコロは温まるまで大変長い時間がかかる。数日間は極低温のままで、部屋から熱を奪い取り、空気を凍てつかせるのに十分冷たいままでいるだろう。窓をすべて開き、暖房の出力を最大にして、周囲の空気をできるかぎり暖かく保っても、巨大サイコロが室温に近づくには少なくとも１週間はかかるだろう。

プロセスを速めようと、サイコロを10台ほどの電気ストーブで取り囲んでみるのもいい――ただし、電気技師の助けを借りてやろう。さもないと家じゅうのヒューズが飛んでしまうだろう――が、それでも温まるまでに数日かかるだろう。

冷え切った巨大サイコロをもっと速く温めたいなら、水をかけてみるといい。その水は瞬時に氷になるだろうが、氷は砕いて捨てればいい。こうすれば、水の熱の一部が鉄に残っていく。浴槽２、３杯分の水が必要になるかもしれないが、この方法を使えば、より短時間で巨大サイコロをほどほどの温度に温めることができるだろう。

室温になったなら、鉄の巨大サイコロは、あなたのおうちにあるいろいろなものの仲間になるわけだ。それが今ある場所にあなたが満足しているといいのだが。そうでない場合、表面がなめらかな8トンの立方体を動かすのがいかに難しいかを考えると、代わりにあなたが移動したほうが簡単だろう。

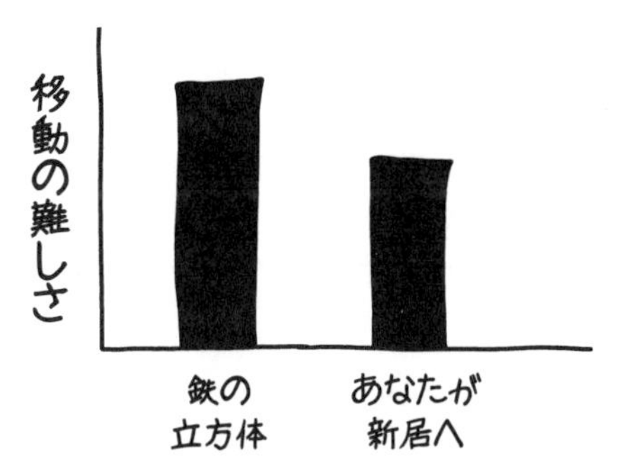

引っ越すのは嫌で、鉄の巨大サイコロを処分する別の方法を探しているなら、もっと熱を加えてやるという手がいつでも使える。

実行するとどうなるかは、次の章に進んでもらえばわかります。

4章　鉄の皮肉な気化

地球上で固体の鉄のブロックを蒸発させることができたら、どんなことが起こりますか？

——クーパー・C

一辺１メートルの鉄の巨大サイコロを、裏庭で蒸発させることにしたんですね。

鉄はほかのものと同じく、沸騰して蒸発するが、沸点がとても高い——約3000℃——ので、実際に沸騰しているところを見ることはめったにない。

水を沸騰させるには、やかんやなべに入れて、その入れ物を100℃になるまで熱すればいい。鉄を沸騰させるのはもっと厄介だ。なにしろ、何で作った入れ物を使えばいいのかが問題なのだから。たいていの金属は鉄よりも沸点が低いので、そのような金属を、沸騰している鉄を入れる物として使うことはできない——鉄がブクブク泡立ってくる前に、溶けてしまうだろう。

鉄の沸点の少し上まで固体のままでいてくれる物質がわずかながら存在する。タングステン、タンタル、炭素などだが、このようなものでできた入れ物を使っても、沸騰する鉄を入れておくのは厄介だ。入れ物が融点に達しないようにしながら、鉄を沸騰させるのは実際には難しいし、化学反応の問題もある。鉄は化学の困り者だ——溶けると、容器と反応して合金を作ってしまうことが多いのだ。

現実の世界では、鉄を気化させたい*ときには普通、鉄を熱源の真上に直接置いたりはしない。誘導加熱という方法を使って電磁波で加熱するか、あるいは、電子ビームを使って少しずつ気化させるかだ。電子ビームのいいところは、磁場を使ってビームを曲げられるので、本当に面白い危険なことが起こるエリアを、鉄と一緒にシールドで囲って、デリケートな装置（電子源など）が置いてある場所から隔てられることだ。

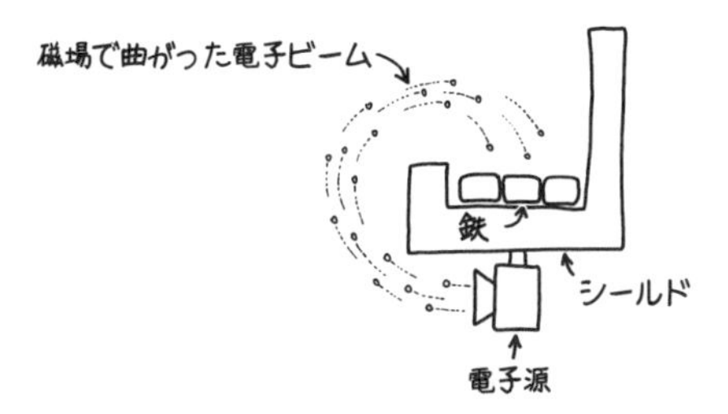

あなたは、必ずシールドの外側に立つこと。というのも、シールドの内側の、鉄の気化が起こっているところでは、ものすごい数の高エネルギー粒子が鉄から飛び出しているはずだからだ。「物理現象が起こっている場所の反対側に立ちましょう」というのは実際、科学的な装置全般にとって鉄則なのだ。

＊　普通、蒸気をメッキに使うためだが、ときには腹いせに、ということもあるかもしれない。

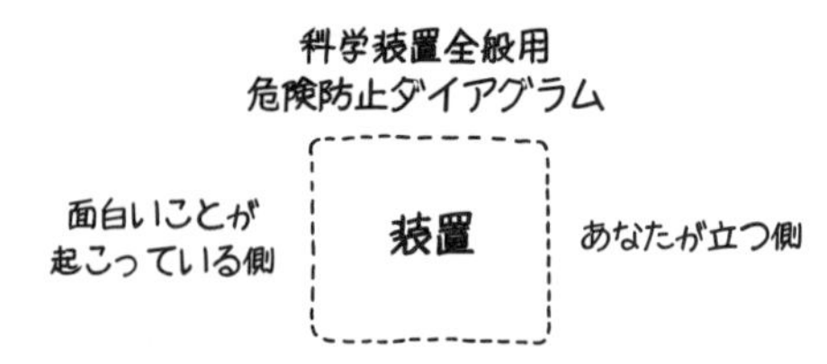

鉄を気化させる装置を組み立てたら、そこから十分離れたほうがいい。というのも、１立方メートルの鉄を気化させるには約60ギガジュールのエネルギーが必要だからだ。３時間かけて鉄を気化させるとすると、装置の総熱出力は、住宅一棟が全焼する火災とほぼ同じだ*。

しかし、ご質問は「それをやれますか？」ではなくて、「やったらどうなりますか？」だった。その答えは非常にシンプルだ。「あなたの家と庭が火事になるでしょう」というのがそれである。消防車が来て、大勢の人々があなたに腹を立てるだろう。

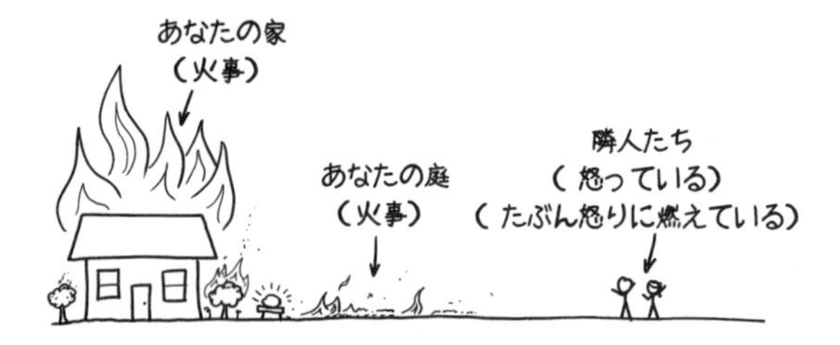

大気への影響は、もっと興味深い。この実験で、８トンの鉄が煙として大気のなかへと解放される――それはあなたを取り巻く環境にどんな影響を及ぼすだろう？

大気全体には大した影響はないだろう。大気中にはすでにかなりの量の鉄が含まれている。その大半は風で運ばれた塵（ちり）である。人間の活動（主に化石燃料の燃焼）でも、大量の鉄が大気に送り込まれる。ナタリー・マホーワルドらによる2009年の研究を元に推測すると、８トンの鉄の立方体を気化させるのにかかる３時間のあいだに、砂漠を吹く風が３万トンの鉄を大気中に巻き上げ、さらに各種工業施設からの1000トンがこれに加わるだろう。

* この実験を自宅の近くでやると、その結果２軒の住宅火災分の熱が発生することが実感できるかもしれない。

あなたの実験のあいだに大気に加わる鉄

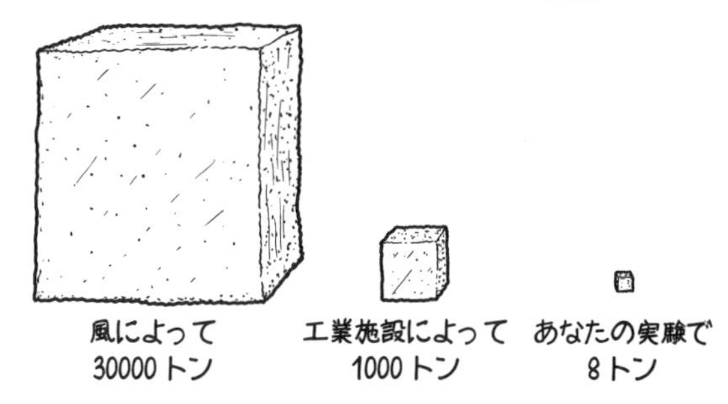

8トンの鉄が地球全体に影響を及ぼすことはないだろうが、あなたのご近所はどうだろう？　ご近所さんたちは、何台もの消防車のほかに、何を見つけるだろう？　朝起きて外を見たら、すべてが鉄メッキされているのに気づくのだろうか？

あー、やだー、誰かが
ユリにメッキしちゃった。
カチン
コチン

こういった疑問への答えを見つけるために、2009年の研究の主著者で大気中の金属の移動を専門に研究する、マホーワルド博士に問い合わせてみた。

マホーワルド博士は、次のように説明してくれた。鉄の蒸気が煙となって大気に吹き出ると、鉄はすぐに大気中の酸素と反応し、凝華（ぎょうか）して酸化物の粒子となる。「酸化鉄の粒子は大気の質に対して、それほど悪影響は及ぼしません」と博士は言った。が、ただし、「ある程度量が増えると、肺には間違いなく害になるでしょう。これは、必ずしも鉄酸化物特有のことではなく——人間の肺は普通の空気を吸うようにできているから、というだけのことなのです」。

肺は空気を吸うことになってるんです。
それ以外に、吸って体にいいものって、
あんまりないんですよ。

酸化鉄の粒子は、最終的には風下（かざしも）のどこかで落ちて大気から離脱するだろうが、必ずしも深刻な問題を起こすというわけではないらしい。「おそらく、何も殺したりはしないでしょう」とマホーワルド博士は語った。「陸には、すでにかなりの鉄がありますし」。しかし、あなたの実験で酸化鉄の粒子が結構な量できたとすると、火山が噴火したときに風下に火山灰が降り積もるように、草木を覆ってしまうかもしれない。ご近所さんたちは、車から粒子を払い落さないといけないので迷惑がるだろう。

マホーワルド博士によれば、気化した鉄は微量の日光を吸収して、それを熱として放射するので、気候変動に悪影響を及ぼす可能性がある。しかし、海中の鉄は、海藻に必要な栄養素で、これが増えれば、大気中のCO_2を取り込んでくれる海藻の成長が促される。1988年、海洋学者のジョン・マーティンが――なるたけ超悪玉っぽい声で――「タンカー半杯分の鉄を寄こせ。そしたら氷河期にしてやるぜ」と言ったことはよく知られている。

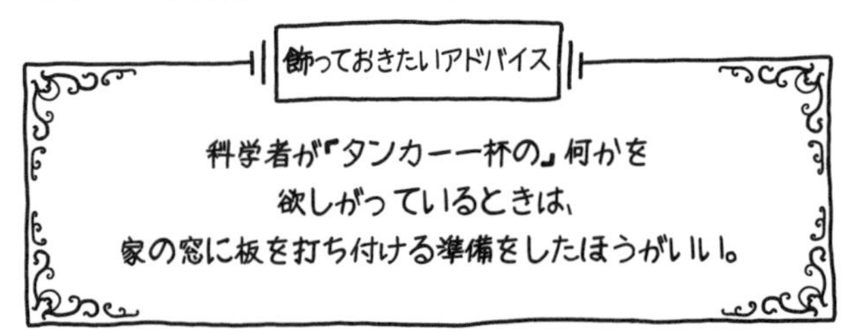

科学者が『タンカー一杯の』何かを
欲しがっているときは、
家の窓に板を打ち付ける準備をしたほうがいい。

マーティン博士が本当に超悪玉になったことはなかった[要出典]し、この計画を実行しようとしたこともなかったが、やってもうまくいったかどうか疑わしい。その後の研究で、鉄を海に投入しても、大気から炭素を効率よく取り除くことはできないだろうということが示された。これは、氷河期をもたらしたい超悪玉だけでなく地球温暖化を阻止したいスーパーヒーローにも残念なことだ。

だが、もしもあなたが本当に鉄のかたまりと、それを気化する手段をお持ちで、自分の家、庭、そして風下に住む隣人たちの庭が本当に大嫌いなら、あなたの計画は報われるだろう。

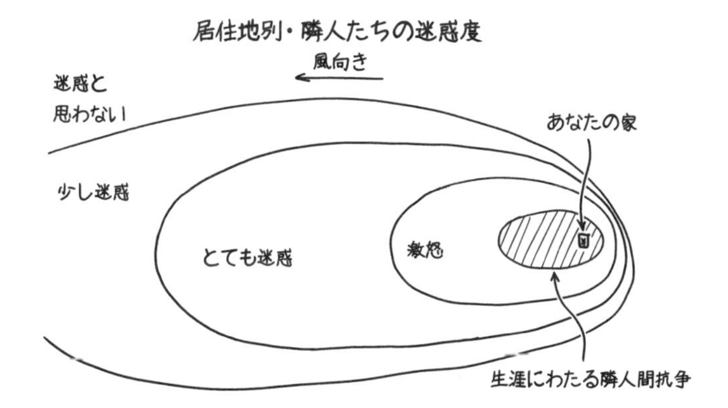

5章　宇宙の長距離ドライブ

今この瞬間、宇宙の膨張が止まったとすると、人間が自動車を運転して宇宙の果てまで行くのにどれくらいの時間がかかりますか？

——サム・H-H

宇宙の果てまでは、約440,000,000,000,000,000,000,000キロメートル（4.4×10^{23}）kmだ（約460億光年）。

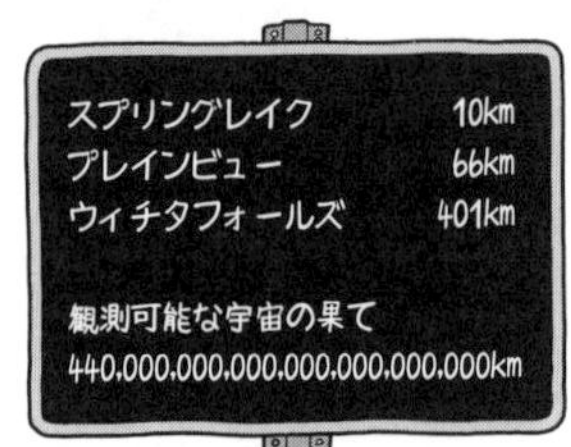

時速105キロメートルの一定の速さで進むとすれば、そこまでたどり着くには、480,000,000,000,000,000——つまり4.8×10^{17}——年かかる。別の言い方をすると、今の宇宙の年齢の3500万倍の長さだ。

この長距離ドライブは、危険なものになるだろう。宇宙の何やかやのせいではなく——そういうものは、あまり気にしなくてもいい——運転そのものが相当危険なのだ。アメリカでは、平均的な中年のドライバーは、1億マイル（約1天文単位）毎（ごと）に約1度、命に関わる衝突事故に遭う。太陽系から出てどんどん遠くへ行く高速道路を誰かが作ったとすると、ほとんどのドライバーは小惑星帯を抜け出すことができないだろう（小惑星帯は、太陽から2～4天文単位の距離にあるため）。高速道路で長距離を走るのに慣れているトラック・ドライバーは、一般のドライバーよりも衝突事故遭遇率は低いが、それでも木星（太陽からの距離は約5天文単位）に到達する可能性はあまりないだろう。

アメリカの衝突事故率からすると、１人のドライバーが観測可能な宇宙の果てまでの460億光年を一度も事故を起こさずに走り切る可能性は約$10^{10^{15}}$に１つである。これは、１匹のサルが米国議会図書館の蔵書をすべて、ミスなしにタイプで打つという作業を連続50回やり遂げるのとほぼ同じ確率である。自動運転車か、少なくとも車線からはみ出しそうになったら警告してくれるアラームの付いた車を使ったほうがいいだろう。

宇宙の果てまでの旅には大量の燃料が必要だ。１ガロンあたり33マイル（１リットルあたり約14キロメートル）の燃費の場合、宇宙の果てまで行くには月と同じ大きさの球を満たすガソリンが必要になる*。さらに、3000京（30兆の100万倍）回のオイル交換を行うことになるので、北極海と同じ容積のエンジンオイルを入れる容器も必要だ**。

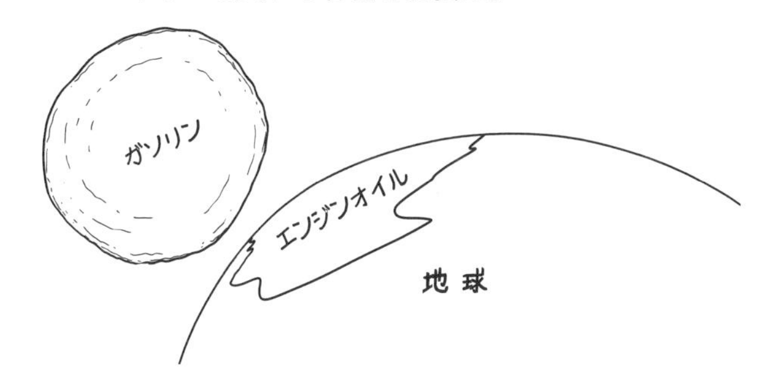

＊　2021年時点で、NASAのニュー・ホライズンズ探査機は約８億5000万ドルの資金で約50億マイル進んだ。これはつまり、１マイルあたり17セントである――普通の長距離ドライブでガソリンとスナックにかかる費用と同じぐらいだ。

＊＊　昔から、5000キロメートル走るたびにオイル交換が必要だと言われているが、車の専門家のほとんどが、これは俗説だということで意見が一致している――最近のガソリンエンジンは、１度オイル交換すれば、この２、３倍の距離を悠々走ることができる。

また、10^{17}トンのスナックも必要だろう。銀河間パーキングエリアがたくさんあるといいのだが。さもないと、トランクがぎゅうぎゅうになってしまう。

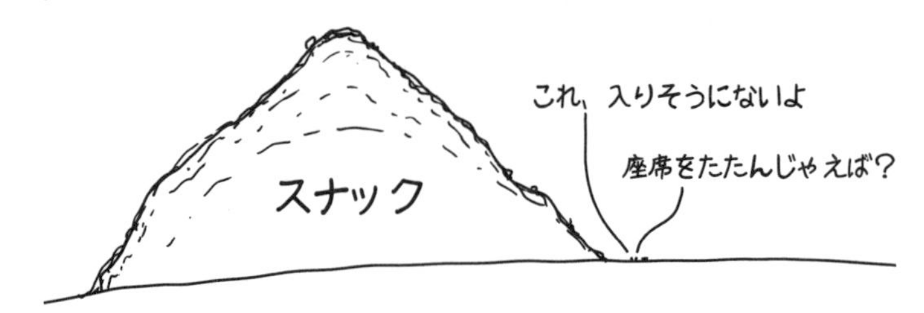

これ、入りそうにないよ
座席をたたんじゃえば？
スナック

それは途方もなく長い旅で、景色もほとんど変わらないだろう。肉眼で見える恒星は、銀河系を抜ける前にすべて燃え尽きてしまっているだろう。室温の恒星に接触したいなら――それがどういうことかは、63章を見てほしい――宇宙探査機ケプラーが発見した恒星の１つ、ケプラー1606を通過するルートを計画するといい。それは2800光年の距離にあるので、300億年後にあなたが通過するときには、この恒星は快適な室温まで冷えているはずだ。ケプラー1606には現在惑星が１つあるが、あなたがたどり着くころには、その惑星はすでに呑み込まれてしまっているだろう。

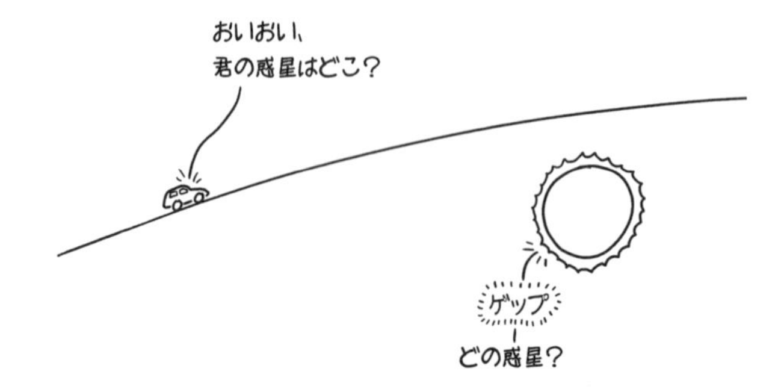

おいおい、
君の惑星はどこ？
ゲップ
どの惑星？

恒星がすべて燃え尽きてしまったら、新しい気晴らしを見つけなければ。たとえあなたが、これまでに作成されたオーディオブックのすべてと、あらゆるポッドキャストの全エピソードを持っていくとしても、太陽系の端(はし)までもたないだろう。

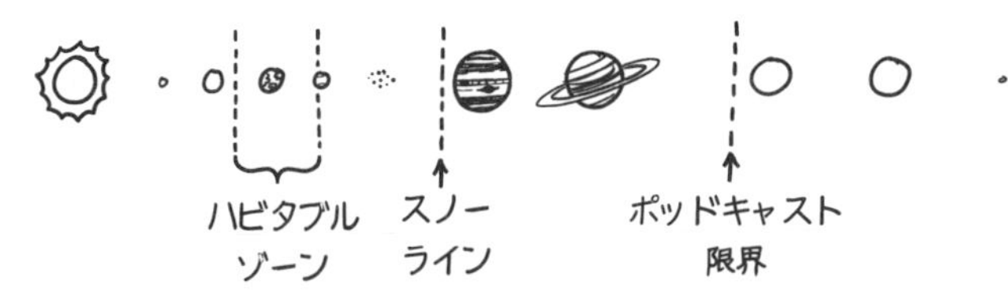

（訳注：「スノーライン」は水が気体から固体になるのに十分低温となる距離。フロストラインとも言う）

よく知られているように、ロビン・ダンバー（イギリスの人類学者兼進化生物学者）は、平均的な人間は約150の社会的関係を維持していると述べた。これまでにどこかで生きていたことのある人間の数は1000億人を超える。10^{17}年の長距離ドライブは、これらの人間一人ひとりの人生をリアルタイムで――一種の無編集ドキュメンタリーの形で――再生し、そして、そのドキュメンタリーのそれぞれを、主人公を最もよく知る150人の一人ひとりに違った解説をしてもらいながら、150回再生して見直すのに十分な長さだろう。

次は誰？
1833年ハンガリー生まれのレオポルド。解説は幼馴染みで彼に一度石を投げつけたことがあるマリア。
また幼馴染み？　面白そうだね、75年のレオの退屈な人生を、その大半を無関係に過ごした誰かの解説で、もう1回見るわけね。
うん。でもさ、マリアのエピソード覚えてるよね？爆笑もんじゃん。面白くないわけないよ。

この、人間の生涯とそれに対するさまざまな視点を網羅したドキュメンタリーを見終えるころ、あなたはまだ宇宙の果てへの旅路の1パーセント

も進んでいないはずなので、ついに宇宙の果てに着くまでに、この長大なドキュメンタリー――150通りの音声解説が付いた一人ひとりの人間の人生――を100回繰返し見るのに十分な時間があるだろう。

観測可能な宇宙の端に着いたなら、また4.8×10^{17}年かけて家に戻ることもできるが、帰るべき地球はもはや存在しないので――残っているのは、ブラックホールと恒星の凍った殻だけだろう――さらに先へと進んだほうがいいだろう。

私たちが知る限り、観測可能な宇宙の端は実際の宇宙の端ではない。それより遠方の宇宙からは、光が私たちに届くだけの時間がこれまでに経過していないので、そこが私たちが見ることのできる最も遠いところだというだけだ。宇宙そのものがその特定の距離で終わっていると考える理由はない。とはいえ、その先どれだけ遠くまで宇宙があるのかはわからない。どこまでも続いているのかもしれない。観測可能な宇宙の端は、宇宙そのものの端ではないけれど、地図の端ではある。それを越えたときに何が見つかるかを知る方法は存在しない。

スナックを余分に持っていくのを絶対に忘れないように。

6章　ハト式上昇椅子

平均的な人間が座ったラウンジ・チェアをオーストラリアで一番の超高層ビルであるＱ１の高さまで持ち上げるには、何羽のハトが必要ですか？

——ニック・エヴァンス

まさかと思うでしょうが、科学はこの質問に答えることができます。

2013年、南京航空航天大学のティン・リューが率いる研究者たちは、重り付きのハーネスを着せたハトを止まり木まで飛び上がるように訓練した。この研究の結果、平均するとハトは体重の約25パーセントに当たる124グラムを身に付けた状態で飛び立って上昇することができることがわかった。

この研究で、重りは、背負わせるよりも、体の下に吊り下げるほうがハトはよく飛ぶことが突きとめられたので、あなたのハトには椅子を下から支えさせるよりも、椅子を上から引き上げさせるほうがいいだろう。

あなたの椅子とハーネスは合計で5キログラム、あなたの体重は65キログラムだとしよう。2013年の研究のときと同じハトを使ったとすると、あなたの椅子を持ち上げて上昇させるには、約600羽のハトが必要になる。

ところが、荷物と一緒に飛ぶのは大変な仕事だ。2013年の研究で使われたハトたちは、重りを1.4メートル上の止まり木まで運ぶことはできたが、それ以上高く飛ぶことはあまりできなかっただろう。荷物を運んでいないときでも、ハトは垂直に上昇するという過酷な飛行は数秒しか続けられない。1965年のある研究では、測定の結果、荷物を運んでいないハトの上昇速度は秒速2.5メートルだった[*]ので、楽観的に考えても、ハトがあなたが座っている椅子を5メートル以上吊り上げられるとは考えにくい[**]。

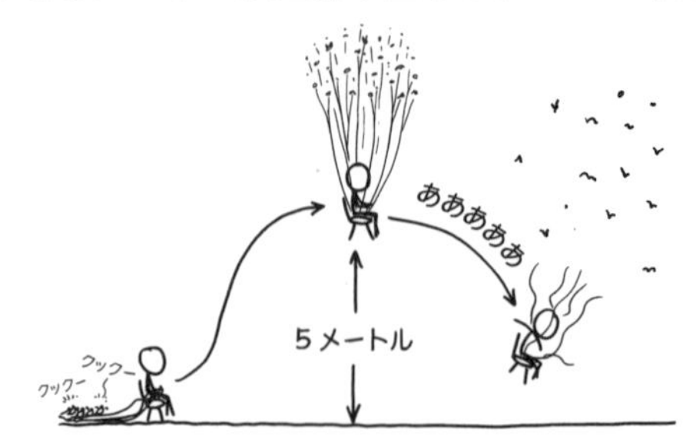

＊　1965年の研究の著者C・J・ペニークイックとG・A・パーカーは、ハトの垂直飛行速度を測定した方法を次のように説明している。「研究所の平らな屋上の、壁に囲われた一角で、人間に懐いたハトたちに手で餌を与えた。一台の動画用カメラを壁の上に水平に設置し、その一角に向けた。カメラの録画を開始すると同時に、協力者にハトに向かって突進してもらった。この状況では、ハトたちは壁を越えようとしてほぼ垂直に飛び上がるほかなかった」。私は論文の「実験方法」のセクションを読むのが大好きだ。

＊＊　2010年のアンジェラ・M・バーグらの研究によれば、ハトが飛び立つ際の加速の約25パーセントが脚で蹴ることから生じるという。だが、その実験時、ハトは止まり木を蹴って飛び立つという動作をしていたはずで、飛び立つ際の加速に対する翼の動きの貢献はもっと大きかっただろう。したがって、この推定値は一読して感じる以上に過大評価と言えるだろう。

そんなの問題ないよ、と思われるかもしれない。600羽のハトが最初の5メートルを引き上げてくれるなら、そのハトたちが疲れたときに次の5メートルを引き上げてくれる、別の600羽のハトを一緒に連れて行けばいい。ロケットの2段目のように。さらに次の5メートルにはさらに別の600羽を連れて行けばいい、あとは繰り返し、という具合に。Q1の高さは約322メートルなので、約40000羽のハトがいれば頂上まで昇ることができるはずだ。そうでしょう？

いやいや、そうではないのだ。このアイデアには問題が1つある。

このアイデアには問題が1つあるんだよ……
1つだけ？
そりゃよかった！

ハトは自分の体重の4分の1の重さしか運べないので、飛んでいない1羽のハトを運ぶには4羽のハトが必要になる。だとすると、2段目、3段目……の予備ハト・ユニットのそれぞれは、1つ前のユニットの、少なくとも4倍のハトが必要だ。1人の人間を吊り上げるには600羽だけでいいが、1人の人間と600羽のハトを吊り上げるにはさらに2400羽のハトが必要になる。

このように必要なハトの数が急激に増えるため、あなたを45メートル吊り上げることができる9段の「ハト椅子」には、3億羽のハトが必要だろう。これは地球上に生息するすべてのハトとほぼ同じ数だ。Q1の半分の高さに達するには1.6×10^{25}羽のハトが必要になり、その重さは約8×10^{24}キログラムになる——地球よりも重い。こうなると、

「ハト椅子」のハトたちが地球の重力で引っ張られるのではなく、地球がこのハトたちの重力で引っ張られることになる。

Ｑ１の頂上に到達するのに必要な65段の「ハト椅子」の重さは3.5×10^{46}キログラムだ。これは、地球上に存在するハトの数を超えているばかりか、銀河系の重さをはるかに超えている。

むしろ、ハトたちを運んでいくのではない方法を使うことをおすすめする。そもそもハトは自分で超高層ビルの頂上まで飛べるのだし、先にハトを上に飛ばせておいて、あなたが昇ってくるのを待たせたほうが、ハトの仲間にハトをあなたと一緒に吊り上げさせるよりもずっといい。ハトを十分訓練できれば、ハトたちに適切な高さまで滑空してもらい、あなたを拾い上げて、それから数秒間彼らの段の高さまであなたを吊り上げてくれるように教え込めるはずだ。忘れてはならないのは、ハトは足で物をつかんで運ぶことはできないということ。そのため、空中であなたをつかまえてもらえるように、ハト用の小さなハーネスを着用させ、それに戦闘機が空母に着艦するときに使うようなフックを付けておかねばならない。

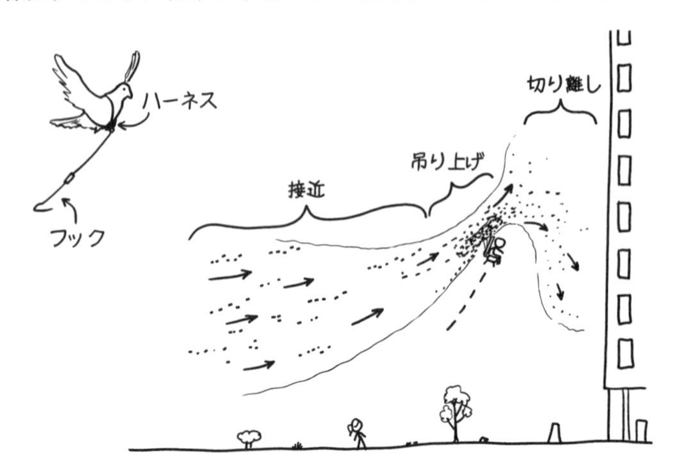

このように段取りしておけば、十分訓練されたハト数万羽だけで、あなたはＱ１の頂上まで昇ることができるだろう。タカが近くに飛んできてハトが怖がった場合に、あなたが地面に墜落するのを防ぐために、何らかの

安全システムを準備しておいたほうがいい。

「ハト椅子」は、エレベーターに比べ、より危険なばかりか、行き先を選ぶのもはるかに難しいに違いない。あなたはQ１の頂上に行くつもりだったとしても、一度飛び立ったが最後……

……あなたは袋入りの種を持っている人に完全に操られてしまうだろう。

さくっと答えます #1

Q 血液が液体ウランになってしまったら、どうなりますか？　放射線、酸欠、それともほかの何かで死ぬのですか？

——**トマス・チャッタウェイ**

あなたは、全失血及び溶融ウラン充満症候群、
略して『ジェフ病』と私たち医療専門家が
呼ぶ病気で死ぬのよ。
ああ、かわいそうなジェフ。

Q アニメであるように、空気から剣を作って人を攻撃できますか？　私が言っているのは「エアブレイド」のことじゃなくて、空気を十分冷やして、人への攻撃に使える固体にする、みたいなことです。

——マンハッタンのエマ

もちろん。部屋いっぱいの空気が必要だけど、可能だ。

液体酸素の研究によれば、液体酸素は軟質プラスチックと似た力学的性質を持ち、温度が下がると若干硬くなるようだ。だから、あなたが酸素で剣を作ったとしても、あまり丈夫ではないし、研ぐのは難しいし、それに、持つ手がすぐにしもやけになってしまうだろう。窒素は、酸素よりも融点がほんの少し高いが、大して変わらないだろう。でも、不可能ではないですよ。

このエア・ソードは山の小人たちが鍛えて作ったんだ。
刃は酸素でできてて、すんごく弱くて柔いの。
おまけに、なべつかみをして持っても、手が凍ってくるよ。
もっと剣づくりがうまい
小人を探さなきゃ。
やばい、気化してきた。
捨てなきゃ！

Q 人間の体が99パーセント水になるためには、どれだけの水を飲まないといけませんか？

——LyraxH

$$\frac{\text{新たに飲む水} + \text{体内の水分}}{\text{体内の水以外のもの}} = \frac{99}{1} \text{にしたい。}$$

飲まなきゃいけない水の量は、

$$\text{新たに飲む水} = \frac{99}{1} \times (\text{体内の水以外のもの}) - \text{体内の水分}$$

$$= \frac{99}{1} \times \left(1 - \frac{70}{100}\right) \times 65\text{L} - \frac{70}{100} \times 65\text{L}$$

$$= 29 \times 65\text{L}$$

$$\approx 1{,}900\text{L} \approx 500 \text{ガロン}$$

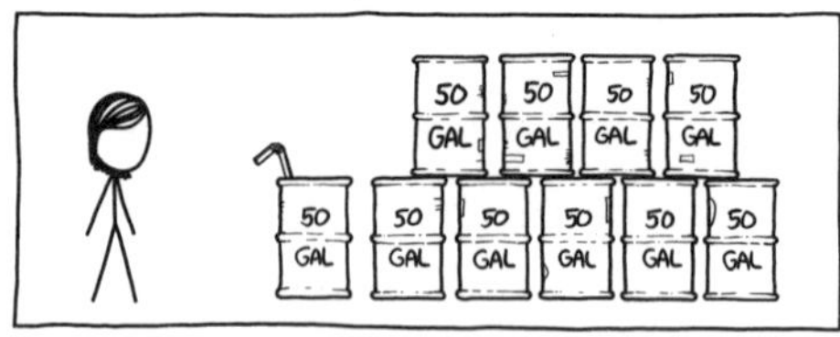

はい、どうぞ！

Q 風船に軽量カメラをつけて飛ばしたら何が見えますか？

——レイモンド・ペン

Q マリオは1日何カロリーを消費しますか？

——ダニエルとザビエル・ハブリー

『スーパーマリオブラザーズ』に登場するスーパーキノコの数	：56
普通サイズのキノコ1個のカロリー	：5kcal
マリオが摂取可能な総カロリー	：280kcal
『スーパーマリオブラザーズ』発売日	：1985年9月13日
スーパーキノコが登場する次のマリオシリーズの発売日	：1986年6月3日
間隔	：263日
1日あたりのカロリー	：1.1

結論

マリオは1985年末に
餓死しました。

Q ヘビが顎をはずして風船を丸ごと呑み込んだとすると、ヘビはその風船と一緒に浮き上がりますか？

——フリーザチュー

Q マッハ880980で高度100000フィート（約30000メートル）を飛行中の飛行機からスカイダイビングの装備をして飛び出したら、生きて着地できますか？

――ジャック・カッテン

Q 地球に水がまったくなかったとしたら、私たちみんな生きられますか？

――カレン

この２つの状況はどちらも、誰も生き残ることはできない。

状況	生存の可能性
相対論的スカイダイビング	0.0%
水がすべてなくなる	0.0%

Q ジェットパックを手作りすることはできますか？

――アザーリ・ザディル

１回使えるジェットパックを作るのはとても簡単だ。２回以上使えるものとなると、ずっと難しくなる。

わーい!!
着地お見事!
わりと簡単
ずっと難しい

Q 私の溶接機を除細動器として使えるようにする方法はありませんか？（私が持っているのは、Impax IM-ARC 140型アーク溶接機です）

——ルーカス・グラボフスキー、ランカスター（イギリス）

アーク溶接機は絶対に除細動器（電気ショックで心臓のけいれんを除去する救命装置）として使ってはなりません。そして、あなたの質問を読んで思ったのですが、あなたはそれをアーク溶接機として使うことも禁止されるべきです。

Q 地球上のすべての原子がブドウ１粒の大きさに膨張したらどうなりますか？　私たちは生きていられますか？

——ジャスパー

この質問に科学を使ってどう答えればいいかよくわからないけれど、私は無性(むしょう)にブドウが食べたくなってしまった。

7章　恐竜に必要なカロリー

ティラノサウルスをニューヨークに放したとすると、ティラノが必要なカロリーを摂取するためには、1日あたり何人の人間が必要になりますか?

——T・シュミッツ

約大人半分または10歳児1人。

しまった。昨日1人食べ忘れた。今日2人食べていいかな?

ティラノサウルスはゾウ1頭と同じぐらいの体重がある*。

＊　これについては、そうだとされているものの、ちょっと違うんじゃないかと私はずっと思っていた。イメージとしては、ゾウは自動車やトラックと同じくらいの大きさだが、ティラノサウルスは映画『ジュラシック・パーク』で描かれるように車を踏みつぶせるほどの大きさだ。しかし、グーグル画像検索で「自動車+ゾウ」をサーチしてみると、ちょうど『ジュラシック・パーク』のティラノサウルスのように、ゾウが自動車にのしかかろうとしている画像が見つかる。じゃあやっぱり言われているとおりなわけで、私はゾウも怖くなった。

恐竜が食べたものをいかに消化・吸収してエネルギーを生み出していた（代謝していた）のか、完全に理解している人は誰もいないが、ティラノサウルスがどれだけの食べ物を摂取していたかについての有力な説には、１日あたり40000キロカロリーほどだったというものが多いようだ。

恐竜の代謝は現在の哺乳類と同じだったと仮定すると、彼らは１日あたり40000キロカロリーよりもずっと多く食べていただろう。だが、最近の研究では、恐竜は現在のヘビやトカゲよりも活動的（おおざっぱに言って「温血」）だった一方で、超大型恐竜の代謝はおそらくゾウやトラよりコモドオオトカゲに近かっただろうと考えられている*。

次にはっきりさせなければならないのは、１人の人間にはどれだけのカロリーがあるかだ。ありがたいことにこの数値は、『ダイナソー・コミックス』の著者ライアン・ノースが、人体の栄養表示をプリントしたTシャツを制作・販売して教えてくれている。ライアンのTシャツによれば、体重80キログラムの人間には約110000キロカロリーのエネルギーが含まれているので、ティラノサウルスは１日おきに人間１人を消費する必要があるということになる**。

ニューヨーク・シティの2018年の年間出生数は115000人で、その数の新生児だけで約350頭のティラノサウルスを維持できる。しかし、この推測では人口の移動――とりわけ、この状況では大幅に増えるであろう人口流出――が考慮されていない。

＊　大型の竜脚類（訳注：竜脚類は大型で首が長い植物食恐竜。ティラノサウルスは獣脚類に属し、肉食で、一般的な竜脚類よりは小型）に関してはそうに違いないとわかる。なぜなら、このタイプの恐竜が哺乳類のような代謝だったとしたら体が過熱してしまうからだ。しかし、ティラノサウルスぐらいの大きさの恐竜についてはよくわからないことが多々ある。

＊＊　ティラノサウルスは、一度の食事で数日から数週間分を食べようとするだろうから、選択の余地がある場合、一度に大勢の人間を食べ、その後しばらく食べずに過ごすのではないかと思われる。

ブルックリンから引っ越そうと思うの。
家賃は高いし、みんなティラノサウルスに
食べられちゃってるし。

全世界にある39000店のマクドナルドは、1年に約180億個のハンバーガーを販売している*が、これは1店舗1日あたり平均で1250個に相当する。1250個のハンバーガーは約600000キロカロリーで、それからすると、ティラノサウルス1頭は1日に約80個ハンバーガーを食べるだけで生きていける。そしてマクドナルド1店舗は15頭を超えるティラノサウルスの食糧をハンバーガーだけで提供できることになる。

990億個以上を販売
何十億個も繰返し販売
ここに15頭のティラノサウルス生息

あなたがニューヨークに住んでいてティラノサウルスを1頭見かけたとしても、心配はない。犠牲になる友だちを選ぶ必要なんてない。代わりに80個プラスアルファのハンバーガーを注文すればそれでいい。

＊　マクドナルドは1990年代中ごろに、看板の「N十億個を販売」の数字の更新を停止したので、これは大雑把な推測でしかない。

そして、もしもティラノサウルスがあなたの友だちのほうを選んだとしても、あなたはともかくハンバーガー80個が手に入る。

たぶん、友だちというよりただの知り合いだったのでしょう、正直なところ。

8章　間欠泉

ヨセミテ国立公園のオールド・フェイスフル・ガイザーの噴出口の上に立つとしたら、噴出が起こったときどれぐらいのスピードで吹き上げられますか？　そして、どんなけがをする可能性がありますか？

——キャサリン・マグラス

オールド・フェイスフル・ガイザーで重症の火傷(やけど)をする最初の人物にはならないが、それで死亡する最初の人物になる可能性はあります。

イエローストーン国立公園の歴史の研究者リー・H・ホイットルシーが、この公園で起こった命に関わる事件や事故を年代別にまとめた『デス・イン・イエローストーン』には、ガイザーの噴出そのものによる死亡は1件も載っていない。噴出で火傷をする人はしょっちゅういる——一例が、

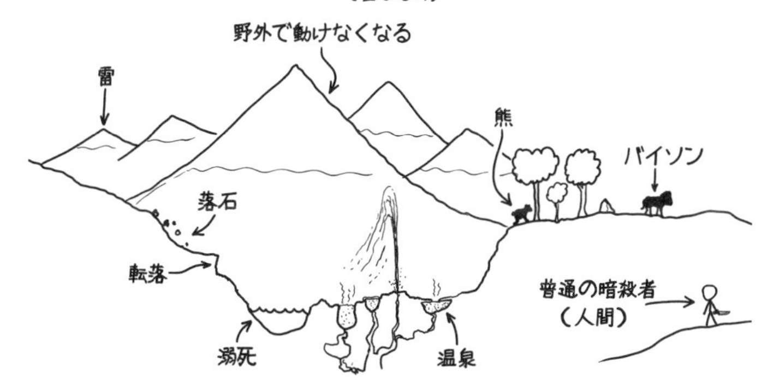

1901年にオールド・フェイスフル・ガイザーの噴出口に落ちたドイツ人医師だ——が、間欠泉の噴出による死亡事故できちんと記録されているものは存在しない。

だが、『デス・イン・イエローストーン』は間欠泉の噴出そのものによる死亡例は挙げていないものの、その付近での事故については驚くほどの数のものを列挙している。地熱活動が盛んな場所にある沸点近い高温のお湯がたまった空洞の上には、それを覆うように薄くて割れやすい鉱物の層ができることが多い。間欠泉の周辺を歩き回る人が、この薄い層を踏み破って落下し、亡くなる事故は度々起こっている[*]。

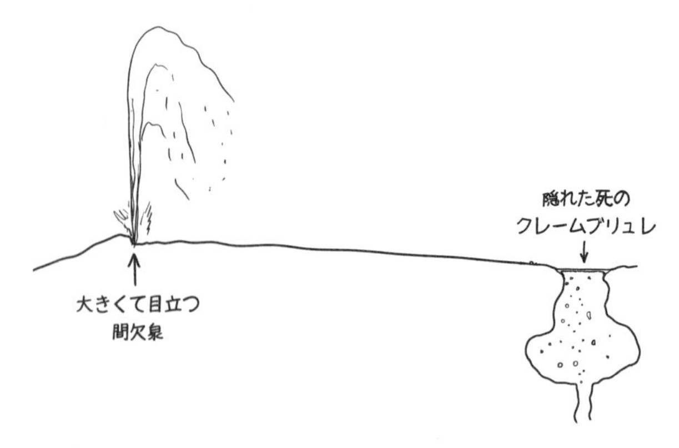

（訳注：クレームブリュレとはカスタードクリームを焼いた菓子で、表面の硬いカラメル層の下は柔らかい）

あなたが間欠泉にたどり着き、噴出の瞬間にその上に立ったとしたら、それは決して楽しい経験にはならないだろう。オールド・フェイスフル・ガイザーが噴出するとき、毎秒約0.5トンの熱湯が吹き上げられる。その噴出物は水滴、空気、蒸気の混合物で、密度はドラッグストアなどで販売している綿球がパックされた袋と同じぐらいだ。この噴出物はかなりの高速——地上に出現する直前の速度は秒速約70メートルほど——なので、高速道路を走る車の流れと同じぐらいの運動量を持っている。

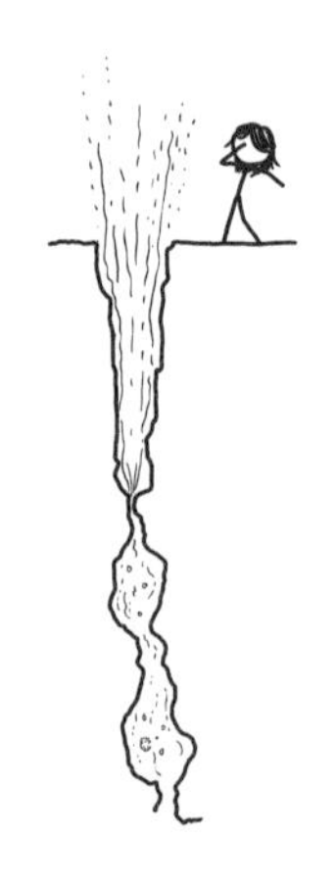

オールド・フェイスフル・ガイザーの推進力をロケットエンジンのそれと同じように、質量流量に速度を掛けて計算すると、2、3万ニュートン（2、3千キログラム重）の力になる。これは、戦闘機の緊急脱出シートの推進力と同じぐらいであり、したがって、1人の人間を空中高く飛び上がらせるのに十分なパワーがあることがわかる。

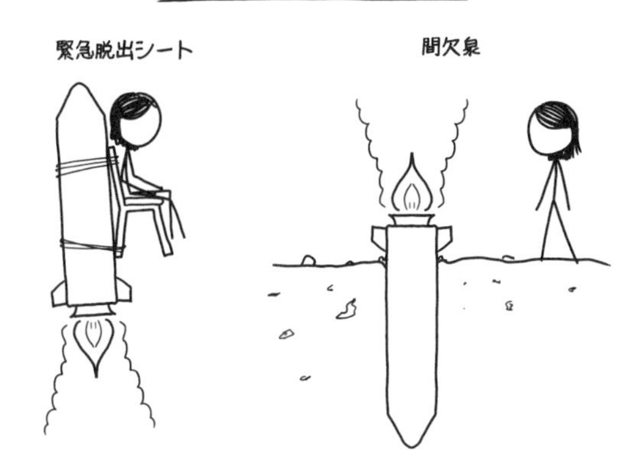

あなたの発射速度――と到達する高度――は、ガイザーがどのようにぶつかるかで大きく変わるだろう。かすめただけなら、あなたは間欠泉の片側に倒れるだけだろう。あなたが噴出流の中心の真上に来てしまい、噴出流をとことん塞いでしまったなら、もっと大きな力で上に運ばれるだろう。非常に頑丈な傘を手に持っていたなら、理屈の上では上空数百メートルまで到達しうる。噴出物そのものよりも上まで行ってしまう可能性があるのだ。たとえ重症の火傷で死ななかったとしても、着地はほぼ間違いなく致命的だろう。

驚くほどの数の人々がイエローストーンの間欠泉で火傷を負っている。1920年代には、1年に約1人がオールド・フェイスフルで火傷をしている。

＊　1905年に起こったある事故では、その不運な人物は、間欠泉についてメモを取っていた最中にうっかりその中に落ちてしまったのだが、私は個人的にその状況がよく理解できて、ぞっとする。私もおそらくそんなふうに絶命するのだろう。

沸騰水のたまった穴に落ちた人々の場合とは違い、間欠泉で火傷をした人の大半は、たまたま気づかずに危険なところに立ち入ってしまったのではない。多くが身を乗り出して、下のほうにある水蒸気の噴出口をのぞき込もうとしていたのだ。

「やってはならないこと」のリストにもう１つ項目を加えなければならないようだ。

やってはならないことリスト

（第????条　第3647項）

#156812　タイドボッド（カプセル入り液体洗剤）を食べる
#156813　烈しい雷雨のなかを竹馬で歩く
#156814　ガソリンスタンドで花火に火をつける
#156815　飼い猫に、形と手触りが人間の手にそっくりなおやつを与える
#156816　（新着！）間欠泉の噴出口に身を乗り出して中をのぞこうとする

9章　ピュー、ピュー、ピュー

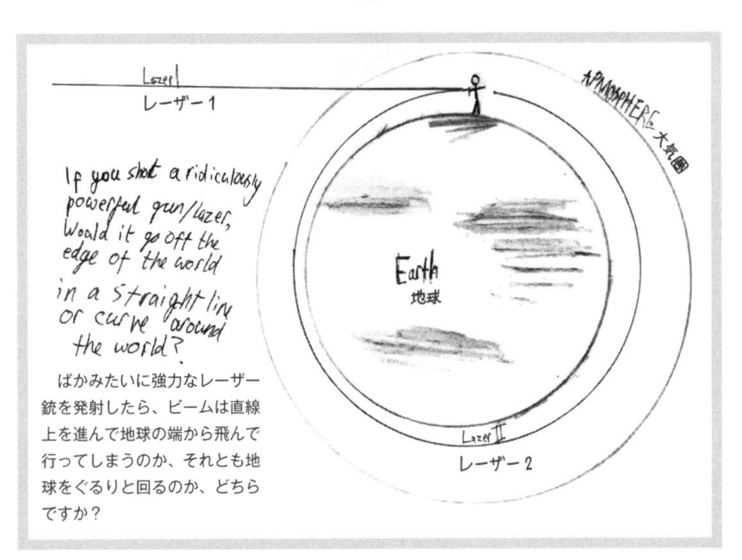

Lazer I
レーザー1
大気圏
If you shot a ridiculously powerful gun/lazer, Would it go off the edge of the world in a straight lin or curve around the world?
ばかみたいに強力なレーザー銃を発射したら、ビームは直線上を進んで地球の端から飛んで行ってしまうのか、それとも地球をぐるりと回るのか、どちらですか？
Earth
地球
Lazer II
レーザー2

——メーラー、11歳

経路1が正しい。ビームは地球の端から宇宙へと飛んでいく！　たぶん。

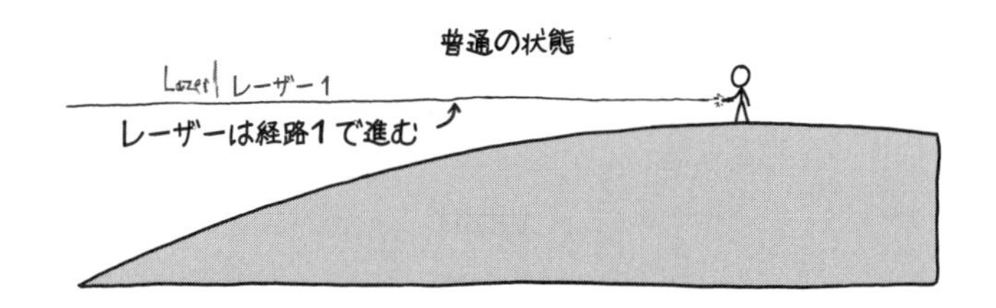

ビームが地球の端から飛んでいかない稀なケースがいくつかある。あなたが暑い日に海のそばで立っていた場合、それがしかるべき時でしかるべき場所だったなら、レーザーに経路２を進ませることができる。

光は大気中を完全な直線で進むわけではない。空気は光の速度を遅くし、空気の密度が高いほど光はますます遅くなる。ビームの片側にある空気が反対側よりももっと光を遅くする場合、光は遅い方の空気のほうへと曲がる。

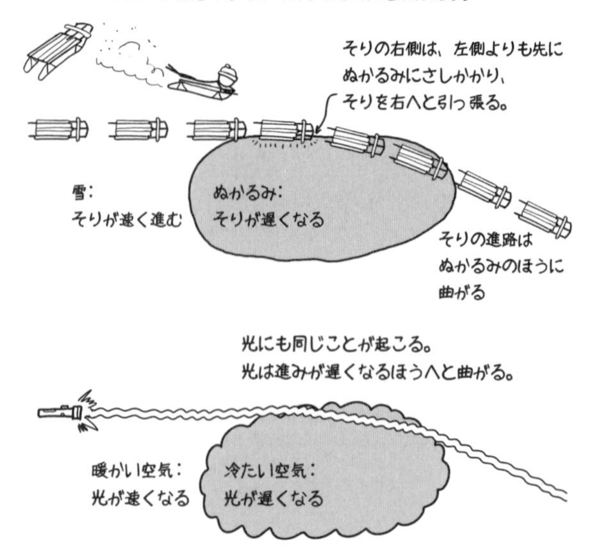
屈折する光は、ぬかるみにさしかかって
スピードが落ちるそりのようなものだと私は思う。
そりの右側は、左側よりも先に
ぬかるみにさしかかり、
そりを右へと引っ張る。
雪：
そりが速く進む
ぬかるみ：
そりが遅くなる
そりの進路は
ぬかるみのほうに
曲がる
光にも同じことが起こる。
光は進みが遅くなるほうへと曲がる。
暖かい空気：
光が速くなる
冷たい空気：
光が遅くなる

大気圏のほとんどで、下側の空気のほうが上側の空気よりも密度が高いので、光は少し下に曲がる*。

地面に近い高さでは、温度が極端に違う空気層がいくつも重なっていることが多い。暑くて日差しの強い日には、地面が熱くなるため、地面にごく近い空気も熱くなる。そんな日に屋外駐車場でコンクリートの上に水が

＊　大気は日光も曲げる。朝日が昇るとき、あなたが太陽の姿が現れるのを見るときには、実際の太陽はまだ水平線の少し下にある。大気がなかったなら、その太陽はまだ見ることはできない。しかし大気が日光を曲げるので、少し早く太陽の姿が見えるわけだ。

光っているように見える現象——逃げ水——は、この熱い空気層のせいで起こる。逃げ水は空の像が地面に写っているのである。空からの光は、地表付近まで下りてくると、表層の熱い空気のために上側に曲がり、あなたの目に入ってくる。そのため、その光が地面から来たように見えるのだ。

レーザーガンをその「逃げ水」に向けて発射したら、ビームは上へと曲がり、空に向かって進むだろう。

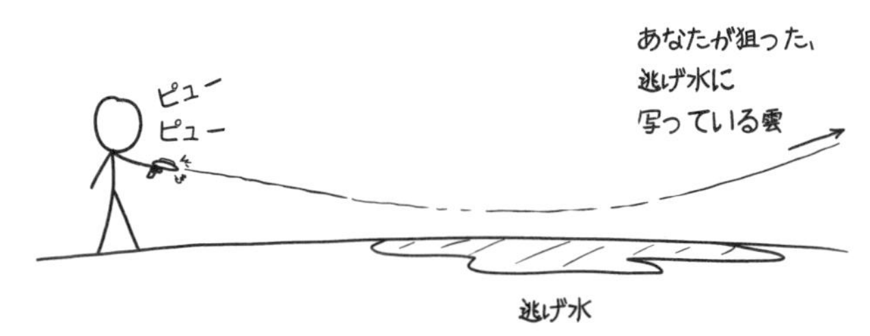

レーザービームが宇宙に飛んで行かなくなるほど十分曲げたいなら、地表に近い空気が、そのすぐ上にある空気よりも冷たい場所を探さなければならない。このようなことが起こる場所の1つが海の上だ。熱い空気が冷たい海水の上に移動すると、海水がその空気の表面を冷やして、駐車場の逆のような温度分布になる。その冷えた空気の上を通過する光は下に曲がる。場合によっては大きく曲がる。

光が妙な経路で進むせいで、海や湖の上を眺めると、陸や建物が水面より上側に浮かんでいるように見えることがある。水平線より上に浮かんでいるこのような陸や建物は、欧米ではファタ・モルガナ（「妖精モルガン」を意味するイタリア語）と呼ばれている（日本語では「蜃気楼」）。それが伝説の魔術師モルガン・ル・フェの空中に浮かぶ城のようだと思った人々によって名づけられた。

島が浮かんでるのが見える！ あれって絶対、
邪悪な魔女のモルガン・ル・フェのお城だよ！
湾の対岸があぁ見えてるだけだよ。
ほら、あそこにメガンの家があるよ。
メガン・ル・フェさ!!

ファタ・モルガナをレーザーで撃ちたければ、まっすぐそれに向かって発射するだけでいい。本当にそこにあるわけではないが、レーザーの経路も、あなたの目に届いてファタ・モルガナを見せている光の経路と同じになるはずだ。空に浮かんでいるものは幻だが、幻は光でできている。だから、恐ろしいけど幻に過ぎない幽霊か何かに出くわしたときには、この役に立つ光学の格言を思い出してほしい。「見えるなら、レーザーで撃てる」というのがそれだ。

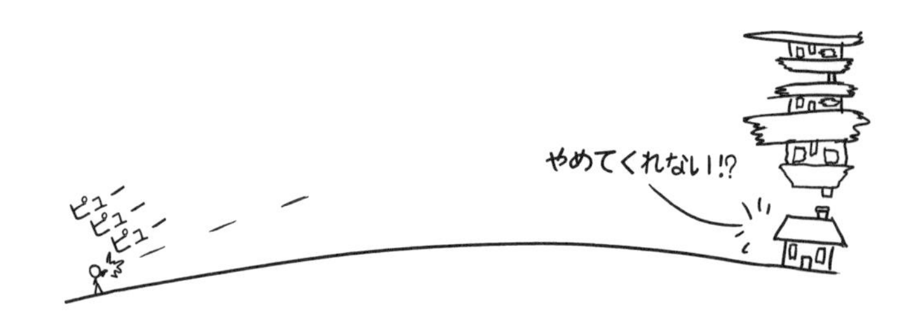

10章　すべての本を読む

1人の人間が生涯に読めないほど多くの（英語の）本が存在するようになったのは、人類史のどの時点ですか？

――グレゴリー・ウィルモット

これは難しい質問だ。さまざまな時代に存在していた本の正確な数を突きとめるのははなはだ難しく、不可能に近い。たとえば、アレクサンドリアの図書館が火災に遭ったとき、多くの書物が失われた*が、どれだけの量の書物が失われたかを特定するのは困難だ。推定値も、本4万冊から巻物532800本までとばらついている。一方、どの推定値も何らかの点で信憑性が低いとする研究者たちもいる。

エルチョ・ブーリングとヤン・ルーテン・ファン・ザンデンは、過去に使われていた書籍目録を使って、年ごとに出版された本（または写本）の数のデータを地域ごとにまとめあげた。彼らのデータによれば、ブリテン諸島（グレートブリテン島とアイルランド島、その周囲の大小の島々からなる諸島）における出版のペースは、おそらく西暦1075年ごろに1日あたり1冊を超えたと推測される。

1075年にグレートブリテン島で出版された本の大半は英語でもなければ、当時広く使われていた古英語（5世紀半ばから12世紀ごろまでの英語）でもなかった。1075年のグレートブリテン島における書物は、街なかでは古英語が日常的に使われていた地域であっても、何らかの形のラテン語かフラン

＊　一方、エジプトの読書人たちの多くが、返却遅延の罰金を免れて喜んでいたかもしれない。

ス語で書かれているのが普通だった。

『カンタベリー物語』(14世紀末に執筆された)に記されているたくさんの物語は、地域の民衆の言葉だった英語が文語へと移行していく過渡期の様相を今に伝えている。英語で書かれているには違いないが、現代人に理解できるとは言い難い。

「朝晩泣いたりの、嘆いたりの、それに心配事や、
ほかの悲しみなどは知り過ぎるくらい知ってるさ」と
貿易商人は言いました。
「ほかの女房持ちだってそのことはよく知ってるさ」
「はぁ?」

(私が9年生だったときの英語の先生がこれを読んでいらしたなら、ご心配なく。これはただの冗談です。この1節は完全に理解できます)

1年間に何冊の本が出版されたかがわかったとしても、グレゴリーの質問に答えるためには、1冊を「読む」のにどれだけの時間がかかるかを知る必要がある。

失われた本や写本のすべてについて、その長さがどれくらいだったかを突きとめようとがんばるよりも、1歩後ろに下がって全体像を見るほうがいい。

書く速さ

トールキンは11年かけて『指輪物語』を執筆した。したがって、彼の平均執筆速度は1日あたり英語125ワード、言い換えれば毎分0.085ワードだ。ハーパー・リーは2年半で、100000ワードからなる『アラバマ物語』を書いたので、彼女の平均は1日あたり100ワード、言い換えれば毎分0.075ワードだ。『アラバマ物語』は彼女の作品として出版された唯一の本なので(最晩年になって『さあ、見張りを立てよ』が出版されている)、彼女の生涯平均執筆速度は毎分0.002ワード、すなわち１日あたり３ワードだ。

執筆が相当速い作家もいる。コリン・テラードは20世紀中ごろから後半にかけて、毎週１冊を出版者に提出し、数千冊の恋愛小説を出版した。作家人生の大半にわたり、彼女は毎年100万ワードを超える分量を出版したので、彼女の生涯平均執筆速度は毎分２ワードである。

歴史上の作家たちの執筆速度も、これと似たような範囲でばらつきがあったと仮定するのは理にかなっている。キーボードで入力していくのは手書きで原稿を書くより２倍以上速いと皆さんは指摘されるかもしれない。だが、作家のボトルネック（非効率の原因）は執筆速度ではない。なにしろ、毎分70ワードのタイプ速度なら、『アラバマ物語』をすべて入力するにはたったの24時間しかかからないはずだからだ。

タイプ速度と執筆速度がこれほど違うのは、本を書くときのボトルネックが、人間の脳が物語を組み立て、肉付けし、編集するスピードだからだ。おそらくこの「物語を作る速度」は、人間が手や道具を使って執筆する速度が時代と共に上がったのに比べて、それほど変わっていないだろう。

この点から考えると、本の冊数が読み切れないほど多くなったのはいつかを推定するもっと上手い方法がわかる。平均的な存命の作家が生涯にわたって執筆する平均速度がハーパー・リーとコリン・テラードのあいだのどこかの値だとすると、平均的な作家は生涯に毎分0.05ワードを書くはずだ。

平均的な人間は毎分200から300ワードを読むことができる。あなたが毎日16時間にわたって毎分300ワードずつ読むとすると、平均100000人のハーパー・リーもしくは200人のコリン・テラードが生きている世界に生み出される本を遅れずに読むことができるだろう。

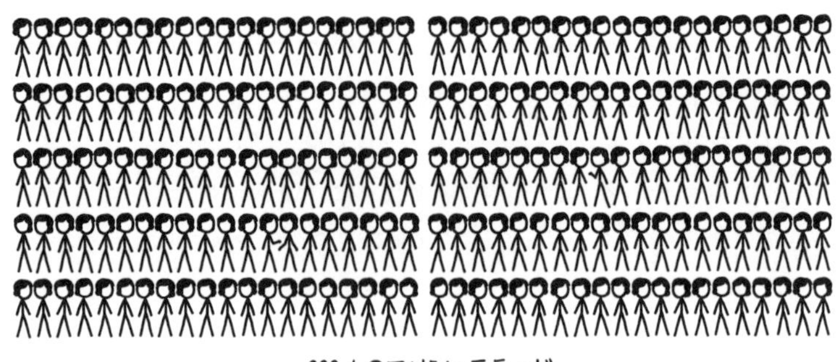

200人のコリン・テラード

作家は、活発な執筆期間には毎分0.1から１ワードを書くとすると、１人の熱心な読者は、活発な作家が約500から1000人いる世界でなら遅れずに新しい本を読んでいくことができるだろう。グレゴリーの質問――英語の本が多すぎて一生のうちに読み切れなくなったのはいつですか――への答えは、「活発な作家が数百人に達する少し前がその時点だ」である。それ以降、出版される本を遅れずに読むことは不可能になった。

今では廃刊になった『シード（Seed）』というオンライン科学マガジンは、作家の総数がその時点に達したのは西暦1500年ごろで、それ以降その数は急速に増加し続けてきたと推測している。活発な英語の作家の総数がこの境目を超えたのは、この直後、シェイクスピアの時代あたりで、英語の本の総数が生涯に読める限界を超えたのは16世紀後半のどこかだろう。

ところで、すべての本のうち、あなたは何冊読みたいだろうか？　本の情報を提供するgoodreads.com/book/randomにアクセスすると、あなたにおすすめの本をほぼランダムに挙げてくれる。私には、こんな本を提案してくれた。

・ホルガー・ダウム『運営のグローバル化に伴う学校の分権化——草の根民主主義的反応の国際比較』
・デイヴィッド・ゲイダー『ドラゴン・エイジ2——ポウオレーヌ』
・ディヴィッド・R・コーストン『植生分析入門——原理、実践および解釈』
・マリアンヌ・シューレイ『AACN必修重症者看護　携行版ハンドブック』
・アーロン・ラドナー・リンズレイ『国の正義と国の罪——1856年11月20日にニューヨーク州ウェストチェスター、サウスセイラムの長老派教会で行われた説教』
・R・L・スタイン『グースバンプス24　講堂の幽霊』
・ダナ・L・ブラット『最高裁判所　153——債務者および債権者事例要約集ウォーレン版連携』
・エミール・ゲイヴァーラック『気づけば時間がない』

これまでのところ……グースバンプスの本は読んだ。
リストの本を全部読むには、協力者を探さないといけないかもしれない。

ちょっとヤバそうな質問集 #1

Q ハチやその他の動物たちは地獄に行きますか？　それとも、何の罪に問われることもなくハチはほかのハチを殺害するのですか？

——**サディー・キム**

ビーールゼブブ

（訳注：旧約聖書に出てくる悪魔ベルゼブブの駄洒落）

Q 誰かを殺す、または少なくともけがをさせるには、何枚の鏡で光（または日光）を反射すれば足りるでしょうか？

——**エリー・コリンジ**

壁にかかった鏡よ鏡、

あるんですが。

Q 巨人の扁桃腺を切らなければならないとしたら、その最も安全な方法とはどんなものですか？　ただし執刀医は普通の人間です。

——**ティルザー、10歳**

私は普通の

Q エアフォースワンをドローンでやっつけるにはどうすればいいですか？

——**匿名**

もしもし、シークレット
サービスですか？
ええ、ランドールですが、
またお電話しました

11章　バナナ教会

世界中のすべてのバナナは、世界中のすべての教会のなかに収まりますか？　私の友人たちは、もう10年以上もこの議論を続けています。

——ジョナス

はい、収まりますよ。

やっとだね！ ぼくたちの
10年間の対立が解決するんだ。
ついにまた友だち
どうしに戻れるね。

バナナが教会に収まるとわかるのは、おそらく世界の人々は世界の教会のなかに収まるだろうし、また、人々は１年間に自分の体重と同じ重さのバナナを食べるわけではないから、という単純な理由による。

アメリカの世論調査機関ピュー・リサーチセンターが2017年に行った宗教的行事に関する調査によれば*、世界の人口の30パーセント弱が自分の宗教的慣習として毎週礼拝に出席するそうだ。これらの礼拝が行われるすべ

* 彼らが調査できなかった国々については何らかの推測をして計算したのだろう。

ての場所を「教会」と考えると、これらの場所には、少なくとも20億人が収まるだけのスペースがあるということのようだ。

教会や学校のような建物では、１人あたりが占める面積は一般的に0.5から2.3平方メートルだ。教会での１人あたりの平均面積は1.4平方メートルで、１人の信者は１つの教会にしか行かないと仮定すると、世界中の教会は地球の表面の約2800平方キロメートルを占めていると考えられる。

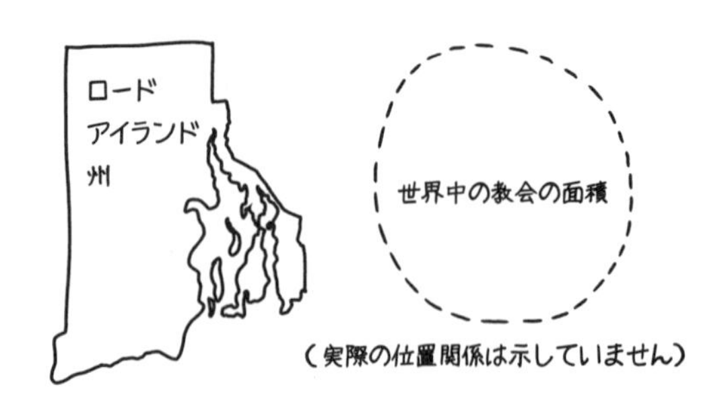

１年間に世界全体で生産されるバナナすべて——推定で約１億2000万トン——を１カ所に集められるとしよう。箱詰めにすると、バナナの密度は約300キログラム毎立方メートルになる。このことから、１年間に生産される全バナナを世界中のすべての教会に、均一な高さになるように詰め込むとすると、その高さがどのくらいになるかを知るには、全バナナの総体積を、先ほど求めた世界中の教会の総面積で割ればいい。

$$\frac{\text{1億2000万トン}}{300\text{kg/m}^3} / 2800\text{km}^2 \fallingdotseq 14\text{cm}$$

この結果から、１年間に生産されるすべてのバナナを世界中の教会に均一な高さで詰め込むと、その高さは人間の足首までにしか達しないことがわかる。

バナナの層はこれよりなお薄いだろう。というのも、1年間に生産されるバナナの総量が同時に集まるという状況は実際には起こらないからだ。バナナの花が、小さな指に似た花から、標準的な大きさの食べごろの果実として成熟するまでには数カ月かかる……。

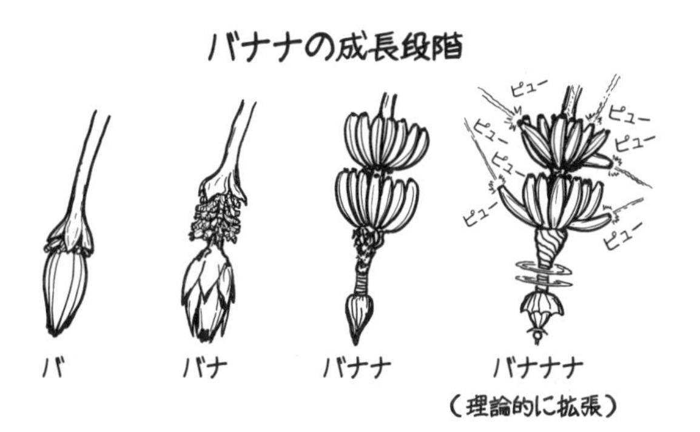

……したがって、どの瞬間を見ても、そのとき存在するバナナの数は1年の総生産量の一部でしかなく、バナナの層はもっと薄くなるだろう。

私たちが使ったバナナのデータが間違っていたとしても、おそらく答えは正しいだろう。逆向きに計算することによって、世界中のすべての教会をバナナで満たすにはどれだけの量のバナナが必要かを求め、その量が現実的かどうかを確認することができる。

仮に4人に1人が毎週教会の建物の内部での礼拝に出席し、それぞれの教会には出席者1人あたり約1.4平方メートルの床面積が存在するものとすれば、（出席しない人も含めて）地球上の人間１人あたりの床面積は0.35平方メートル、すなわち約60センチメートル四方のスペースがあることになる。世界中のすべての教会を天井まで満たすのに十分な量のバナナが仮に存在するとしたら、世界総バナナ生産量のうちの１人分は、60センチ×60センチ×教会の平均天井高さとなるだろう。

これが成り立つためには、
１人あたり何本のバナナを
食べないといけないでしょうか。

多くの宗教建築はその天井の高さで有名だ。しかし、平均天井高さを2.4メートルと低めに仮定しても、１人分の空間を満たすには約2000本のバナナが必要だ。世界が年に１人あたり2000本のバナナを生産してはいないのはまず間違いない。それは、私は毎日６本もバナナを食べたりしないし、そうしている他の人も知らないという単純な理由からだ。

どこかに、世界平均が大きく変わってしまうほど途方もない量のバナナを食べる人が１人いるなら話は別だが。

山頂に住み、年に17兆本のバナナを
食べるバナナズ・ゲオルグは、
ほかの人々とは極端に異なるため、
統計に含めてはならない。

12章　弾丸を受け止める

空中を飛ぶ弾丸を手で安全に受け止められるように銃を撃つ方法はないでしょうか？　たとえば、撃つ人が海面の高さにいて、受け止める人が銃の射程ぎりぎりのところにある山の上にいるなら大丈夫でしょうか？

——エドモンド・ホイ、ロンドン

「弾丸受け止め術」は、舞台で行うマジックの演目の１つで、発射された弾丸がまだ飛んでいるあいだに演者がそれを受け止める——多くの場合は口にくわえて——かのように見えるパフォーマンスである。もちろんこれは観客の錯覚だ。そんな方法で弾丸を受け止めることなど不可能である。

だが、条件が整っていれば、弾丸を受け止めることは可能だ。必要なのは相当な忍耐力と運である。

まっすぐ上に向かって発射された弾丸は、やがて最高点に達するだろう*。だが、おそらく完全に静止することはないだろう。むしろ、毎秒２、３メートルは横方向にぶれて動いているだろう。誰かが弾丸を上向きに発射して……

＊　絶対にこれを試さないでください。お祝いのたびに人々が上向きに銃を発砲する地域では、落下してきた弾丸で見物人が亡くなる事故が頻発しています。

お月様、
おやすみ
絶対に試さないでください

……そのときあなたが熱気球でその真上あたりに浮かんでいたとすると……

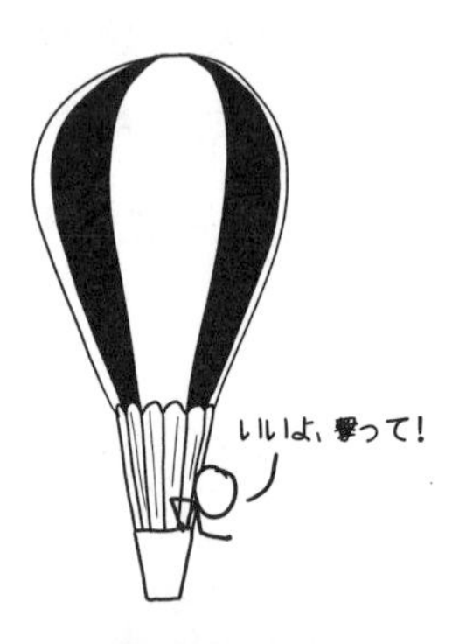

いいよ、撃って!
死んでも
絶対にやるな

……弾丸が飛行の頂点に達したときに、手を伸ばしてそれをつかむことができるかもしれない。

やってはならないことリスト
(最新版)

#156812 タイドボッドを食べる
#156813 烈しい雷雨のなかを竹馬で歩く
#156814 ガソリンスタンドで花火に火をつける
#156815 飼い猫に、形と手触りが人間の手にそっくりなおやつを与える
#156816 間欠泉の噴出口に身を乗り出して中をのぞこうとする
#156817 (新着!) 銃を発砲している真上を熱気球で通過する

弾丸をその軌跡の頂点でつかむことに成功したとしたら、あなたは何か妙なことに気づくだろう。弾丸は熱いだけではなく、コマのように自転しているのだ。弾丸は上向きの運動量は失ったとしても、回転の運動量（角運動量）は失っていない。銃身によって与えられたスピンをまだ保っている。

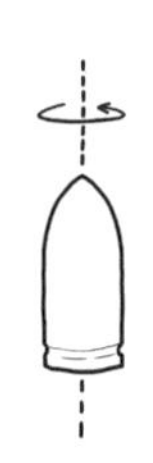

この効果が劇的に現れるのが、弾丸を氷に向けて発射したときだ。何十件ものユーチューブの動画でわかるように、氷に向かって撃った弾は、氷に当たってもなお高速でスピンしていることが多い。なのであなたは、弾丸をしっかり握らなければならないだろう。さもないと、手から飛び出してしまう。

あなたが熱気球を持っていないなら、どこかの山頂まで登ると、これと同じことができるかもしれない。カナダのトール山*には、1250メートルの断崖絶壁がある。クロース・フォーカス・リサーチという弾道科学を研究する企業によれば、これはちょうど.22ロングライフル弾（口径0.22インチの銃の弾丸）を真上に向かって発射したときに到達する高さとほぼ同じだという。

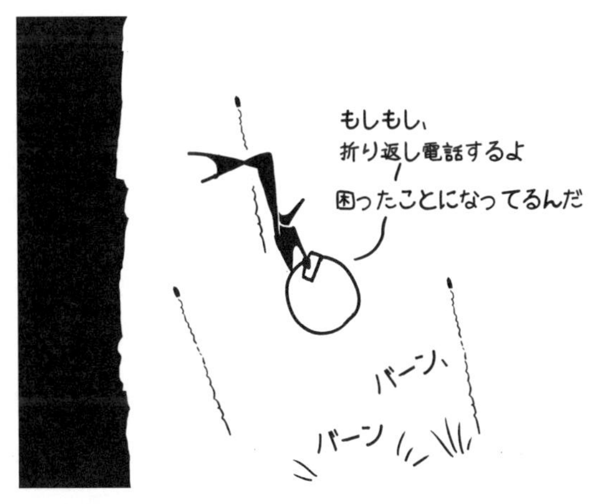

もしもし、
折り返し電話するよ
困ったことになってるんだ
バーン
バーン

＊　トール山は『ホワット・イフ？　Q2』の「自由落下」の質問の章で登場している。

もっと大きな弾丸を使いたいなら、もっと高さが必要だ。AK－47の弾は2キロメートル以上上昇することが可能である。それほどの高さの本当に垂直な断崖は、地球上には存在しないので、弾丸を斜めに発射するほかなく、そうすると最大高度に達したときにも弾はかなりの水平方向の速度を維持しているだろう。しかし、十分頑丈な野球用グローブを着用すれば弾をつかむことができる可能性はある*。

これらのどのケースでも、あなたは類稀なほど幸運でなければならないだろう。弾丸の実際の経路は不確実なので、1つの弾丸をちょうどいい位置で受け止めるには、何千回も発射してもらう必要があるだろう。

そしてそのころには、自分が注目の的になっていることに気づくだろう。

おじょうさん、あなたが熱気球に向かって発砲している
という通報がたくさん寄せられているんですが

あの魔法使い、逃げようともしないの！
あいつはオズに帰って、たくさんついた
ウソの報いを受けるべきなのに！

＊『ライフル』誌によれば、ある銃専門の著者がかつて、自分は通常のライフル弾を1000ヤード（約914.4メートル）の距離でグローブをはめた手で受け止めるのに成功したと主張したという。もちろん彼は象徴的な表現を使っただけだ……弾が接近するのを見ることは不可能なので、顔で受け止めてしまう可能性もグローブで受け止められる可能性と同じだろうから。

13章　超難しくて時間もかかる減量法

10キログラム痩せたいんですが、この目標を達成するためには、地球の質量をどれくらい宇宙に「移動」させないといけませんか？

——ライアン・マーフィー、ニュージャージー

これはとても簡単そうだ。あなたの体重は、あなたを下向きに引っ張る地球の重力に由来する。地球の重力はその質量に由来する。質量が小さくなれば、重力は弱くなるはずだ。地球の質量を取り除けば、あなたの体重は減るだろう。

これを試してみることにしたんですね。

地球からかなりの量の質量を取り除くには、大量のエネルギーが必要なので、最初に、全世界の石油備蓄を取り押さえよう。

私にはすべての国のエネルギー備蓄が必要です。
ご説明する時間はありません！
あのー、緊急だというなら、私たちは同意しなければならないと思います。そうでしょう？
目的は何か質問しようと思ったんですが、十分な時間がないと明言してましたね

次にその石油を処理して燃料にし、それを使って数千億トンの岩石を地球周回軌道に打ち上げよう。これによって、地表から平均0.2ミリ厚の岩石を取り除くことができる。では、体重計に乗ってみて。

そう、失敗だったね。だが、それはそうだろう。数千億トンは地球の質量のほんの一部でしかないのだから。

地球に存在する他の化石燃料を燃やすのも少しは役に立ち——とりわけ石炭は、相当な量存在するので有効だ——、地表から１ミリ厚近くを取り除くことができる*。さあ、もう一度体重計に乗ろう。

あちゃー。

もっとエネルギーが必要だ。

では、地球全体を高性能ソーラーパネルで覆って、１年かけて地球に降り注ぐすべての太陽光を吸収し、それを岩石発射装置の動力に使おう。人類はあなたが設置したソーラーパネルの下、日の当たらないところで暮らしている。この時点で、人々はあなたに対して相当怒っているだろう。

1年分の日光があれば、100兆トン近くの岩石——地表数センチ分——を取り除くだけのエネルギーが手に入る。残念だが、それでも足りない。

間違いない。この「少しずつ削っていく」アプローチは失敗だ。

もっと動力が必要だ。地球に届く太陽エネルギーのごく一部を収集するのではなく、そのすべてを収集するために、太陽全体を囲むエネルギー収集壁を建設することにしよう——いわゆるダイソン球だ。太陽が放出するエネルギーのすべてが確保できたら、地表を削っていくのに十分なエネルギーがはるかに早く手に入ったことになる。

地球の岩盤は、深く掘るほど高温になっていく。地殻を数百メートル削ったあたりで、人々は地面の温度が上がってきたことに気づくだろう。1キロメートルの岩を取り除くころには、地表温度は40℃に上昇しているだろう。寒い朝にベッドから出るときには足が気持ちいいと思うぐらいの温度かもしれないが、生活全般は相当厄介になるだろう。おまけに、マントルが活発に湧き上がり地表が高温になっている「ホットスポット」と呼ばれる場所のすべてで、上を覆っていた岩盤が除去されてしまったので、世界中の火山が噴火するだろう。

＊　人々は文句を言うだろうが、この1ミリには床にこびりついた汚れや埃もすべて含まれるだろうから、これがプラス面になる。あなたは無料床クリーニングと称して宣伝すればいい。

体重計に乗ってみよう。

あちゃー。

では、あなたが設置したダイソン球を使って、さらに岩を取り除こう。その作業で、約20分のうちに厚さ５キロメートルの層が取り除かれてしまう（ついでに、もう２、３分かけて海を取り除こう）。地球はもはや、ほんの少しでも住めるような場所ではなくなった。大昔のスーパーボルケーノの噴火で形成されたイエローストーン・カルデラの下にあったマグマが露出したため、ワイオミング州北西部は溶岩の湖と化している。大半の地域で、地面は水を沸騰させたり火事を起こしたりするほど熱い。

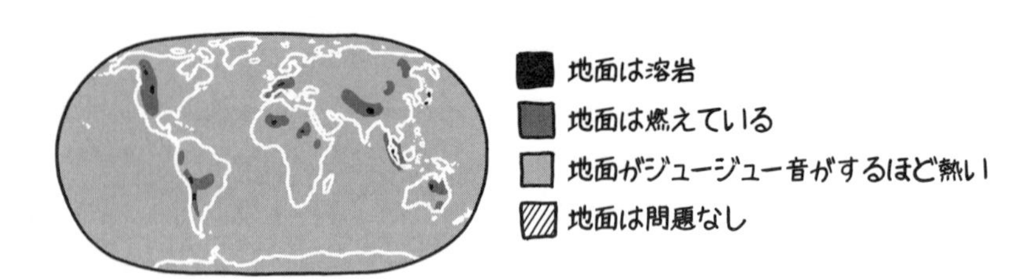

もう一度体重計に乗ってみよう。

平気平気。もっと岩を取り除けばいいだけだ。太陽エネルギーを利用した野菜の皮むき器のようなものを使うなどして。

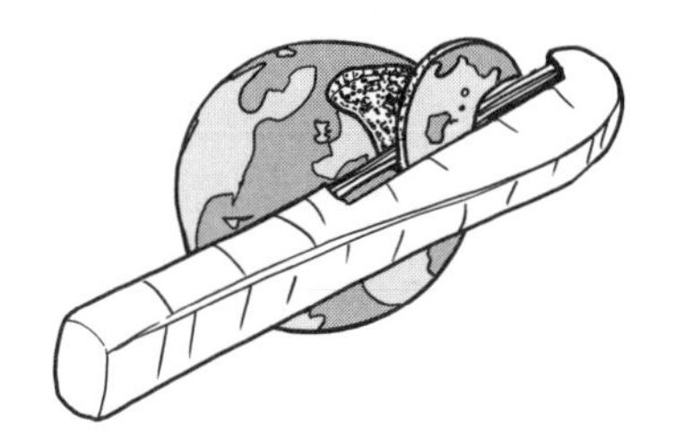

こうして20キロメートルの厚さの地殻を取り除くと、かつて海底だった場所の大半には地球のマントルが露出するだろう。

まあ、減量は簡単だなんていまだかつて誰も言ったことはないし。さらに20キロメートルの厚さを取り除こう。溶融マントルの層と、あちこちにあった地殻の分厚い部分も取り除くのだ。

作業を続けよう。地球皮むき器を使って４時間作業して、主に溶岩からなる厚さ60キロメートルの層を取り除いたところで、体重計に乗ってみると、ついに変化が現れた。

0.5キログラム体重が増えちゃった。

なぜこんなことが?

地球の密度が均一なら、表面の層を取り除けばあなたの体重は軽くなるだろう。しかし、地球は深いところほど密度が高くなり、そのおかげで、質量を失った効果は打ち消されてしまう。あなたが表面の層を取り除いていくにつれて地球は少し軽くなっていくが、それと同時にあなたは、高密度のコアに接近している。したがって、正味の効果としては、「地球の外層を取り除くと、地球の重力は強まる」のだ。

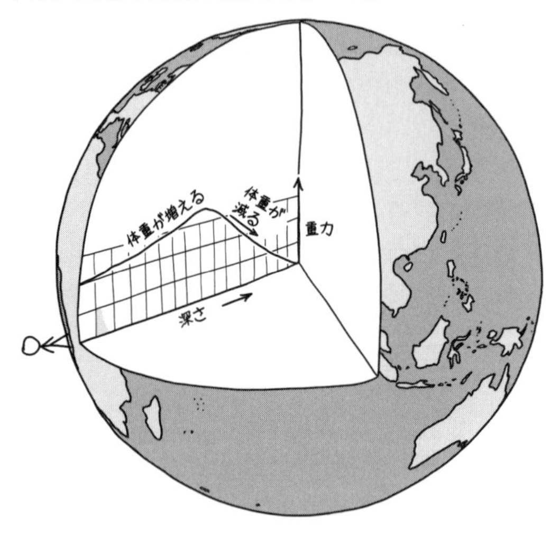

重力は、深く削れば削るほど強くなる。約3000キロメートル取り除き、地球の直径を半分にし、その質量の3分の2を捨てて初めて、重力は横這いになる(この作業には、太陽エネルギーで働く地球皮むき器で約1週間かかる)。あなたの体重は最高約95キログラムに達し、その後、より高密度の外核を削り始めると減少に転じる。

3450キロメートルの層を除去したところで、あなたの体重は元の値に戻る。3750キロメートル除去したなら、10キログラム減量するという目標をついに達成することができる。この時点で、あなたは地球の質量の85パーセントを取り除いたことになる。だが、減量に成功したじゃないか!

この計画にはいくつか欠点がある。地球を破壊するのはもちろんだが、必要以上に非効率だ。あなたの質量を変えたり、地表を離れることなく、あなたに及ぶ地球の重力を弱める、もっと簡単な方法が存在する。

球殻状の物質は、その内部にある物体には重力を及ぼさない（ニュートンの球殻定理）。だとすると、あなたが地下にもぐると、それより上にある岩の層は、あなたの体重に影響を及ぼさなくなる。重力の観点からすると、上側の層が消えてしまったのと同じだ。地球の質量を実際に取り除く必要はなかったわけで、その下にもぐればそれでよかったのだ。地球の外層を削っていく作業のすべてを回避することができたのである。

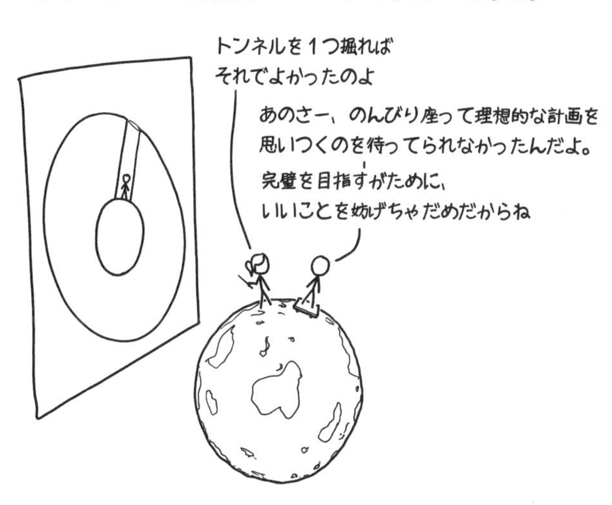

「少なくとも、エクササイズはせずに減量できたじゃないか」と思われるだろうか？　あなたの計画は結局、途方もない量の仕事をあなたに強いたのだ。地球の表面を取り除くには、5×10^{28}カロリーのエネルギーが必要だが、これは、全人類が今日から始めて、太陽が燃え尽き、その残骸が室温にまで冷却するまでのあいだ、激しいエクササイズを１日24時間行った場合に消費されるカロリーを超えている。

	必要な仕事（消費カロリー）
あなたの計画	50,000,000,000,000,000,000,000,000,000
これまでに誰かが思いついたそれ以外のどんな計画でも	それ以下

あなたの目標が、なるべくエクササイズをしたくないということだったなら、これは最悪の失敗だ。

14章　地球に色を塗る

人類がこれまでに生産したペンキすべてを使えば、地球の陸地全体に色を塗ることはできますか？

――ジョシュ、ロードアイランド州、ウーンソケット

この問いの答えを計算で求めるのは、非常に簡単だ。世界の塗料工業の規模を調べ、それを過去に遡(さかのぼ)ってあてはめて、これまでに生産された塗料の総量をはじき出して、そして、地面を塗る方法についていくつか仮定をすればいい*。

だがまず、この質問の答えを推定するいろいろな方法を考えてみよう。この種の思考――「フェルミ推定」と呼ばれることが多い――では、だいたい合っていればいい、つまり、桁(けた)がほぼ合っていれば正解としていいのである。フェルミ推定では、どんな答えも、最も近い桁数に丸めてしまえばいい**。

＊　サハラ砂漠では、刷毛は使わないほうがいいですよ。

＊＊　$Fermi(x) = 10^{round(log10x)}$ を使う。例えば3を丸めると1、4を丸めると10になる。

私についての基本情報
年齢：100歳
身長：1メートル
腕の本数：1
脚の本数：1
腕と脚の総数：10
平均運転速度：100キロ／時

世界に存在するすべての人が、１人あたり平均で２つの部屋を管理しており、部屋はどちらも塗装されていると仮定しよう。私の家のリビングルームには塗装可能な部分が約50平方メートルある。このような部屋が２つなら塗装可能部分は100平方メートルだ。「80億人」掛ける「１人あたり100平方メートル」では、１兆平方メートル——エジプトよりちょっと小さな面積——にすら少し足りない。

不十分	ちょうど十分	十二分
/		

平均して1000人に１人が、職業人生のすべてを、何かを塗装して費やすと、大雑把に推測しよう。私が自分の部屋を塗装するのに３時間かかり[*]、これまでに１千億人の人間が生まれ、塗装業に就いた一人ひとりが１日につき８時間にわたって物を塗装して30年過ごしたと仮定すると、150兆平方メートルが塗装されたことになる……地球の陸地の面積にほぼ一致する。

不十分	ちょうど十分	十二分
/	/	

家１軒を塗装するにはどれだけの量の塗料が必要だろう？　私は世の中のことをまだよく知らないので、見当もつかない。そこで、再びフェルミ推定をしてみよう。

＊　おそらくこれは甘い見積りだろう。とりわけ、部屋にインターネット接続があれば。

ホームセンターの通路を歩いた私個人の印象に基づいて推測すると、この種の店には電球と同じぐらいの数の塗料缶が置いてある。普通の家には約20個の電球があると思われるので、１軒の家には約20ガロン（75.7リットル）の塗料が必要だと仮定しよう[*]。うん、推測としてはだいたいいいところじゃないかな。

アメリカの家の平均価格は約40万ドル（約5200万円）だ。１ガロンの塗料で約300平方フィート（30平方メートル）の面積が塗装できると仮定すると、不動産70ドル分に１平方フィート（0.1平方メートル）分の塗料が必要だということになる。私のおぼろげな記憶によれば、世界の不動産の総額は400兆ドルぐらいだったはずなので[**]、世界中の不動産の上には約６兆平方フィート（6000億平方メートル）分の塗料があると考えられる。これは、オーストラリアの面積に１桁足りず、エジプトの面積にも足りない。

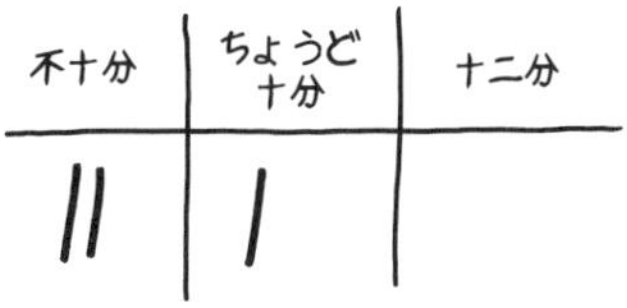

<table>
<tr><th>不十分</th><th>ちょうど十分</th><th>十二分</th></tr>
<tr><td>||</td><td>|</td><td></td></tr>
</table>

もちろん、ここで行った建物に基づく推測は、過大評価（多くの建物は塗装されていないので）でも過小評価（建物ではない多くのもの[***]が塗装されているので）でもありうる。しかし、これらの大胆なフェルミ推定の結果から考えると、世界中の陸地を塗装するのに十分な塗料は存在しないだろう。

じゃあ、フェルミ推定はうまく働いたのかな？

「ポリマーズ・ペイント・カラー・ジャーナル」誌によれば、2020年の世

＊　この箇所の推測は、非常に大雑把なものだ。

＊＊　出典：これは私が以前に見たじつにつまらない夢である。

＊＊＊　建物ではないものの例：アヒル、葉っぱ、M&Mのチョコレート、自動車、太陽、砂粒、コウイカ、マイクロチップ、除光液、木星の衛星、雷、ネズミの毛皮、ツェッペリン飛行船、サナダムシ、ピクルスの瓶、マシュマロを焼くときに使う棒、ワニ、音叉、ミノタウルス、ペルセウス座流星群、投票用紙、原油、ソーシャルメディアのインフルエンサー、大量の婚約指輪をまき散らす投石器。私が思いつく建物ではないものは以上。私が見落としたものを何か思いついた人は、このページの余白にそれを書き込んでください。

界の塗料生産量は415億リットルだった。

ここで私たちが使える便利な関係式がある。何かの量——世界経済など——がここしばらく年率n(たとえば3パーセント=0.03)で成長しているとすると、最新のデータが利用できる年の量がこれまでの総計に占める割合は1−1/(1+n)で、総計は最新のデータが利用できる年の量に1+1/nを掛けたものである、という関係式だ。

塗料の生産がここ数十年間、世界経済に追随して年率おおむね3パーセントで成長してきたと仮定すると、これまでに生産された塗料の総量は現在の年間生産量を34倍したものに等しいことになる*。その量は、約1兆4000億リットルとなる。1ガロンあたり30平方メートルが塗装できる、つまり、塗料は1ガロンあたり30平方メートルの面を覆えるとすると**、この量は11兆平方メートルを塗装するに十分だということになる——しかしこれは、ロシアの面積より小さい。

したがって、答えはノーだ。地球の陸地をすべて塗装するのに十分な塗料は存在しないし、そして——塗料の生産がこのペースを維持するとすると——2100年になるまでは十分な量に達しないだろう。

フェルミ推定の一勝というわけだ。

エンリコ・フェルミが好きな映画:

- 100匹わんちゃん
- オーシャンズ10
- T10N
- 1000年宇宙の旅
- 100丁目の奇跡
- テンス・センス
- 10マイル
- 100歳の童貞男

---

* 1+1/0.03

** 「平方メートル毎ガロン」というのは、ちょっと嫌な感じの非メートル法単位だが、最悪とは言えない。私は実際の技術論文で、「エーカー・フィート」という、1フィート掛ける1チェーン掛ける1ファーロングに等しい体積の単位に出くわしたことがある。

15章　木星が町にやってくる

親愛なるランドール、木星を家１軒の大きさまで縮めて、たとえばどこかの家と取り替えて、近所に置いたとしたらどうなりますか？

——ザカリー、９歳

いやかもしれないけど、住宅所有者組合の規則に、
これを禁じるものはないんだよ
HOA

これは、大惨事を引き起こしそうな気がするけれど、ちょっと考えると、それほど大したことにはならないように思えてくる類の問題の１つだ。だが、もうちょっと考えると、非常に悪いことになりそうだと気づく。

家ぐらいの大きさの木星は、大した重力はないので、ブラックホールとか、その種(しゅ)のものができたりはしない*。木星の密度は水より少し高いだけなので、直径15メートルの木星の重さは約2500トンにすぎない。確かに重いが、それほど重くはない。小さなオフィスビル1棟か、20から30頭のクジラと同じぐらいだ。直径15メートルの球形の水を、あなたが住む町の真ん中に置いたとすると、大変なことになって、付近の家屋が破壊され、やがて小さな池ができるだろうが、重力によって妙なことが起こったりはしないだろう。

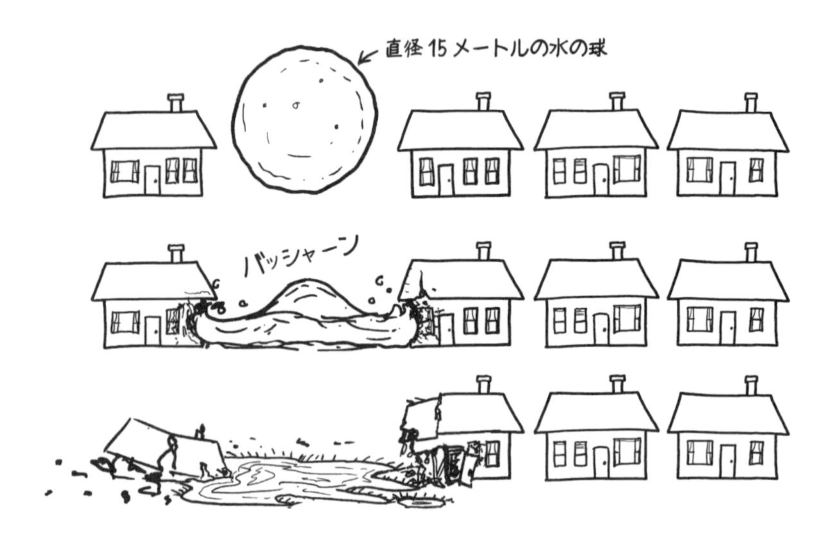

ザカリーの木星は、直径15メートルの水の球と同じぐらいの大きさと重さしかないので、それほどひどいことにはならないようだ。

だが、問題が1つある。木星は熱いのだ。

地球と同じく木星でも、冷たい薄い外層が猛烈に熱い内部を包んでいる。

* ここでは、小さくした木星の密度は元と同じだと仮定する……同じものでできていて、ただそれが少なくなっただけだとする。これは『ミクロキッズ』(訳注:1989年公開のアメリカのSFコメディ映画。子どもたちがミクロマシンで6ミリに縮小されてしまう)のルールと呼ばれる。

木星の内部は大部分が水素で、圧縮されて数万度の高温になっている。そして、高温で高密度のものは、膨張しようとする。

「膨張」？　なるほど、じゃあ、
だんだん大きくなるってこと？
ごめんね、違うの。
物理学者が「膨張」っていうのは、
たいてい「爆発」のことなの

20000度の水素の球は、外に向かって猛烈な圧力で広がろうとする。実際の木星が爆発しないのは、木星の強力な重力が外向きの圧力に対抗して、木星がばらばらにならないように1つにまとめているからだ。あなたが木星を小さくして、あなたの町の真ん中にドサッと置いたとすると、その高温高圧の水素は、1つにまとめてくれる重力がないので、膨張するだろう。

木星は激しく膨張し、あなたの家と同じ区画にあるすべての家をほぼ瞬時につぶしてしまい、おそらく町全体も同時に破壊するだろう。爆発の火の玉は、大きくなるにつれて冷えていき、大気中を上昇するだろう。5から10秒後、この上昇するガスはキノコ雲になるだろう[*]。

＊　私たちはキノコ雲は核兵器によるものと思いがちだが、実際には、大量の熱エネルギーを一挙に空気中に放出する際に発生する。熱を生み出したのが何だったかはまったく関係ない——十分な量の熱があって、それが十分急激に放出されたなら、キノコ雲ができる。

この出来事を録画して――できれば遠くの安全なところから――その録画を逆回しで再生すると、それは木星がいかにできたかをある程度表しているだろう。

木星が非常に高温である**理由**は、46億年前、ガス雲が重力のおかげで崩れて凝縮したからである。気体は圧縮されると温度が上がる。なぜなら、気体の分子たちが頻繁に衝突し合うようになり、ますます高速で跳びまわり始めるからだ。大量のガスが収縮して木星になったので、その重力は非常に強く、木星は猛烈な力で凝縮していき、途方もなく高温になったのだ。

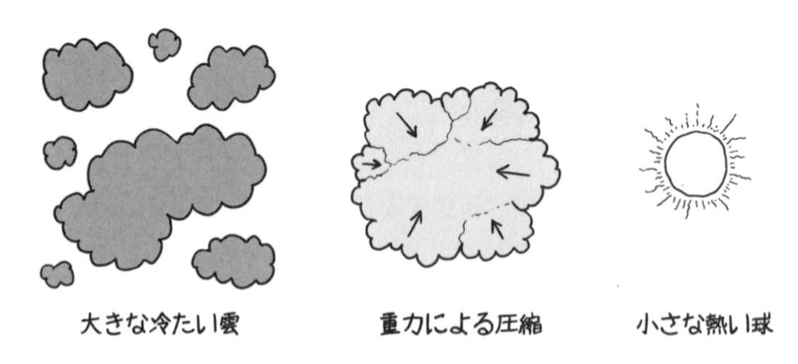

40億年以上が経っても、その熱がまだかなり――約半分――残っており、木星の強烈な重力と、外部から遮断する分厚い雲の層のおかげで、内部に閉じ込められている。小型木星には、この内側へと収縮される猛烈な力がない。その高温の中心部は外側の雲の層を跳ね飛ばして外に向かって膨張することができ、どんどん広がって急激に冷えていくだろう。

小さな熱い球　制約なしの膨張　大きな冷たい雲

あなたの町を破壊するこの爆発は、40億年間抑圧された熱がついに解放された姿だ。重力の拘束からやっと解放された木星は、太陽が形成される前の状態に戻るだろう。空一面に薄く広がった冷たいガスに。

あの明るい星は土星だよ。
そして、土星を見えにくくしている
あのぼやけた雲が木星だよ。

16章　星の砂

天の川銀河に存在する星の大きさに比例したサイズの砂粒を使って砂浜を作ったら、どんな砂浜ができますか？

——ジェフ・ウォーツ

砂は面白い[要出典]。

「砂粒は空の星より多いでしょうか？」は、よく持ち上がる疑問で、これまでに多くの人々が取り組んでいる。端的に答えてしまうと、観測可能な宇宙には、地球のすべての砂浜の砂粒よりも多くの星が存在する。

砂粒よりも星のほうが数が多いかどうかという問いに答えようとするとき、人々はまず星の数についての信頼できるデータを探し出し、そして、これに対応する砂粒の数を見積もるために、砂粒のサイズについて当たりを付けようとして、大まかな推測をするのが普通だろう。これはおそらく、地質学と土壌科学のほうが天文学よりもはるかに複雑だからだろう。

ここでは、砂粒を数えようとしているのではないが、ジェフの質問に答えるためには、砂のサイズがどれぐらいなのかをぜひとも知る必要がある。具体的には、天の川銀河が砂浜だったらどんな姿なのかを理解するために、粘土、シルト、細砂、粗砂、礫岩（れき）それぞれのサイズをある程度知らなければならない*。

幸い、さまざまな区分を作ってその定義を考えることほど、科学者たちが好きなことはない。100年前、チェスター・K・ウェントワースという

* ただ大量のいろいろなサイズの砂粒を集めても天の川の姿を反映できないので。

地質学者が、砂粒のサイズを分類した決定的なカタログを出版した。そこには、粗砂、細砂、そして粘土のサイズが区分として定義されていた。砂のさまざまな調査からは、砂浜に見られる砂粒の大半は0.2ミリから0.5ミリの範囲にあること（そして最も細かい粒の層が最上部に存在すること）が多いことがわかる。これはウェントワースの区分では、中程度から粗い砂に対応する。

一つひとつの砂粒は、だいたいこのくらいの大きさだ。

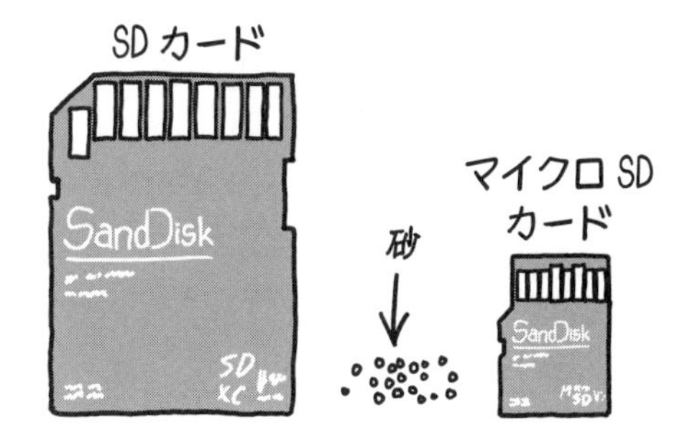

平均的な砂粒で太陽を表すことにし、これを天の川銀河に存在する恒星の総数まで増やしたとすると、大きな砂場ができるほどの量の砂になるだろう*。

すべての恒星が太陽と同じ大きさなら、この見積りは正しいだろうが、そうではない。小さい恒星もあれば、大きい恒星もある。最も小さいものは木星ぐらいの大きさだが、大型の恒星のなかには、私たちの太陽系全体の大きさに匹敵するほど驚異的に大きいものもある。したがって、私たちの砂場宇宙の砂粒の一部は、砂というより大きな石に近くなるだろう。

主系列星**の砂粒は、次のように、大きさの異なるもので表される。

＊　ええっとですね、いろいろな数が出てきますが、想像力をたくましくして、それを砂場にしてしまうわけです。

＊＊　水素を核融合してヘリウムを作り、熱エネルギーを発生する、生涯の最盛期にある恒星たち。

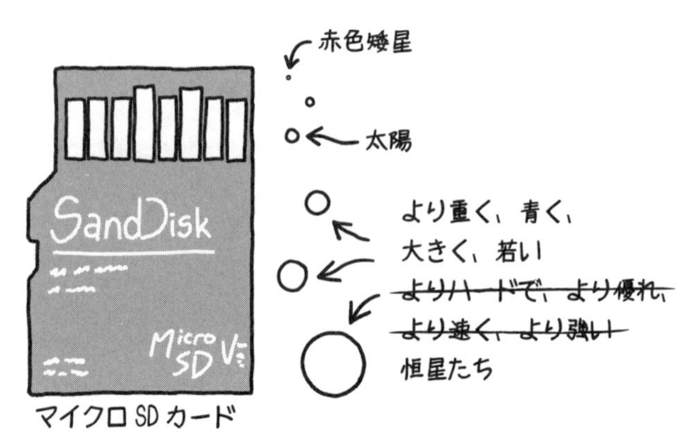

天文学では、これらの恒星はすべて、大きなものも含めて、「矮星」と正式に呼んでいる。その理由は、天文学者たちにチェスター・K・ウェントワースほどネーミングのセンスがないからだ。

これらの主系列星の砂粒版は、大部分が「砂」に分類されるサイズだが、もっと大きな恒星たちは「細礫」または「小さな中礫」に含まれるサイズだ。

とはいえ、ここまではまだ主系列星だけだ。終末期にある恒星ははるかに大きい。

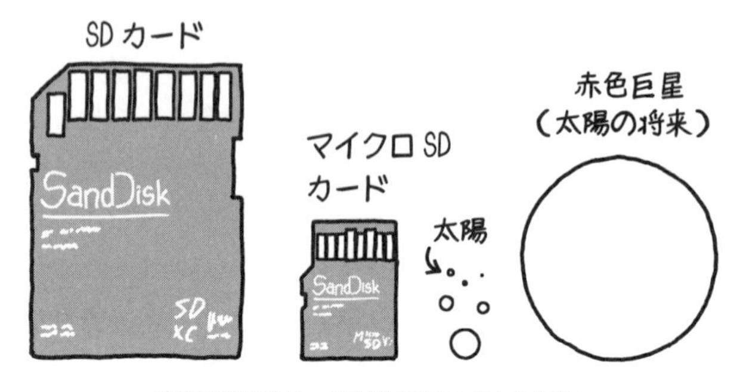

赤色巨星はSDカードと同じぐらいの大きさだ！

燃料を使い果たした恒星は、膨張して赤色巨星になる。普通の恒星でさえ、巨大なサイズに膨張するが、元々巨大だった恒星がこの段階に入ると、モンスター級になる。これが赤色超巨星で、宇宙最大の恒星たちだ。

このようなビーチボール・サイズの恒星は珍しいだろうが、ブドウ・サイズや野球ボール・サイズの赤色巨星は比較的多い。だが、太陽タイプの恒星や赤色矮星（わいせい）ほど多いわけではない。しかし、体積が非常に大きいので、これらの恒星の砂粒版が私たちの砂場の大半を占めるだろう。天の川銀河を砂粒で表そうとすると、大きな砂場を満たすほどの砂粒……と何キロメートルにも広がる礫岩の原になるわけだ。

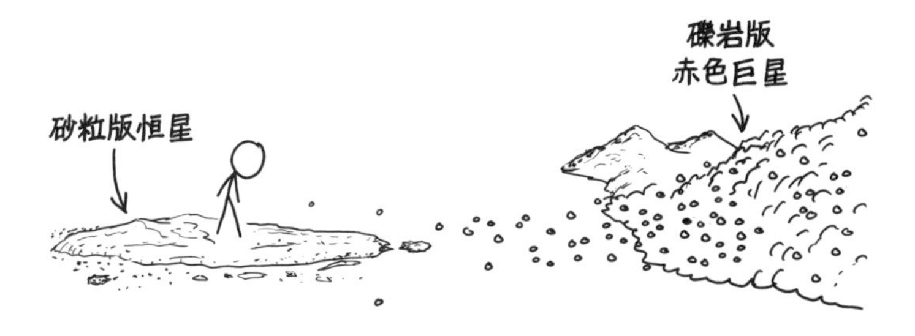

砂が集まった小さいほうのエリアには、砂粒版天の川銀河の砂粒の99パーセントが含まれているが、その体積は総体積の１パーセントにも満たない。私たちの太陽は、銀河のふかふかの砂浜の一粒の砂ではない。天の川銀河はごつごつした礫岩の原で、随所に多少の砂が混じっているのだ。

しかし、実際の地球の海岸と同じで、楽しいことが起こりそうなのは、岩と岩のあいだにわずかに存在する小さな砂地である。

17章　ブランコ

人間が足で漕いでパワーを与え続けると、ブランコはどこまで高く上がりますか？　乗っている人がちょうどいいタイミングでジャンプしたら、宇宙に飛んでいけるほど高いブランコを作ることはできますか？（その人が十分なエネルギーを持っているとして。５歳になる私の子どもは持っているようです）

——ジョー・コイル

ブランコの物理学を詳しく研究した論文は、驚くほどたくさん存在する。理由の１つは、振り子がとても面白い物理系だからだが、すべての物理学者がかつては子どもだったからでもあるだろう。

ブランコで遊ぶ子どもたちは、足で漕ぐことで――足を蹴り上げ上体を後ろにそらせ、その後膝を曲げて足を後ろに引き、上体を前かがみにするというのを繰り返すことで――ブランコを揺らし続けられるのだと、すぐに気づく。物理学者たちは、これを「駆動振動子」と呼び、1970年代以降の一連の研究で、ブランコを漕ぐ動作がどのように働くのかや、その最も効率的な方法が解析されてきた。

半世紀にわたる研究で物理学者たちが見出したのは、子どもたちは自分のやっていることをよくわかっているということだった。ブランコの鎖（またはひも）を手でつかんだ状態で、規則的に蹴り上げ上体を後ろにそらすことは、乗っている人の体を使ってブランコにパワーを与える、ほぼ最適な戦略のようだ。一部の物理学者が、ブランコを漕ぐには、席の上に立って、真っ直ぐ立ったりしゃがんだりを繰り返すほうがいいのではないかと提案したことがあったが、さらに計算を重ねることで、子どもたちはとっくにそんなことには気づいていたことがわかった。

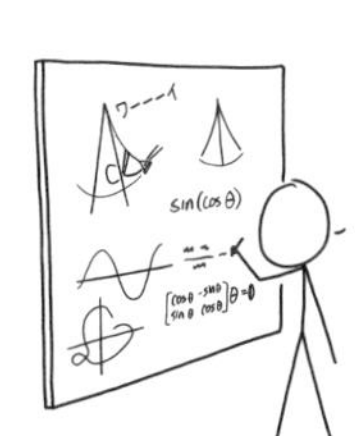

ワーーイ
sin(cos θ)
ぼくのブランコ・モデルは間違ってるのかな？
違う！　間違ってるのは子どもたちのほうだ！
待てよ、ぼく、相を正規化するのを忘れてたよ
さっき言ったことは忘れてくれ。
やっぱり子どもたちが正しかったんだ

ブランコを足で漕いで、より高くまで揺らすのは、ちょっとエネルギー保存の法則に反しているように思える。何もないところを押してブランコにエネルギーを与えたりできるだろうか？　じつは、ブランコを足で漕ぐ動作は、何もないところを押しているのではない。間接的にブランコの横棒を押しているのだ。

モーターが付いたホイールを、振り子の下端（固定されていないほうの端）に取りつけて吊り下げ、モーターを作動させてホイールを回転させると、振り子はホイールの回転とは逆向きに少し振れる。これは、振り子の上端を固定している軸のまわりで系全体の角運動量を一定にするためだ。

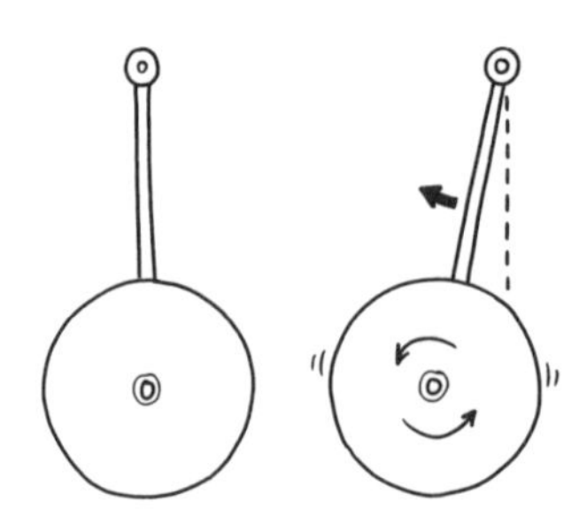

ブランコを漕ぐ場合も、これと同じようなことが起こる。ブランコの鎖をしっかり握ったままで体を揺らすと、ブランコは逆の方向に少し揺れるが、その結果漕ぎ手のあなたを重力に逆らって押し上げる。やがて重力で体が運動方向を反転して下がってきたところで、先ほどと反対の方向に体を揺らす。体は最初とは逆の方向に運動しているので、この揺らす動作によって、体はそちら方向にさらに少し押し上げられる。適切なタイミングで前後両方向に体を揺らす動作を繰り返す結果、あなたは少しずつ高くまで揺れる。

ブランコの鎖があまりに長いと、漕ぐ動作の効率は落ちる。乗っているあなたがブランコを支える横棒から遠く離れてしまうと、あなたの回転（揺れ）は系全体にあまりねじれを与えなくなり、ブランコがそれに応じる動きが小さくなる。横棒から座席までの長さが約2.4メートルのブランコに乗った大人が上体を後ろに反らせて揺らせば、ブランコは軸の周りを約１度回転するだろうが、長さが約９メートルのブランコで同じ動作をしても、たった0.07度しか回転しないだろう。

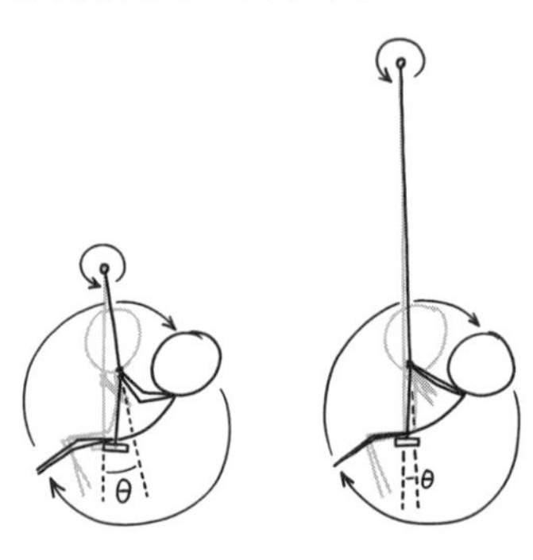

鎖が長いブランコでは漕ぐ動作の効率が落ちるということは、鎖が長いブランコほど動かすのに時間がかかるということにほかならない。長さ2.4メートルのブランコでは、1回漕ぐたびに1度強ずつ振れ角が大きくなっていくので、十分大きく45度までブランコを振らせたいと思うなら、45回漕げばいいだけで、約70秒で実現できる。ところが長さ9メートルのブランコでは、1回の漕ぐ動作によるブランコの振れ角の増加はずっと小さいので、45度の振れを達成するには640回漕がなければならない。長いブランコほど前後に振れるのに時間がかかるので、1分間にあなたが漕げる回数は少なくなり、640回漕ぐには30分以上かかってしまうだろう。

実際に鎖の長さ9メートルのブランコでこれを試してみると、45度も振れることなどまったくないことがわかるはずだ。それどころか、長さ2.4メートルのブランコでできたほど、地面から高く上がることは決してできないのだ！　空気抵抗のおかげで、一番低いところを通過するときのスピードは少し落ちる。大きく振れるほど、スピードは上がり、一番低いところで受ける抵抗がますます大きくなる。約20度振れると、漕ぐ動作で得られる以上のエネルギーを抵抗によって失ってしまうのだ。したがって、長さ2.4メートルのブランコのほうが9メートルのものよりも高く上がれるというわけだ！

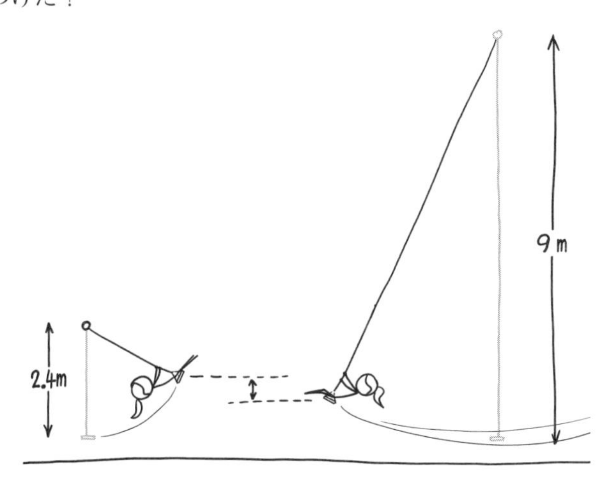

南アフリカのダーバンにあるモーゼス・マヒダ・スタジアムでは、訪れた人たちが通路を登ってグラウンドよりはるかに高いところまで行くことができる。そこから、スタジアムの上を覆う足場のような構造からぶら下がっている長さ60メートル強のロープにつかまって、ちょっとサーカスのブランコの曲芸のように、相当な高低差をブラーンと揺れながら下りることができる。しかし、かなりのスピードが出るので、空気抵抗は相応に大きい。ロープで下りてきた人は、高さが最低のポイントを通過するときまでに運動量の大半を失い、それより先にはロープは大して振れない。漕ぐ動作をしてもほとんど効果はないだろう。ブランコとしては長すぎて漕ぐ動作が事実上無意味になってしまうのだ。

超大型ブランコは楽しいかもしれないが、宇宙に少しでも近づくのには使えない。ブランコに乗る人の体格を平均して考えると、最大高度に達するための理想的なブランコは、長さが3から4.5メートルとなる——ちょうど公園にある大型ブランコの長さだ。

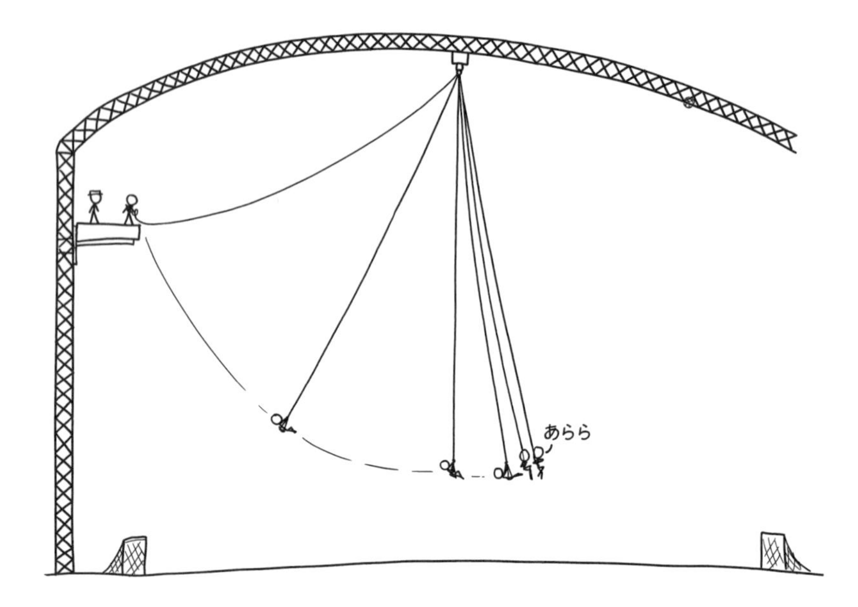

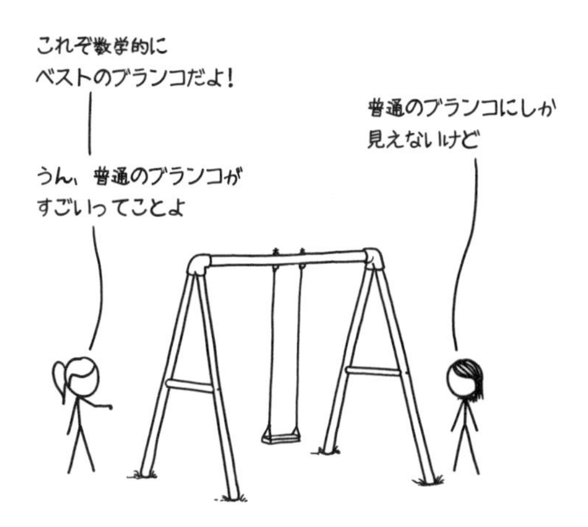

やはり子どもたちは、とっくに正解を知っていたのだ。

18章　民間航空会社用カタパルト

私の友人は民間航空のパイロットです。彼女が言うには、かなりの量の燃料が離陸に費やされるとのことです。燃料を節約するために、空母にあるようなカタパルトを使って民間の航空機を射出すればいいんじゃないでしょうか（もちろん、普通の人間が耐えられる加速度になるように調整して）？　カタパルトを何らかのクリーンエネルギーで動かせば、相当な量の化石燃料が節約できるのではないでしょうか？　たとえば、私はロープを考えているのですが、ロープの一端を航空機に結びつけ、他端を崖っぷちの巨岩に結びつけるのです。巨岩を崖の下に落とすだけでいいんじゃないですか？

——ブレイディ・バーキー、ワシントン州シアトル

クールで未来志向的な話から始まったのに、最後は巨岩とロープに行きつくこの質問はなかなか面白い。

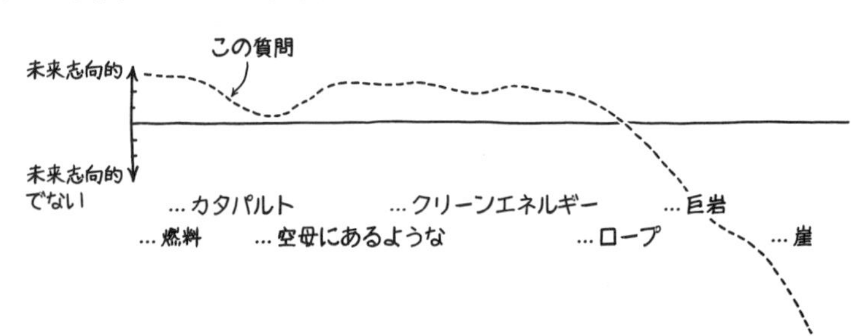

旅客機が離陸時に燃料を高速燃焼するのは確かだが、離陸は短時間で終わる。エアバスA320のような小型旅客機は、離陸速度に達するために滑走路を加速しているあいだに10から20ガロンの燃料しか消費しないが、その後のフライトでは数千ガロンの燃料を消費する。

旅客機は離陸後、巡航高度に達するまでの上昇で燃料を高速燃焼し続けるが、これには滑走路での加速よりもかなり長い時間がかかる。これに必要な燃料もかなりの量になりうる。A320の場合、数百ガロン程度だろう。しかし、カタパルトは地上でしか使えない。上昇中も使えるとしたら、それはカタパルトではなくエスカレーターになってしまう。

カタパルトは、まだ地上にあるあいだにさらにスピードを上げるのに使うことができるだろう。離陸直後の旅客機は通常その巡航速度の半分以下で飛んでいる。地面の近くでもっとスピードを獲得しておくためにカタパルトを使うことができれば、上昇中に巡航速度に達するために燃焼する燃料が節約できるだろう。

だが、これには２つ*問題がある。１つめは、地表付近では大気が濃いので、上層大気に達する前にこうやって稼いだスピードの一部を失ってしまうということだ。

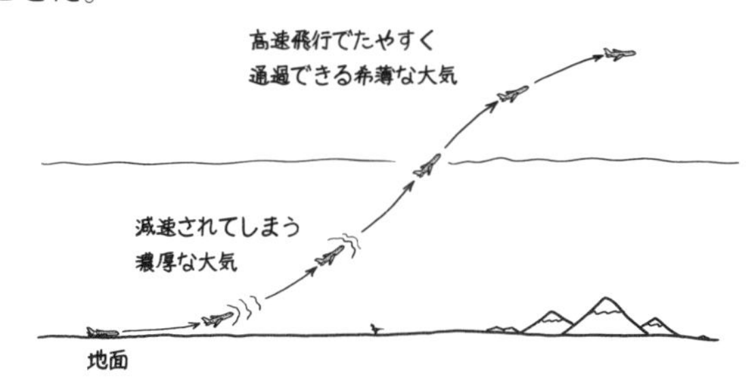

２つめの、深刻なほうの問題は不動産だ。

一般に旅客機は離陸のあいだに約0.2Ｇから0.3Ｇの加速度で加速する。このため、旅客機は通常少なくとも１マイルの滑走路がないと離陸できない。スピードが出る車でアクセルをいっぱいまで踏んだときに感じる加速

＊　つまり、少なくとも２つ。

と同じぐらいの0.5Gまで加速する気があるなら、理屈の上ではたった0.5マイルで離陸できるだろう。しかし、離陸前に巡航速度寸前まで加速し、大気の最も濃密な部分を惰性飛行で上昇するのに十分な運動量を獲得したいのなら、**9倍長い**滑走路が必要だ。たとえセーフティーマージンをまったく取らないとしても、少なくとも4.5マイルの滑走路が要る。

もしもロナルド・レーガン・ワシントン・ナショナル空港の主滑走路を4.5マイルに延長したならワシントンD.C.はどんな様子になるかを描いてみたのが次の図だ。

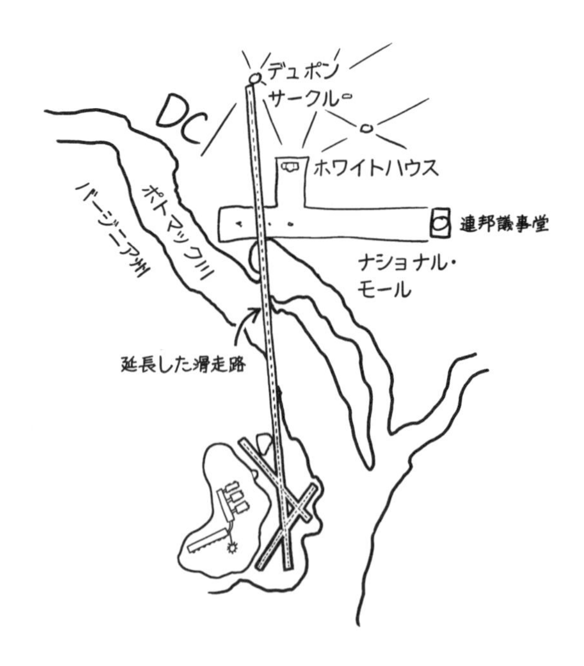

延長滑走路はナショナル・モール（ワシントンD.C.の国立の開放公園）のリンカーン記念堂とワシントン記念塔のあいだを通過し――フランクリン・デラーノ・ルーズベルト記念碑をわずかに逸れて――、その後首都を進み続け、デュポンサークル（南北戦争の北軍の英雄サミュエル・デュポンの噴水像のある広場を含むワシントンD.C.の観光エリア）付近のどこかまで届くはずだ。

質問者の名誉のために申し上げると、旅客機をカタパルトで発進するというアイデアはそれほどばかげてはいない。燃料はあまり節約できないが、より大きな飛行機をより短い滑走路で離陸させるのに使うことができる可能性がある。おまけに、飛行機の離陸がより静かになるかもしれないのだ。都市部の空港にとって、騒音は長年の悩みである。

これまでに旅客機へのカタパルトの使用が真面目に提案されたことが何度かある。1937年、NACA（アメリカ航空諮問委員会）――NASAの前身――が、超大型旅客機が途方もなく長い滑走路を必要とせずに離陸できるように陸上設置型カタパルトで発進させる研究を行った*。2012年には、エアバス社が2050年の持続可能な航空輸送を描く新ビジョンを発表した。彼らのビジョンには、エコ・クライムと銘打ったカタパルトに似た発進システムが含まれていた。

だが、ときおり試案として出てくるほかは、カタパルトが真剣に検討されるのは、飛行機が短距離のあいだに離陸できるよう早く加速する必要がある、空母からの発進のような特殊な状況に限られている。カタパルトを

＊　もちろん、1937年の人々にとって「超大型」飛行機とは40人乗りで、彼らが想像した「途方もなく長い滑走路」は1マイルもなかった――私たちが作るようになった長さ数マイルの滑走路に比べれば何でもない。

実施するための直接・間接の費用に比べて、節約できる可能性のある燃料が非常に少ないので、カタパルトの利用は今後も現状のままだろう。

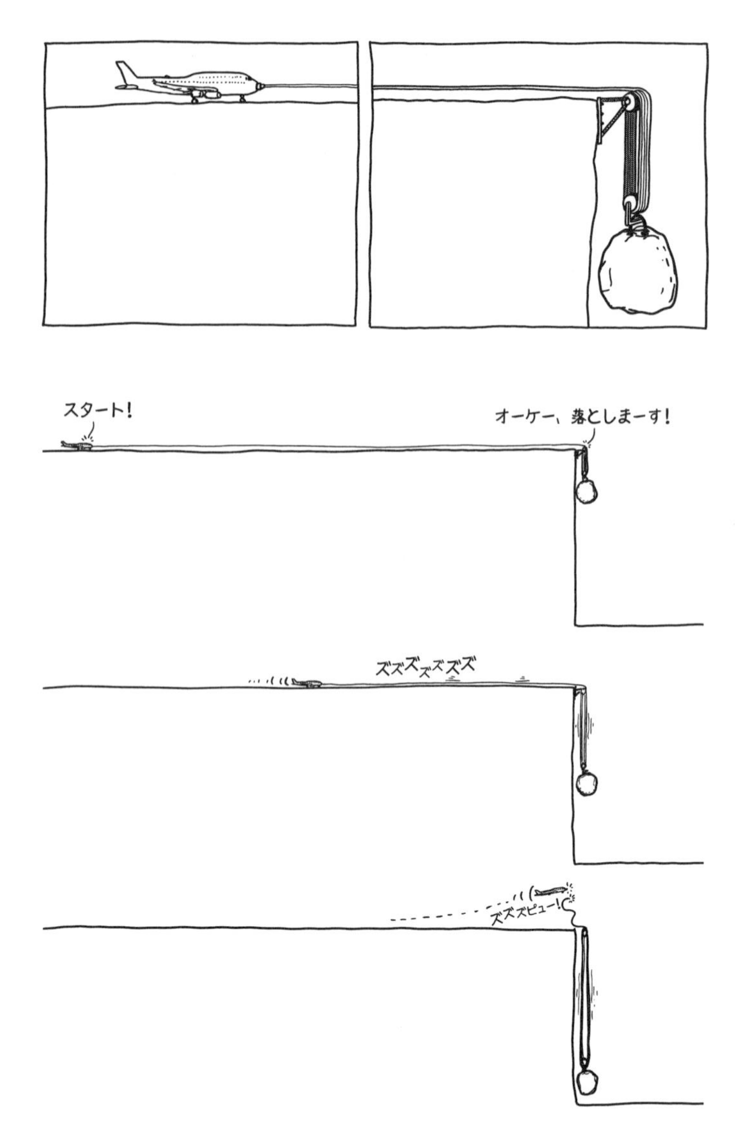

どうしてもあなたが考案したシステム――ロープと崖も含めて――を作りたいなら、ひとつヒントをお教えしよう。200トンの旅客機を時速400マイルまで加速するには、とてつもなく重い釣り合い重りか、とてつもなく高い崖が必要になるというのがそれだ。重さ1000トンの巨大な重りが超高層ビルの高さを落下しなければならないだろう。

もっと重い重りを使ったなら、それほどの高さを落とす必要はない。ここで私は何も具体的な提案をしているわけではないが、念のために申し上げると、ワシントン記念塔の地上部分は約80000トンだ。80000トンの物体は、旅客機を離陸速度まで加速するのにごく短い距離しか落とさなくていい。

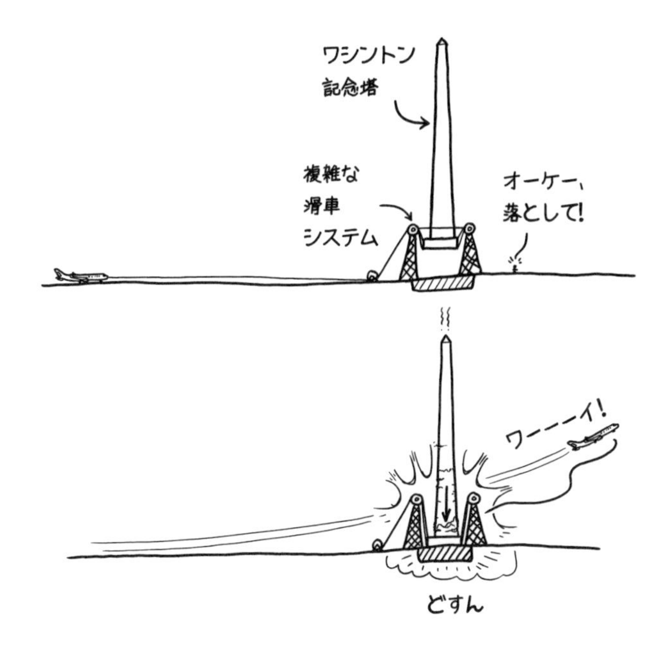

単なる思い付きです。

さくっと答えます #2

Q ピエロのビリーは手持ちの現金がなくなってしまいました。そこでお金を集めるために彼は新しい手品を考えます。普通サイズのパーティー用風船を、風船を作っている材料（何らかの丈夫なゴム）がちょうど原子１個の薄さになるまで、口で膨らませます。このときパーティー用風船はどれだけ大きくなっているでしょうか？

——アラン・フォン

ビリーのお金がなぜ
なくなってしまったのか、
まったくの謎だ。

Q 標準的なSUV１台を動かすには、落ち葉掃除機が何台必要ですか？

——アシュレー・H

地面が平らで、車のギアがニュートラルなら、おそらく10から20台の強力な落ち葉掃除機があればSUVは動かせるだろう。ただし、後ろからクラクションを鳴らされない程度に早く加速させたければ、もっとたくさん必要だろう。

Q バキュームクリーナーに超強力な吸引力を持たせて、普通のBMWセダンに向けて吸引させると、どうなりますか？

——匿名

Q 蒸し暑い夏の夜、点灯したランプを持って戸外に座っていると、虫がランプに引かれて集まってくるのはほぼ間違いないですよね。だとすると、同じ虫たちが日中、最大で最強のランプ、すなわち太陽に向かって飛んでいかないのはなぜですか？

——匿名

ガなどの虫がなぜランプに向かって飛ぶのかという問題は、昆虫学でもまだ十分解明されていないが、虫たちがみんな太陽に向かって飛んでいかないのはなぜかという問題には、もっと単純な答えがある。

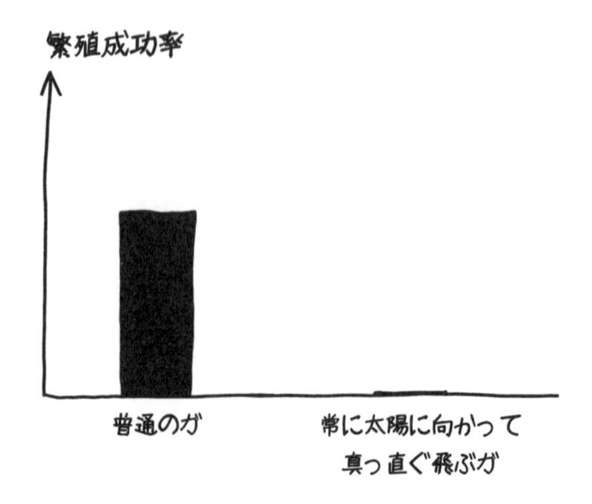

Q 世界中の銃を集めて地球の片側に置き、それらを一斉に発砲すると地球を動かせますか？

——ネイサン

無理。しかし、私の個人的見解ではあるが、銃をそこにずっと置いておくことができれば、地球の反対側はもっと暮らしやすくなるだろう。

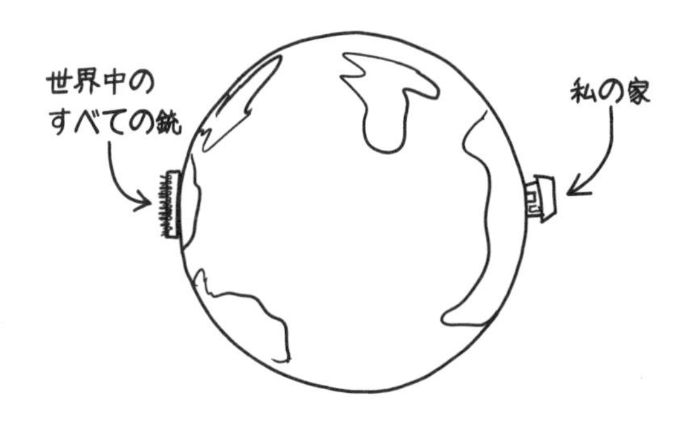

Q 電子レンジをオンにしたまま、ひと回り大きな電子レンジにかけるとどうなりますか？

——マイケル

あなたはそのIKEAの店から無期限出入り禁止を通告されるだろう。

Q トランポリンで跳んでいるとき、次のことができるには、体はどれくらい速く動いていなければなりませんか?
A. 衝撃ですべての骨を折る
B. トランポリンのメッシュの小さな穴に体を通過させる

——**ミカ・レーン**

A:体のすべての骨を折るのは難しい。というのも、多くの骨は小石サイズで、より大きな身体構造の奥深くに埋め込まれているからだ。そのすべてを折るにはどれだけ速く動かなければならないか私にはわからないが、それは猛烈な速さで、トランポリンの有無はほとんど関係なくなるのは確かだろう。

B:幸いなことに、そんなことは起こり得ないとお知らせいたします。

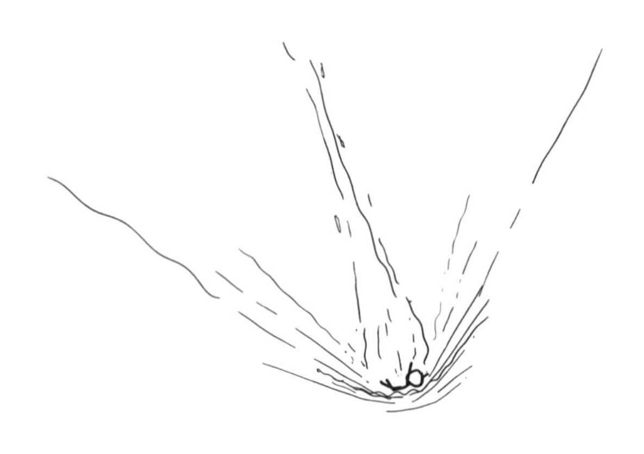

Q 私は真空手榴弾（しゅりゅうだん）™を1つ持っています。爆発すると、瞬時に直径2メートルの完全な真空の球になります。実際に爆発すると、何が起こりますか？

——デイヴ・H

真空の球は、中心に向かって崩壊し、中心部において猛烈な力で衝突するので、急激に加熱し、一時的にプラズマを生じる可能性さえある。熱パルスおよび衝撃波のかたちのエネルギーが外に向かって放出され、重傷または死亡をもたらし、小規模な構造物を破壊する恐れがある。

言い換えれば、あなたが持っているのは普通の手榴弾です。

Q 宇宙は、熱い冷たいのどちらでしょう？

——アイザック

教科書的な定義によれば、少なくとも太陽系のなかでは宇宙は熱い。その理由は、宇宙空間の分子はそれぞれが非常に速く運動しているので、個々の分子は多くのエネルギーを持っており、温度は、物質内の分子の平均運動エネルギーで定義されるからだ。しかし、宇宙空間に存在する分子は極めて少ないため、たとえそれぞれがたくさんエネルギーを持っていたとしても、熱エネルギーの総量は小さいので、それらの分子は物の温度を大して上げない。理論的には温かいかもしれないが、実際には冷たく感じるだろう。

宇宙は熱いかもしれないが、それはあなたが凍死する可能性がある最も熱い場所だ。

Q 人間が死なないようにその体から取り除ける骨は何本ですか？
友人に代わって質問しています。

——**クリス・レイクマン**

この人、本当はあなたの友人ではないと思う。

Q 人間に重力加速度417Gを20秒間かけたらどうなりますか？

——**ニシル**

殺人の罪で逮捕されます。

Q 殺人を犯して起訴されないようにするには、どこで、あるいは、いかに行えばいいでしょうか？

——クナル・ダワン

法学教授ブライアン・C・カルトによるある有名な論文では、イエローストーン国立公園に50平方マイル（130平方キロメートル）の領域があって、そこでは人々が刑罰を受けることなく重罪を犯すことができると論じられている。憲法には陪審員を選ぶ地区に関して明確なルールがある。しかし、地区の境界線の引き方に問題があって、この50平方マイルの領域で起こった犯罪を起訴するには、陪審員団を人口ゼロの地区から選ばなければならないのだ。

だが、急いで連続殺人に走らないでください。「イエローストーンの法の抜け穴」について、ある連邦検事に尋ねてみたところ、彼は笑って、そして言った。それを悪用しようとしたなら、必ず起訴されますよと。そこで私は、カルト教授の論文の内容を口にした。彼の返事をここに引用しよう。「法学教授たちはいろいろなことを言うのです」

あなたは本当に殺人は違法だとお考えですか？
というのも、８ページにある
この専門用語によれば……
やれやれ

Q 昆虫たちはアメリカ経済に年570億ドル（約７兆4000億円）の貢献をしているという話を今日読みました。アメリカの昆虫１匹１匹に、その昆虫の経済への貢献に対して公平に返金するとしたら、それぞれの昆虫は何ドル受け取りますか？

——ハナ・マクドナルド

経済的価値を見積もることは、ややこしく、定義によって結果が大きく違ってくるが、この問いに答えるに当たっては、570億ドルという数値をそのまま使おう。おそらく一部の昆虫たちは、ほかの昆虫たちよりもかなり大きな貢献をしているだろう——私個人としては、アリはかなり多くの仕事をしていると思う——が、すべての昆虫に同じように返金するものと仮定しよう。

いったい何匹の昆虫がいるのだろう？　1990年代、ミズーリ大学のジャン・ウィーバーとサラ・ヘイマンが行った調査で、ミズーリ州のオザークの森林では、１平方メートルあたり約2500匹の昆虫が見つかった。ほかの調査ではこれよりも高い数値が出ているが、それは、異なるタイプの森を調べたか、地面をもっと深く掘ったか、より小さな昆虫まで数えることができたかのいずれかの理由による。だが、これらの調査はどれも比較的自然が豊かで昆虫が多い地域で行われている。また、全国平均は森の地面の上の落ち葉のたまった場所の平均に比べ、大幅に低いだろう。ウィーバーとヘイマンの数値を全国平均の推定値としてそのまま使うなら、アメリカには約２京（けい）（2×10^{16}）匹の昆虫がいることになる。

その570億ドルを２京匹の昆虫に分けるとすると、１匹が受け取るのは0.0000029ドル、あるいは、3500匹あたり１ペニーである。偶然ながら、この調査で得られた昆虫の平均体重は１ミリグラム弱だったので、この3500匹の昆虫たちは彼らが受け取る１ペニー硬貨とほぼ同じ重さである。

ウィーバーとヘイマンの調査による各種の昆虫の個体数に基づいて計算すると、返金金額の配分は次のようになる。

・ハエおよびカに180億ドル
・ミツバチ、カリバチ、アリに160億ドル
・甲虫に100億ドル
・アザミウマ（植物の水分を吸い取る小さな昆虫）に70億ドル
・チョウとガに10億ドル
・半翅類の昆虫（セミ、ヨコバイ、カメムシなど）に10億ドル
・それ以外の昆虫で40億ドルを分割

これでうまくいきそうだ！　ただ、念のため言っておくと、私がこの予算の担当になったなら、まずは蚊への返金分を削減するつもりだ。

Q　**現在の世界と過去の世界で、すべての社会的および生物学的要素において、人間であるとは何を意味しますか？**

――セス・キャロル

本当はこの質問、『ホワイ・イフ？』に投稿するつもりだったんじゃないかな？

ホワイ・イフ？
why if?
DEEPLY UNGRAMMATICAL ANSWERS
to Unanswerable Philosophical Questions
回答不可能な哲学的問いへの完全に非文法的な答え

19章　恐竜をゆっくり絶滅させる

チクシュルーブ・クレーターを作った小惑星のような物体が、比較的遅い相対速度、たとえば時速３マイル（時速約4.8キロメートル）で地球に衝突したらどうなりますか？

――ベニー・フォン・アレマン

大量絶滅を起こしたりはしないだろうが、そんなことはそれが着地したときに近くに立っていた人には大した慰めにはならないだろう。

6600万年前*、宇宙から飛んできた巨大な岩が地球に衝突した。落下地点は現在のメキシコのメリダという都市の近くだ。この衝突の結果、恐竜の大半が絶滅するに至った。

宇宙からやってきて地球に衝突するものはすべて、地面に達するまでにかなりの高速になっている。地球に接近してきたときにその物体がゆっくり漂っていただけだとしても、地球の重力井戸に落ち込んでしまったなら、その物体は少なくとも脱出速度まで加速するだろう。この速度によって、その物体は大きな運動エネルギーを持つことになる。小石サイズの隕石（いんせき）が燃焼して非常に明るく輝くのも、それより大きな隕石が地殻に大きな穴を作るのも、この大きな運動エネルギーのおかげだ。

＊　2022年の時点で。

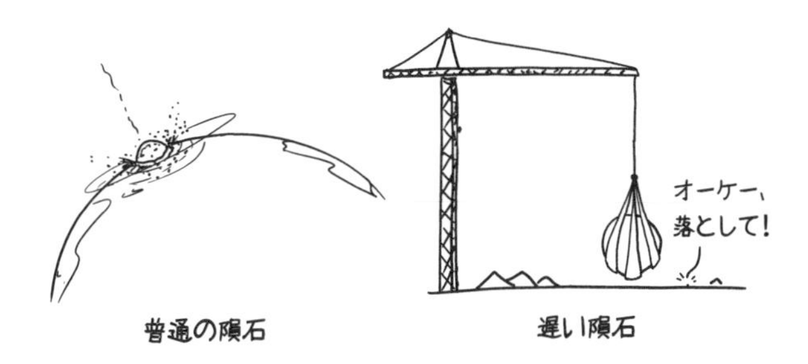

速度が遅い隕石は、また違った落ち方をするだろう。たとえば、隕石を1個、ゆっくりと下げていき、地面から5センチになったところで解放してやって自由落下させるとしよう。

隕石は、ほかの物体とまったく同じように落下しはじめる。0.1秒後には、地面に接触するだろう。

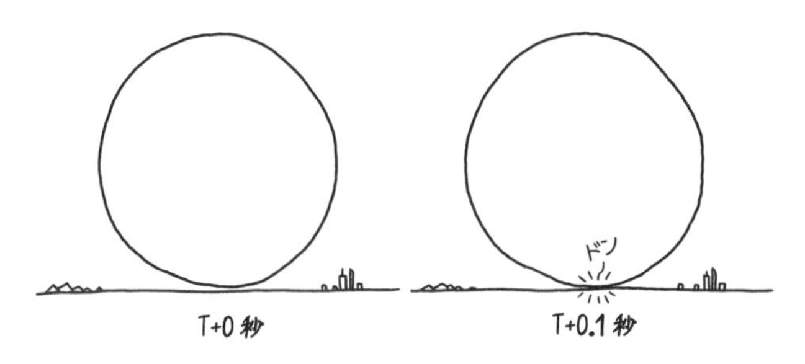

隕石の下端が地面に接触するとき、隕石の速度は時速約3.5キロメートルで、恐竜を絶滅させた実際の隕石の速度の1000分の1よりも遅い。隕石の底は地面にぶつかって止まるかもしれないが、底から10キロメートル上の部分はまだ落下し続けるだろう。

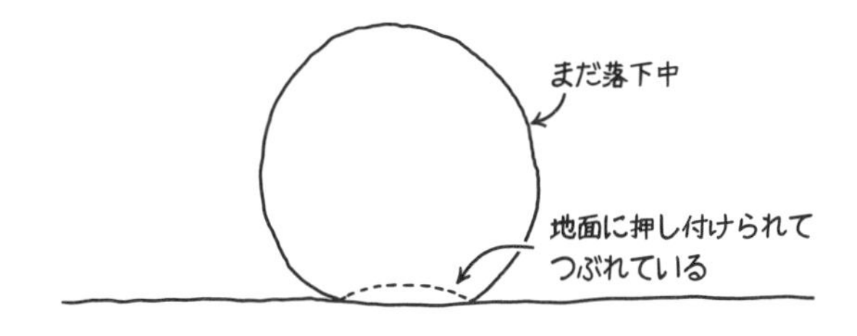

彗星と小惑星の大半は、それほど頑丈ではない。小惑星は、表面があばたのようなクレーターで覆われたジャガイモ型の硬い岩だと、かつては考えられていた。たしかに、そのような姿をした小惑星も存在する。しかし、すでに数機の探査ローバーがいくつかの小惑星に実際に着陸している今では、多くの小惑星はむしろ、大量の砂利が重力と氷でゆるく結びつけられてできた塊のようなものだとわかっている。小惑星は巨岩より砂の城のほうに近い。

グーグルで「世界最大の砂の球」を検索してみても、思うようなものは出てこないだろう*。なにしろ、ソフトボールよりも大きな砂の球を作るのはとても難しいのだから。適量の水を加えた砂を、極々慎重に丸めようとしても、ある程度以上大きな砂の球は自重を支えられないことがわかるだろう。砂の球と同じことが隕石にも起こる。

「土の液状化」とはつまらなそうな言葉だが、ある恐ろしいことを指している。地震などの特定の条件のもとで、土は液体のように流動することがある。これは、地面の上に住んでいる人にとっては大変気がかりなことだ。地球に衝突した隕石を構成する物質もこれと同じ変化を経て、表面の全体にわたってあらゆる方向に地滑り的に超音速の液状化が起こるだろう**。

その後の45秒間、隕石は落下する球から広がる円盤へと変貌するだろう。

---

* 本書執筆時においてはそうだったが、あなたがこれをお読みになるころには、おそらくそうではなくなっているだろう。「世界最大の砂の球」をグーグルで検索して、結果のトップに本書が出てくるのはなぜか理解に苦しんでおられたなら、これでついにその謎が解けたわけだ。

** 私はいくつかの研究論文アーカイブを「超音速土壌液状化」で検索してみたが、該当するものがまったくなかったのでがっかりしてしまった。どこかで誰かがこのテーマで補助金の申請を準備しているところかもしれない。

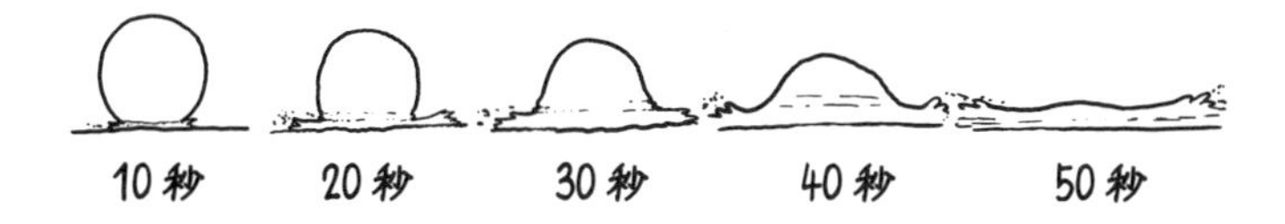

地滑りは数キロメートルにわたって広がる可能性がある。地球および太陽系のその他の天体における大規模地滑りの諸研究は、地滑りで覆われる面積を決める最大の要因は滑った土砂等の元々の総体積であり、土砂その他がどのように広がったかの詳細にはあまりよらないことを示している。このことから、私たちがゆっくり下ろして最後に自由落下させた隕石が起こす地滑りの範囲は、最初に接触した地点から約50から60キロメートルだろうと推測されるが、たいていの地滑りよりもスピードが速いと思われるので、たぶんこれよりもう少し広がるだろう。チクシュルーブの衝突体が落下したその場所でこの実験を行ったとしたら、おそらくチクシュルーブ・クレーターのほぼ全面に広がるだろう。

チクシュルーブの衝突地点は海岸沿いにあるので、私たちの「遅い隕石」がぶつかって広がった残骸のかなりの部分が海に流れ込むだろう。6600万年前の実際の衝突と同じく、この隕石の衝突でも大量の海水が押しのけられるだろう。

白亜紀に起こったチクシュルーブの衝突では、津波がメキシコ湾全体におよび、また数キロメートル内陸まで侵入した。さらにこの衝撃は地球全体を激しく揺らし、至るところで海水を大きくうねらせたため、メキシコ湾とはつながっていない湖にまで津波のような大波が起こった。

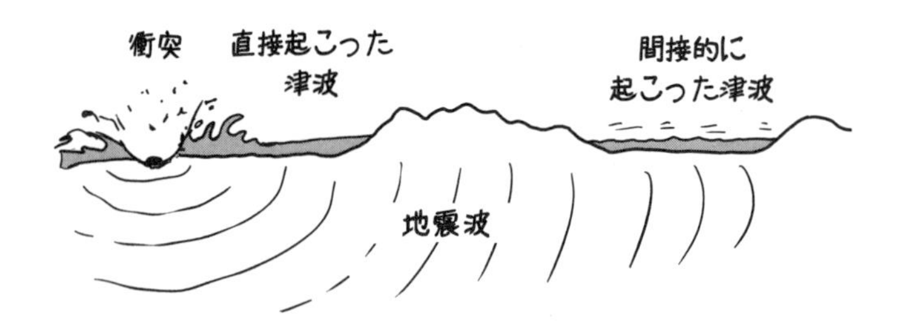

私たちの「遅い隕石」は、その遅さゆえに、チクシュルーブのものほど激しい衝撃は及ぼさないだろう。白亜紀のチクシュルーブで起こった地震がマグニチュード10を超えたと推定されるのに比べれば、私たちの隕石による衝撃はマグニチュード７の地震と同程度で、これによって起こる津波もやはりより小規模だろう。

しかし、メキシコ湾岸で津波を見ようと駆け出してはいけない。「遅い隕石」が起こす津波はそれほど小さくはないのだ。白亜紀の衝突体のエネルギーの大部分はクレーターを作るのに使われ、津波を作るのに使われたエネルギーは比較的少なかった。だが、大量の土砂を海に注ぎ込めば、海水を蒸発させて海に穴をあけ、そこに海水が流れこむ場合よりも、効率的に波が生じる可能性があり、したがって「遅い隕石」が起こす津波はかなり内陸まで及ぶ恐れがあるわけだ。

地滑り自体がメリダの街を土砂に埋めてしまうだろう。30分後、津波がメキシコ湾岸のほかの都市をすべて破壊するだろう。続く２、３時間、もう少し小さな波が世界中の海へと伝わっていき、やがて静まるだろう。

あなたが地球の裏側——たとえばジャカルタやパース——に住んでおり、沿岸部で洪水が起こった短時間のあいだ、海から遠い内陸部にいたとしたら、大したことは何も気づかなかっただろう。6600万年前の隕石衝突とは異なり、飛び散った岩屑が大気圏に再突入して地球規模の火災旋風を起こすことはないだろう。火山の噴火が誘発されることもまったくないと思われる。多少の砂塵が舞い上がることはあるだろうが、火山性エアロゾル（火山に起因して空気中を浮遊する微粒子）で地球規模の寒冷化が起こったりはしないだろう。

「遅い隕石」は大量絶滅をもたらしはしないだろうが、ちょっとした絶滅を起こす可能性はある。

映画「ジュラシック・パーク」の架空の島、イスラ・ヌブラル島は、コスタリカの南西沖に位置している。元々の映画では島の大きさは特定されていないが、ジョン・ハモンド（物語の主要人物の１人で、ジュラシック・パークを構想し実現した富豪）は、「長さ50マイル（約80.5km）の境界柵を設置した」と述べている。したがって、ジュラシック・パークの面積は200平方マイル（約520平方キロ）以下だとわかる。

もしも人間に本当に恐竜のクローンを作ることができて、遅い隕石の落下地点が南に約1000マイル（約1600km）ずれたなら……

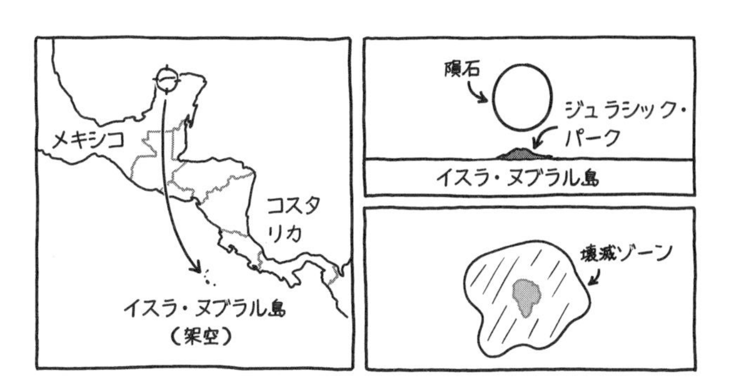

……恐竜の絶滅が起こるかもしれない。

20章　元素の惑星

水星（マーキュリー）が水銀（マーキュリー）だけでできていたらどうなりますか？準惑星ケレスがセリウム（元素発見直前に発見された準惑星ケレスにちなみ命名された）**で、天王星（ウラヌス）がウランで、海王星（ネプチューン）がネプツニウムで、できていたらどうなりますか？プルトニウムでできた冥王星（プルート）についてはどうでしょうか？**

――匿名

元素惑星

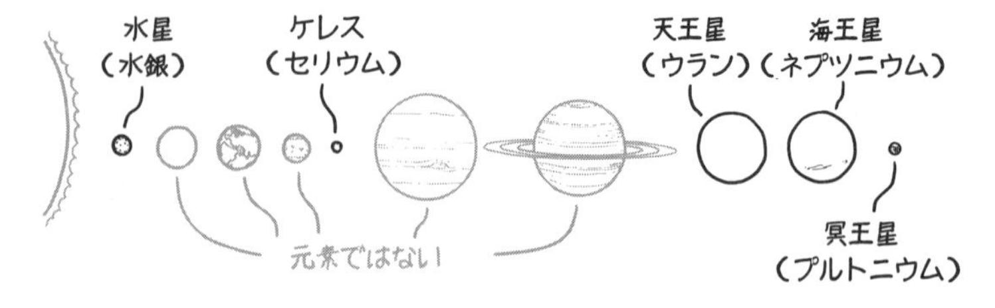

化学元素と同じ名前を持つ太陽系の惑星（準惑星）は５つある。惑星の水星、天王星、海王星、そして準惑星のケレスと冥王星だ。

私たちが地球から見ているあいだに、これらの天体が自分と名前が同じ元素だけに変化したなら、水星とケレスは見た目には大して変化しないだろう。水星は重さが２倍以上になり、表面全体が光沢のある液状になるため、明るさが約５倍になるだろう。ケレスは重さが３倍になり、明るさは10倍近くになるだろう――暗い夜空なら肉眼で十分見える明るさだ。

しかし残念ながら、ほかの３つの惑星のおかげで、夜空が暗くなることはそうそうなくなるだろう。

元素と同じ名前を持つほかの３つの（準）惑星——天王星、海王星、冥王星——に生じる変化は、もっとドラマチックだろう。

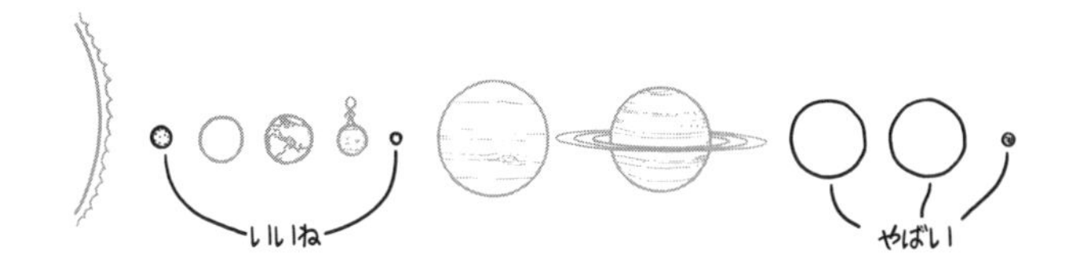

ウラン、プルトニウム、ネプツニウムはすべて放射性なので、これらの（準）惑星は大量の熱を生み出す。もしも冥王星が、プルトニウムの同位体のうちで最も安定なプルトニウム244でできていたなら、その表面はキャンプファイヤーのような赤橙色に輝くほどの高温に達するだろう。その結果、地球から肉眼でかろうじて見ることができるほど明るくなると思われる。しかし、残る２つの（準）惑星も変貌しているため、見えるのは年に２、３回だろう。

ウランの最も多く最も安定な同位体はウラン238で、数十億年かけてゆっくり崩壊する。ウラン238の塊は触れても熱くはないだろう——放射線中毒になる危険はまったくなしに取り扱うことができる。だが、ウラン238を集めて惑星サイズの球にしたなら、各部で生み出される微量の熱がすべて加算されて数千度の温度になるだろう*。

少量では触れると冷たい金属を、大量に集めて巨大な球の形にしただけでそれほど熱くなるのは妙だと思われるかもしれないが、これは単に量が多いか少ないかの違いで起こることなのだ。体積は表面積よりも速く大きくなるので、大きな物体は単位表面積あたりより多くの熱を生じ、温度が上昇して放熱する。非常に大きな物体は、単位体積あたり生じる熱が微量でも、極めて高温になり得るのだ。

核融合が起こっている太陽のコアでさえ、その一部を何らかの手段で取り出すことができたとしたら、かなり冷たいだろう。カップ１杯分の太陽コア物質**は、約60ミリワットの熱エネルギーを発生する。体積あたりの熱エネルギー発生量としては、これはトカゲの体と同じくらいの発生率で、人間の体に比べれば少ない。ある意味、あなたは太陽よりも熱いのだ——ただあなたには太陽に匹敵する量はないというだけのことである***。

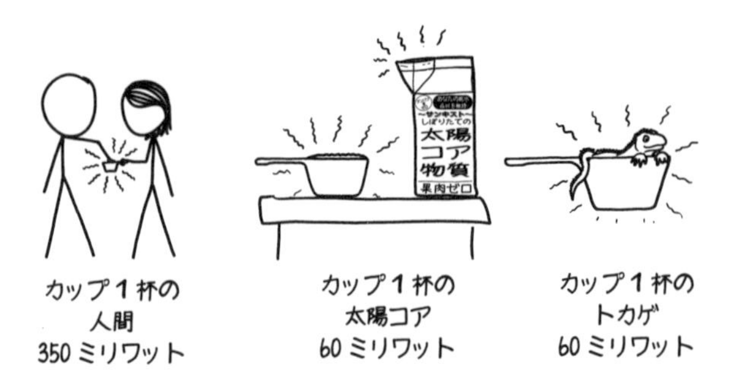

実際の天王星は太陽光を反射して輝いており、裸眼で観察するには暗すぎる。運が良ければ双眼鏡で見つけることはできるだろうが。ウランでできた超高温の天王星は、明るく輝き、普通の恒星と同じように空に見えるに違いない。

＊　華氏、摂氏、絶対温度のどれでも数千度である。

＊＊　これを材料とするレシピを見つけても、そんな料理は絶対に作らないでください。

＊＊＊　あなたがトカゲでない限り。あなたがトカゲの読者さんだったら、本書によじ登ってくれてありがとう！　このページが開かれたまま日なたにしばらく置きっぱなしになっていて、ポッカポカに暖まっていることを願います。

海王星こそ、大問題になるだろう。

	元々の状態	同じ名前の元素になったら
水星	見える	見える
ケレス	見えない	見える
天王星	かろうじて見える	見える
海王星	見えない	「ああっ、目が！」
冥王星	見えない	見える

ネプツニウムは、日常生活で出くわすような元素ではない。ウランとプルトニウムについては、ありふれたものというわけではないが、核兵器で演じている役割のおかげで、十分よく知られている。ネプツニウム——周期表ではウランとプルトニウムに隣接——は、この２つの元素に比べればかなり知名度が低い。

だが、ネプツニウムもたまに注目されることがある。2019年５月、オハイオ州南部のある中学校が、突然休校になってしまった。どうしてだろう？　その理由は、ネプツニウム汚染だ。その中学校は、2001年に操業停止した核燃料処理施設から３キロメートルほどのところにあった。2019年５月、その中学校の学区に通知があった。エネルギー省がこの中学校の道をはさんだ向かい側に設置した大気監視装置で、異常な高濃度のネプツニウムが検出されたというのである。処理施設での廃棄物処理作業の副産物である可能性があった。学区は即座にこの中学校を休校とし、その年度の終わりまで閉鎖されたままだった。*

ネプツニウムは放射性が高い。ごく微量でも十分危険だが、惑星１個を満たすほどのネプツニウムなど本当にないほうがいい。海王星がネプツニウムでできていたなら、隣の天王星や冥王星よりもはるかに大量の熱を発生するはずだ。ネプツニウムは、発光するのに十分なまで高温になるのみならず、猛烈な量の熱を発生するので、実際に蒸発し、気化したネプツニウムが分厚い大気層を形成するだろう。

＊　エネルギー省は、その後の調査では校内に汚染の証拠はまったく見つからなかったと発表したが、これを認めない人もあり、調査は続けられ、その間学校は閉鎖されたままだった。

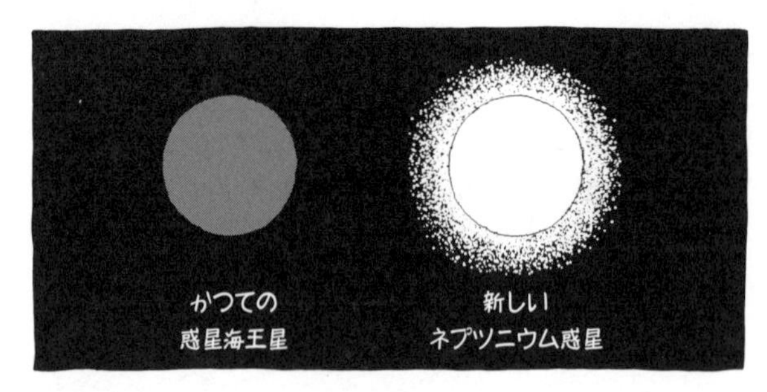

海王星は中規模な恒星と同じくらいの明るさになるだろう。しかし、太陽をしのぐ明るさになることはなかろう――なにしろ、太陽は恒星（スター）なので、いつもまぶしがられる側だ――が、海王星の表面は太陽表面よりも高温になり、一層濃い青色になるだろう。

地球から見ると、海王星は太陽よりもずっと遠くにあるので、その見かけの明るさは太陽よりやや落ちる。それでもなお、満月と同じくらい明るいだろう。

月とは違い、海王星は１カ月周期で位置を変えたりはしない。海王星が太陽を１周するには1.5世紀以上かかるので、何年にもわたって、毎晩恒星たちのあいだのほぼ同じ位置に現れる。2020年代、海王星は６月から12月のあいだ空に出現し、その圧倒的な明るさで、みずがめ座、うお座、ペガスス座を見づらくしてしまうだろう。その後数十年をかけて海王星はゆっくりとおひつじ座付近からおうし座付近へと動いていくが、そのあいだ、その明るさでオリオン座は数十年にわたり事実上見えなくなるはずだ。

天文学と占星術で厄介ごとがいろいろ生じる以外は、地球での生活はおそらく大した問題もなく続くだろう。新たに放射性となった惑星たちの内部は、高温になるはずだが、核分裂で壊滅的なエネルギーを放出するのに十分高温になる惑星はないに違いない。そして、うお座の方角からどんなエキゾチック粒子が押し寄せても、地球の大気は私たちを守ってくれると期待できる。

海王星が大きな
ピッツァみたいに
君の瞳を射たら
それはX線さ

ぼくのこと『ふたご座』って呼んでよ。
だって、今うお座からやってくる
大量の邪悪なエネルギーを
受け取ってるんだから。

惑星の中身を同名の元素に置き換える際、安定な同位体を選ばないと、状況はまったく違ってしまう。天王星をウラン238ではなくウラン235で置き換えたなら、はるかにひどい事態になっているだろう。ソフトボールより大きな塊のウラン235は、核分裂を起こすのに十分大きい。ウラン235は即座に暴走的な連鎖反応を起こし、惑星全体を高エネルギー粒子とX線の雲に変えてしまい、その雲はどんどん膨張するだろう。その後3時間近くが経過すると、衝撃波が地球に届き、地球を完全に破壊するだろう——地殻はすっかりはぎとられ、マントルが露出して、地球は空に浮かぶどろどろした灼熱の球になるだろう。

ここに1つの教訓がある。同位体を1つ選ばなければならないとき、どれを選べばいいのかわからなければ、そのうち最も安定なものを選べ。というのがそれだ。

ぼくのじいちゃんが
言ってたのと同じだ。
常に最も安定な
同位体を選べってさ

あなたのおじいさんって、
変わってたわよね。
おじいさんの裏庭の
違法核実験は
数えきれない人の命を
危険にさらしたんじゃ
なかった？

うん。
でも、じいちゃんがいなくてさびしいよ
環境保護庁は、彼はある意味
これからも常に私たちと共に
あるのだって言ってるわよ

21章　1日が1秒だったら

地球の自転が速くなって、1日の長さがたった1秒になったらどんなことになりますか？

——ディラン

破局的なことになるだろうが、2週間に一度、一時的にもっと破局的な状況になるはずだ。

地球は自転する［要出典］が、それはつまり、地球の真ん中あたりが遠心力によって外向きに振り飛ばされているということである。この遠心力は、重力に打ち勝ち、地球を引き裂くほどには強くないが、地球を少し扁平にする。その結果、あなたの体重は、北極または南極で量るよりも赤道上で量るほうが0.5キログラム近く軽くなる*。

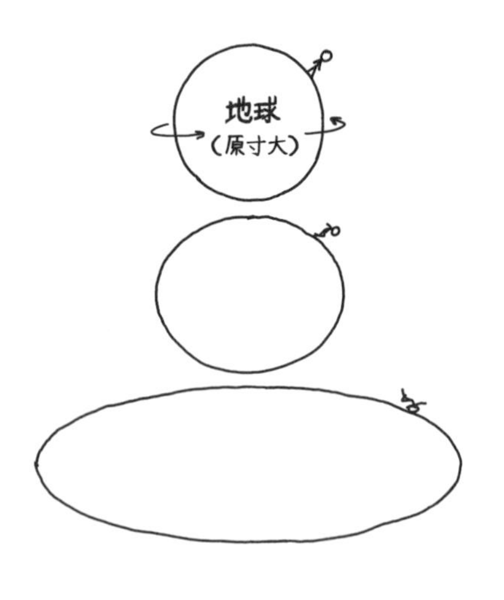

地球（とその上にあるすべてのもの）の回転速度が突然上がって1日がたった1秒の長さになってしまったら、地球は丸1日すらもたないだろう**。

＊　これは、遠心力、地球の扁平な形状、そして、北米で北極に向かって十分遠くまで行くと、地元の人たちがプーティン（訳注：フライドポテトにグレイビーソースとチーズカードをかけたカナダの料理）を振舞ってくれる、など、いくつかの影響が相俟った結果である。

＊＊　この1日というのは、元の24時間の1日でも、高速回転で1秒になった1日でも。

赤道が、光速の10パーセント強の速度で動くことになる。遠心力が重力よりはるかに強くなり、地球を作っている物質は放り出されてしまうだろう。

あなたは瞬時に死にはしないだろう――2、3ミリ秒か、数秒間生きられるかもしれない。大した長さとは思えないだろうが、『ホワット・イフ？』に登場する他の相対論的（光速に近い）速度に関わるシナリオで死ぬ早さに比べれば、これは結構長い。

地殻とマントルは割れて、建物ぐらいの大きさの塊にバラバラになるだろう。1秒*が過ぎるまでには、大気が宇宙空間に広がって薄くなりすぎて、もはや呼吸ができなくなるだろう――とはいえ、あまり動かない北極と南極でさえ、あなたは窒息するほど長くは生きられないだろうが。

最初の2、3秒間、地球の膨張により地殻が粉々に砕けて、その破片が地軸の周りを回転する一方、地球上のほぼすべての生き物は死ぬだろう。だがこれは、次に起こることに比べればまだ平穏だ。

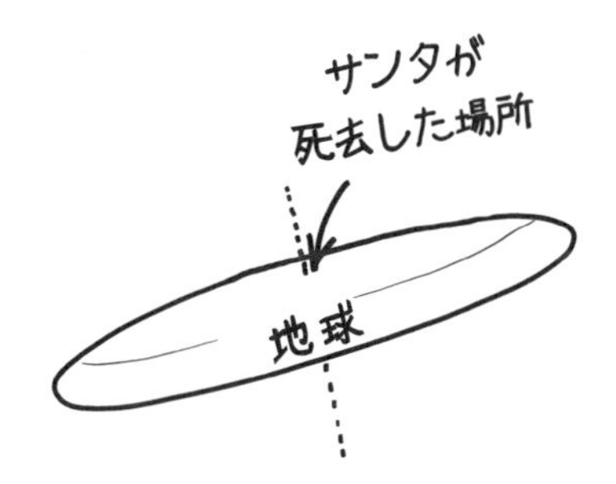

すべては相対論的速度で運動しているだろうが、地殻の破片はどれも、すぐそばの破片とほぼ同じ速度で運動しているはずなので、相対論的衝突がすぐさま起こるわけではないだろう。つまり、どちらかといえば平穏な状況だというわけだ……今や円盤と化すほど扁平になった地球が何かにぶつかるまでは。

＊　つまり、1日。

まず障害物になるのは、地球を帯状に取り巻く、多数の人工衛星が周回するエリアだ。40ミリ秒後、国際宇宙ステーション（ISS）に、膨張する地球大気の端が衝突し、ISSは瞬時に蒸発するだろう（ISSは平均高度約400キロメートル）。さらに多くの人工衛星が次々と同じ運命をたどるだろう。1.5秒後、円盤となった地球は、赤道上空を周回している静止衛星が多数並んでいる（高度３万5786キロメートルの）エリアに到達するはずだ。元地球の円盤に人工衛星が１基呑み込まれるたびに、ガンマ線が爆発的に放射されるだろう。

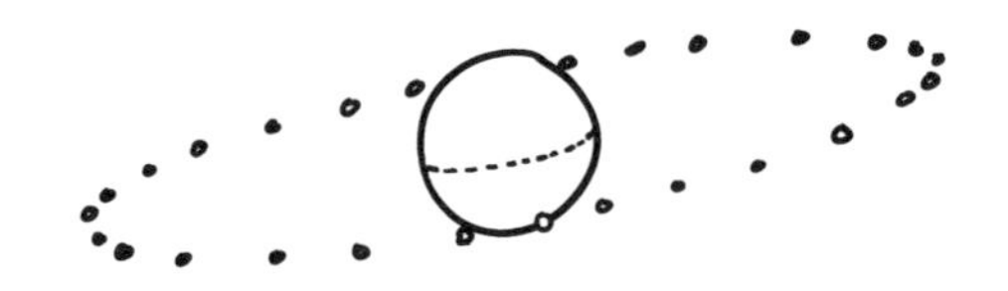

電動丸鋸（まるのこ）さながらに地球から生じた無数の破片が回転しながら外へ外へと切り込んでいくだろう。元地球の円盤は、約10秒で月を通過し、その後１時間で太陽を越えて広がり、１、２日のうちに太陽系全体に広がるはずだ。小惑星を呑み込むたびに、元地球の円盤は四方八方に洪水のようなエネルギーをまき散らし、ついには太陽系のすべての天体の表面を滅菌消毒するだろう。

地球の自転軸が傾斜しているせいで、太陽と地球以外の惑星は、地球の赤道面の上には並んでいない。そのためこれらの天体は、電動丸鋸と化した地球を避けられる可能性が十分あるはずだ。

だが、月は２週間に１度、地球の赤道面を通過する。ディランがこの瞬間に地球の自転を加速したなら、月はちょうど元地球の電動丸鋸が膨張していく面内にいることになる。

衝突時の衝撃で、月は彗星になり、高エネルギー破片の波に乗って太陽系の外へとロケットのように飛んでいくだろう。その際の閃光と熱は強烈で、もしもそのときあなたが太陽の表面に立っていたなら、足元よりも頭上のほうが明るくなるだろう。太陽系のあらゆる天体の表面——木星の衛星エウロパの氷、土星の環、水星の岩だらけの地殻――は、きれいに掃除されるだろう……

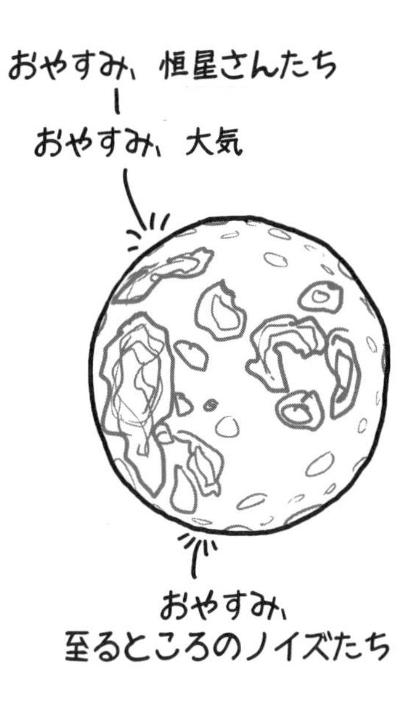

……月の光によって。

22章　10億階建てのビル

私の娘――4歳半――は、10億階建てのビルが欲しいと言ってききません。そんなビルがどんなに大きいかを娘にわからせるのも難しいですが、ほかにもたくさんある乗り越えるべき問題も、まったく説明できないのです。

――キーラ（スティーヴ・ブロドヴィッチが代わりに投稿）、ペンシルベニア州、メディア

キーラへ。

あまりにも大きなビルを作ると、上の部分が重くなって、下の部分を押しつぶしてしまいます。

ピーナッツバターで塔を作ろうとしたことがありますか？　1枚のクラッカーの上に小さな塔を作るのは簡単だよね。十分強くて、ずっと建っていられるでしょう。でも、もしもあなたが本当に大きなビルを作ろうとしたら、すべてがパンケーキのようにつぶれてしまうでしょう。

キーラへのメモ：お父さんに、ピーナッツバターで物を作っちゃだめだと言われても、それに従ってはなりません。テーブルの上がぐちゃぐちゃになると文句を言われたら、ピーナッツバターの瓶をこっそり自分の部屋に持っていって、カーペットの上でタワーを作りなさい。私が許します。

ピーナッツバターに起こるのとちょうど同じことがビルにも起こるんだ。私たちが作るビルは丈夫だけれど、宇宙まで届くほど高いビルを作ることはできません。作ろうとしても、上の部分が下の部分を押しつぶしてしまうでしょうから。

私たちには、かなり高いビルを作ることができます。世界で一番高いビルはほとんど1キロメートルもの高さがあるし、作ろうと思えば、高さ2キロメートルとか、3キロメートルのビルを作ることもたぶんできるはずで、そんなビルでも、自分の重さでつぶれたりせず、ちゃんと建っていられるでしょう。でも、それより高いものとなると、難しいんじゃないかな。

それに、高いビルには、重さのほかにもいろいろ問題があるんだ。

1つは、風。空の高いところでは風がとても強く、風に負けずに立っていられるためには、ビルはものすごく丈夫でなきゃいけない。

もう1つの大きな問題は、ちょっとびっくりだけど、エレベーターなんだ。高いビルにはエレベーターが必要になる。誰も何百階分も階段を足で上（のぼ）りたくないからね。あなたのビルにたくさんの階があるとしたら、たくさんのエレベーターを作っておく必要があるんだ。だって、ものすごく大勢の人たちが同時に、あっちこっちに行こうとしているんだもの。ビルが高すぎると、ビルのかなりの部分がエレベーターに取られてしまい、普通の部屋のための場所がなくなってしまうんだ。

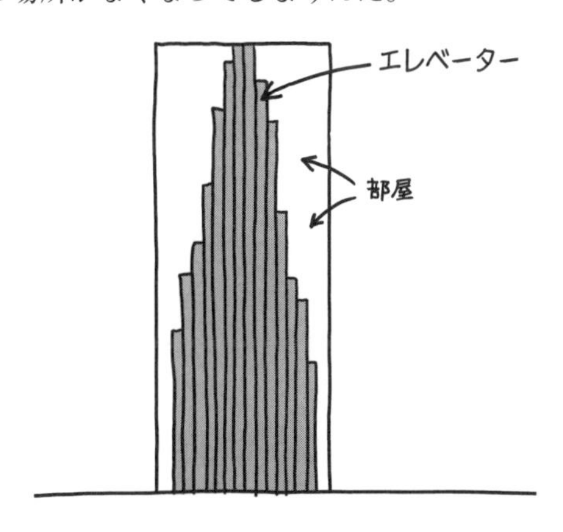

エレベーターをものすごくたくさん作らなくても、人々を目的の階まで運べる方法を考えることもできるでしょう。６章の質問のように、ハトを使ってみてもいいね。10階分を丸ごとエレベーターにしてしまうという手もある。ローラーコースターみたいに速いエレベーターを作ることもできますよ。熱気球で目的の階に運ぶ方法だってある。それに、カタパルトで人々を飛ばしてあげたっていいかもしれないね。

エレベーターと風は大問題だけど、最大の問題はお金でしょう。

ビルを本当に高くするには、誰かがお金をたくさん出さなきゃならないけれど、お金を出してまで本当に高いビルが欲しいと思う人はいないんです。高さが何マイル（「何キロメートル」と言っても同じだよ）もあるビルは、何十億ドルもかかる。10億ドルは大金だ！　10億ドルあったら、宇宙船を１機買って、絶滅寸前のキツネザルを１匹残らず保護して、アメリカ合衆国のすべての人に１ドルずつ配っても、まだお金が残るぐらいなんだ。たいていの人は、高さが２、３マイル（約３から５キロメートル）のビルに、大金をつぎ込むだけの値打ちがあるとは思わない。

あなたが大金持ちになって、塔を１つ買うことができて、技術的な問題をすべて解決できたとしても、**10億**階建ての塔を作るのにはまだまだいくつも問題がある。10億階というのは、あまりにも多すぎるんだ。

大きな超高層ビルは、100階ぐらいあるかもしれないけど、その高さは小さな家100軒を積み上げたぐらいでしょう。

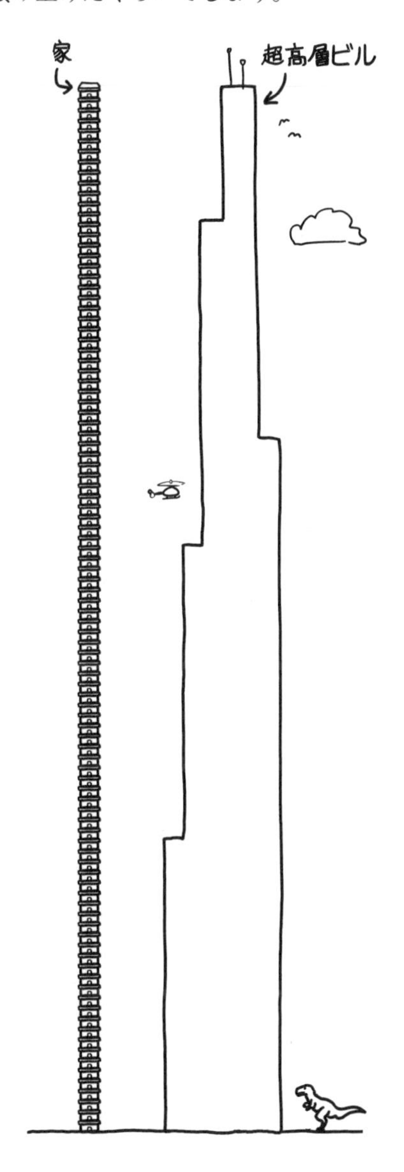

超高層ビルを100棟積み重ねて、メガ‐超高層ビルを作ったとすると、その高さは宇宙までの高さの半分にまでなるでしょう。

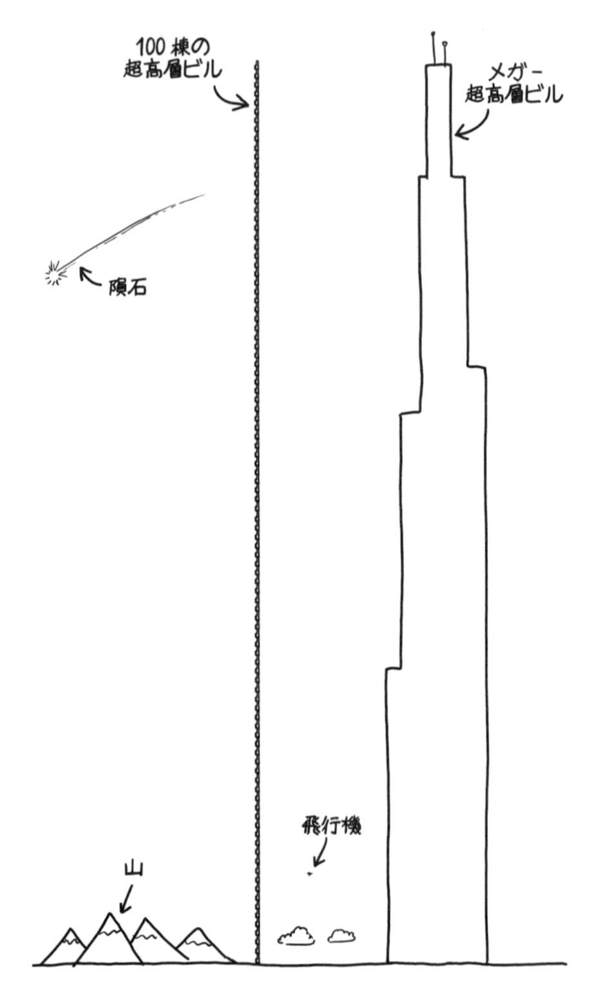

このメガ‐超高層ビルでも、まだ10,000階しかなく、あなたが欲しい10億階よりずっと少ない！　この100棟の超高層ビルはどれも100階ずつあるでしょうから、メガ‐超高層ビル全体で100×100＝10,000階あるわけだね。

でも、あなたは1,000,000,000階の超高層ビルが欲しいと言ったよね。じゃあ、100棟のメガ‐超高層ビルを積み重ねて、メガ‐メガ‐超高層ビルを作ろう。

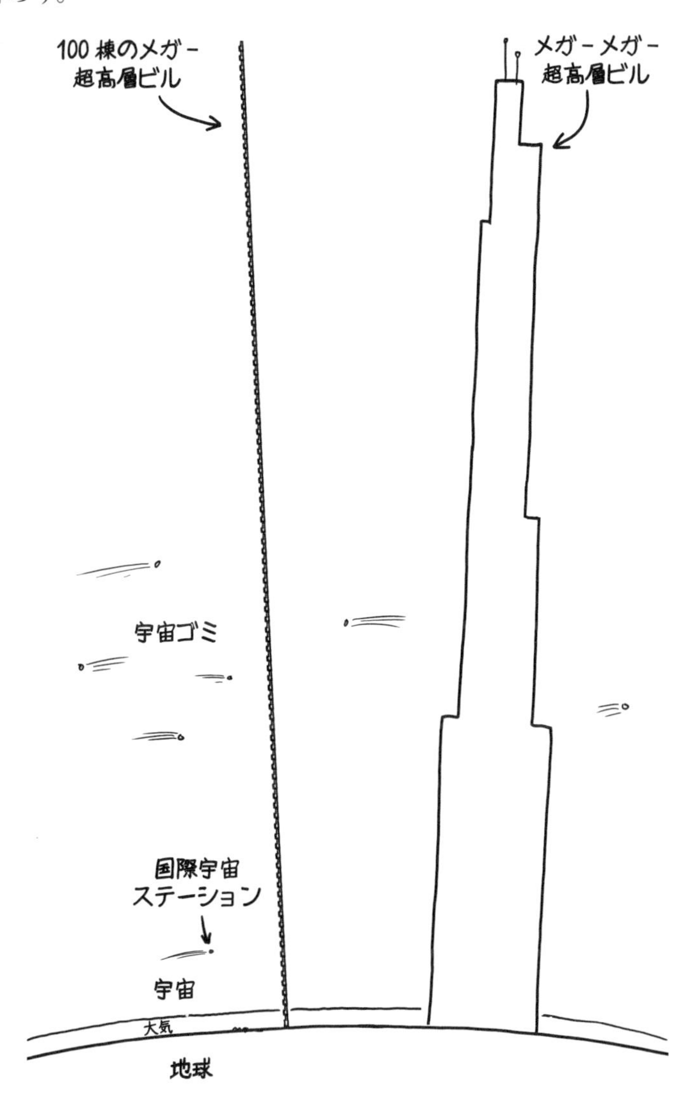

メガ - メガ - 超高層ビルは、地球からものすごく高く突き出るはずで、宇宙船が何機も衝突するでしょう。国際宇宙ステーション（ISS）の進路の先にこのビルがたまたまあったら、ISSはロケットを使ってビルから遠ざかることができるでしょう*。でも、良くない知らせがある。宇宙には壊れた宇宙船や人工衛星や、ゴミがたくさんあって、でたらめに飛び回っているんだ。あなたがメガ - メガ - 超高層ビルを作ったとしたら、いつかは宇宙船のパーツが激突するでしょう。

とはいえ、メガ - メガ - 超高層ビルは、100×10,000＝1,000,000階しかない。あなたが欲しがっている1,000,000,000階に比べればはるかに少ない！

メガ - メガ - 超高層ビルを100棟積み重ねて、新しい超高層ビルを作ろう。メガ - メガ - **メガ** - 超高層ビルにするんだ。

---

* ISSの人たちは、あなたのビルを何度もよけさせられて、いいかげん頭に来ているだろうから、ISSが近くを通過するときには、窓からレールガンで燃料とおやつを送ってあげるといいでしょう。

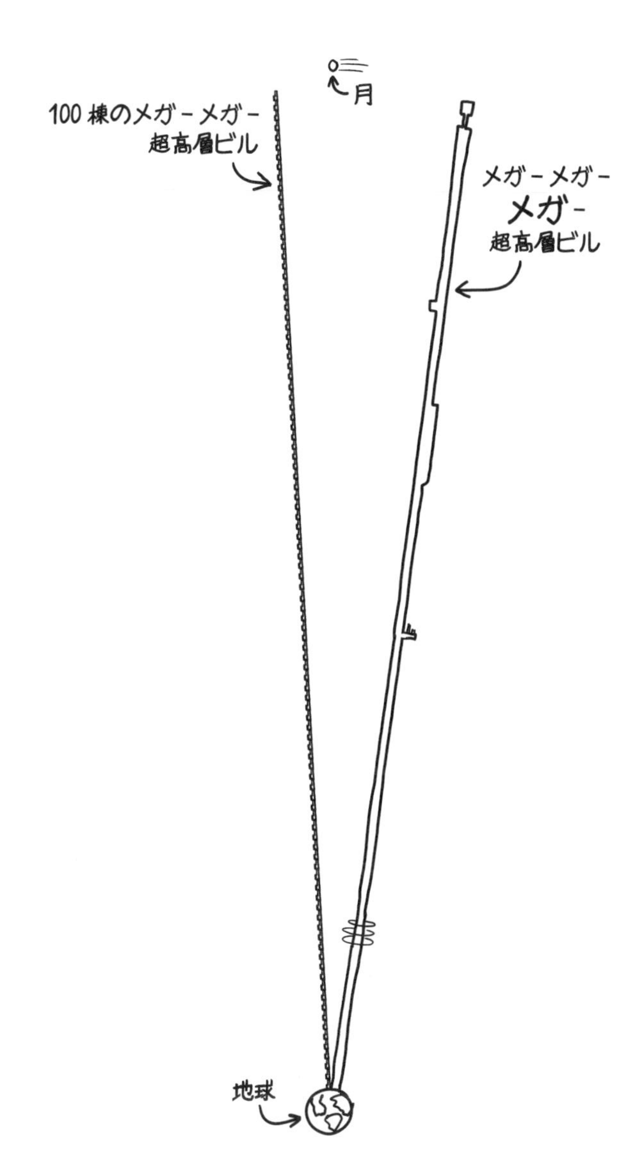

メガ-メガ-**メガ**-超高層ビルは、頂上がなんとか月をかすめるぐらいの高さになるでしょう。

だが、それでもたったの100,000,000階だ！　1,000,000,000階にするためには、メガ - メガ - **メガ** - 超高層ビルを10棟重ねなきゃならない。こうしてようやく、キーラ - 超高層ビルが１棟できあがる。

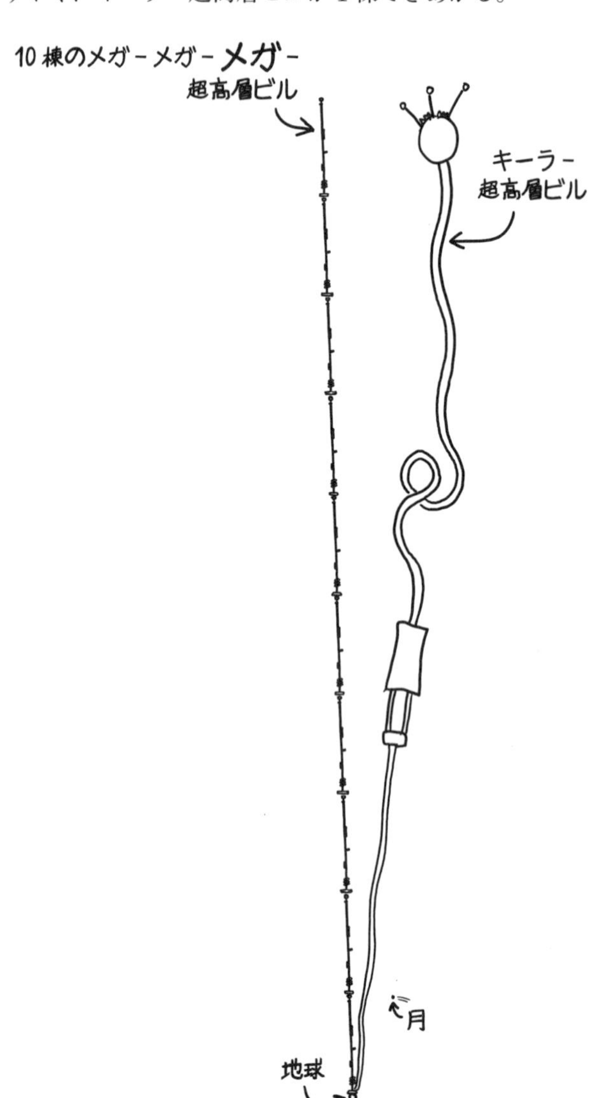

キーラ - 超高層ビルを建てるのは、ほとんど不可能でしょう。月との衝突、地球の重力でばらばらになること、それに、恐竜たちを死なせてしまった巨大隕石のように、ほかの惑星に衝突することなどを、しょっちゅう防がないといけなくなるから、というのがその理由です。

でも、これまでにあなたの塔と似たアイデアを思いついた技術者たちもいるんですよ――それは、「宇宙エレベーター」と呼ばれています。あなたの塔ほどは高くないんですが（宇宙エレベーターは、月までの高さの途中までしかありません）、アイデアとしては近いですよね！

宇宙エレベーターを作ることができると考えている人たちもいます。でも、そんなのばかげていると考える人たちもいます。宇宙エレベーターはまだできていませんが、それは、どうしたら十分丈夫にできるかや、エレベーターを動かすための電気をどうやって送ればいいかなど、解決のしかたもわからない問題がいくつもあるからです。あなたが本当に巨大な塔を作りたければ、この人たちが取り組んでいる問題のどれかについて、あなたがもっと調べて、将来、これらの問題を解決するために知恵を出し合う人たちの１人になればいいのです。もしかすると、いつかあなたは宇宙に届く巨大な塔を本当に建てられるかもしれませんよ。

でも、それがピーナッツバターでできていないことは間違いないでしょう。

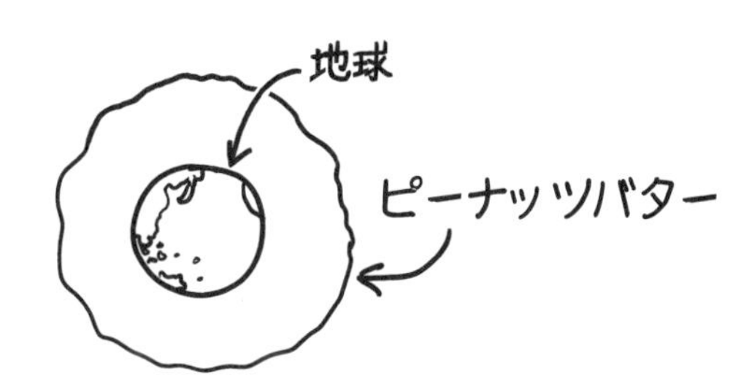

23章　2澗ドルの訴訟

オー・ボン・パン（アメリカのボストンを拠点とするベーカリー・カフェのチェーン店）**が2014年の訴訟に負けて、原告に2澗ドルを支払わなければならなくなったとすると、どんなことになりますか？**

——ケヴィン・アンダーヒル

2014年、ベーカリー・カフェのチェーン店、オー・ボン・パン（と、ほかのいくつかの組織）は、２澗ドルの損害賠償を求めるある人物に訴えられた。この訴訟は迅速に却下されたが、おそらくそれまでのあいだに、大勢の法律関係者が「澗（undecillion）」という言葉をあわてて調べただろう。

原告が要求していた２澗ドルがどれくらいかを示すとこうなる。

$2,000,000,000,000,000,000,000,000,000,000,000,000

2021年のボストン・コンサルティング・グループ（ボストンを拠点とする経営コンサルティング会社）のリポートをもとに、今世界にあるお金がどれくらいかを示すとこうなる。

$250,000,000,000,000

$2,000,000,000,000,000,000,000,000,000,000,000,000

進化によって初めて出現して以来、人類が生み出したすべての品物とサービスの経済的価値の大まかな見積りを示すとこうなる。

たとえオー・ボン・パンが地球を征服して、今の瞬間から恒星が死滅するまですべての人間をオー・ボン・パンで働かせるとしても、賠償金の残高を目に見えて減らすことはできないだろう。

アメリカの環境保護庁（EPA）は、「統計的生命価値」（1人あたりの死亡損失額）として現在970万ドルという値を使っているが、この値は決して実際の人命に対する評価額ではないと説明するために、EPAは大そう骨を折っている*。いずれにせよ、彼らの基準からすると、世界中のすべての人間の総価値は、たったの約7京5000兆ドルに過ぎない**。

しかし、地球に存在しているのは人間だけなんてことはまったくない。地球上のすべての原子のうち、人間を構成しているのは10兆個に1個だけだ。きっと、ほかのものにも価値があるはずだ。

地球の地殻には膨大な数の原子が含まれており［要出典］、おそらくその一部には何らかの価値があるだろう。すべての元素を採取し、精製して***売ったなら、市場は崩壊するだろう****。だが、何らかの方法でそれらの純元素をそれぞれの現在の市場価格で売りさばくことができたなら、その価値は次に示すくらいになるだろう。

前より近いぞ　$1,600,000,000,000,000,000,000,000
$2,000,000,000,000,000,000,000,000,000,000,000

* その値（実際の人命に対する評価額）はこれより高い、低いのどちらだと考えているのかを彼らが明らかにしていないことが、私はどうしても気になる。

** 世界の石油の総備蓄量は、200から300兆ドルでしかないので、「石油のために血を流すな」（訳注：1990年の湾岸戦争の際に叫ばれた反戦スローガン）というスローガンは純粋な会計上の損得だけを考えてもちゃんと筋道が通っている。

*** これは、このアイデアが実際にはうまく行かない理由の1つだ。多くの元素（ウラン235など）の価値が高いのは、それらが希少だからというだけではなく、それらを生産したり精製したりするのが難しいからでもある。

**** 供給量が急激に増えて価格が暴落するという意味と、市場はマントルから30キロメートル上に離れているだけなのに、あなたが市場を支えている地殻を取っ払ってしまったからという意味の両方で。

奇妙なことに、この価値は金や白金のようなものから来るのではない。これらの貴金属は高価だが、わずかしかない。この価値の大部分は、カリウムとカルシウムに由来し、残りの大半はナトリウムと鉄に由来する。あなたが地球の地殻をスクラップとして売ろうというのなら、これらの元素に狙いを付けるのがいいだろう。

残念ながら、地殻をスクラップにして売っても、必要な数値にはまだまだ達しない。

地球の中心(コア)は鉄とニッケルに微量の硫黄、クロム、リンが混じったもので、これもスクラップにしてもいいのだが、結局それでも埒(らち)は明かない。この訴訟の要求額がべらぼうに高いのだ。実際、地球が純金でできていたとしても、足りないのである。太陽と同じ重さの白金でもだめだ。

これまでに自由市場で売買された、重さあたりの価値が最も高いものは、おそらく1855年にスウェーデンで発行された切手、トレスキリング・イエローだろう。知られている1枚しか現存せず、それは2010年に230万ドル以上で売却された。これを換算すると、切手1キログラムあたりの価格は少なくとも300億ドルとなる。もしも地球の重さがすべてこの切手によるものだったとしても、それでもオー・ボン・パンが背負ったかもしれない賠償金を支払うには足りないだろう*。

オー・ボン・パンがわざと相手を手こずらせてやろうとして賠償金をすべて1セント銅貨で支払うことに決めたとすると、その銅貨の全体は水星の軌道の内側を埋めつくす球になるだろう。結論はこうだ。賠償金の支払いは、どう見ても不可能である。

さいわい、オー・ボン・パンにはもっといい選択肢がある。

この質問を投稿したケヴィンは弁護士で、ユーモア法律ブログ「バーを下げる(Lowering the Bar)」の著者で、このブログでオー・ボン・パンの事例をリポートした。彼が教えてくれたことには、世界で最も報酬が高い——時給ベースで——法律家は、おそらく元米国訟務長官テッド(セオ

---

* それに、その切手が地球全体の重さ分あったなら、価値はかなり下がるだろう。とはいえ、そんなことはオー・ボン・パンにとっては些細なことだ。

ドア）・オルソンなのだそうだ。彼はかつて破産申請した際に、自分は1時間あたり1800ドルの料金を取ると明らかにしたという。

私たちの天の川銀河に400億個の居住可能な惑星があるとして、その1つ1つに、地球サイズの80億人のテッド・オルソンが住んでいるとしよう。

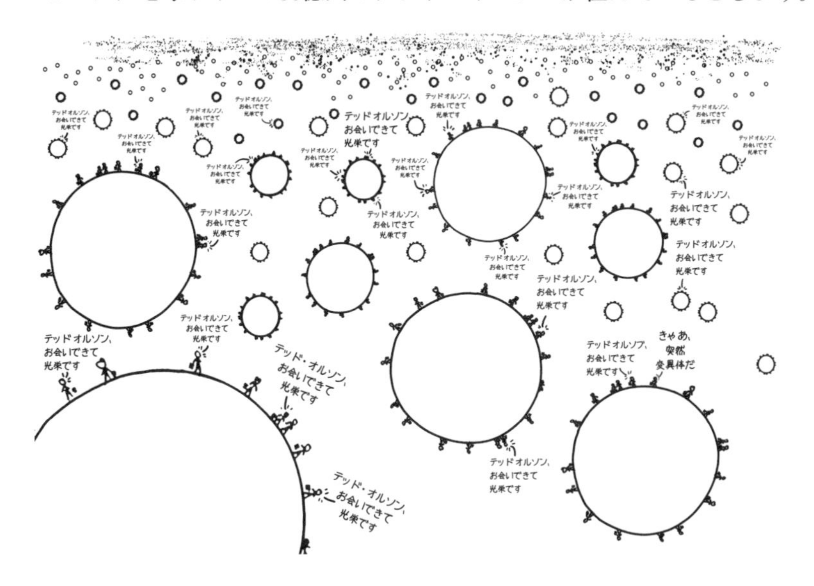

あなたが2澗ドルの損害賠償を求める訴訟を起こされたとして、天の川銀河のすべてのテッド・オルソンを雇って弁護してもらうことにし、彼ら全員に年に52週間、週80時間ずつ、1000世代にわたって働いてもらったとすると……

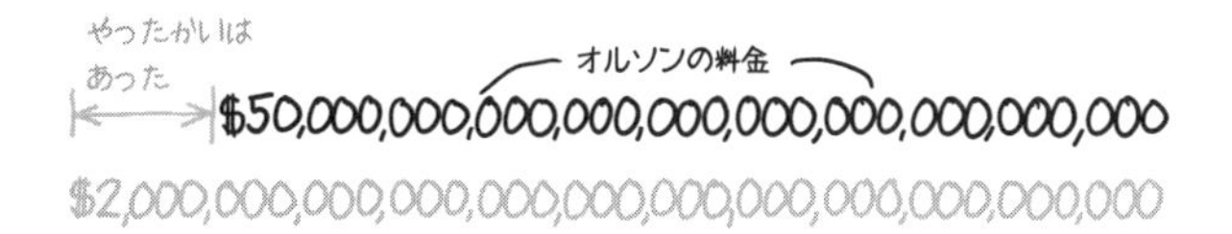

……それでも、敗訴したときに支払うべき賠償金よりまだ安い。

24章　星の所有権

すべての国の領空が、どこまでも上に拡張されたなら、各瞬間に天の川銀河の最大の領域を所有することになるのはどの国ですか？

——ルーベン・ラザルス

おめでとう、オーストラリア。皆さんの国が天の川銀河の新しい支配者です。

古い国旗

オーストラリアの旗には、南十字星を表す５つの星をはじめ、いくつものシンボルが描かれている。この質問への答えに基づき、オーストラリアの国旗をデザインする人たちはもっと大きく考えなければならないだろう。

新しい国旗の案

南半球の国々は、星の所有権については有利な立場にある。地球の地軸は天の川銀河に対して傾いている。北極は通常、銀河中心から遠くなる方向を指しているのである。

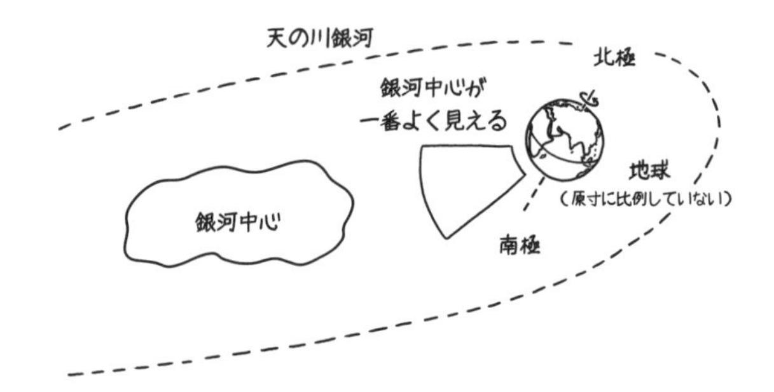

各国の領空がどこまでも上に拡張されたなら、銀河中心は南半球の国々の支配下にあり続けるだろう。具体的にどの国が支配するかは、１日かけて地球が自転するあいだに次々と代わっていく。

オーストラリアは、最大の個数の星を支配するピーク時には、ほかのどの国のピーク時よりも多くの星を支配するだろう。銀河中心にある超大質量ブラックホールは、毎日ブリスベンの南にあるブロードウォーターという小さな町の付近からオーストラリア領空に入るだろう。

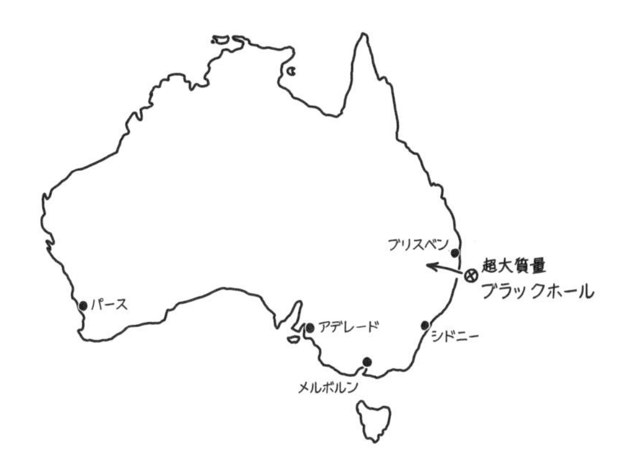

約１時間後、銀河中心のほぼ全体が——天の川の銀河円盤のかなりの部分と共に——オーストラリアの管轄に入るだろう。

１日のうちに、銀河中心は南アフリカ、レソト、ブラジル、アルゼンチン、そしてチリの領空を次々と通過するだろう。アメリカ合衆国、ヨーロッパ、そしてアジアの大部分は、銀河円盤の外側の部分だけで満足しなければならないだろう。

北半球にはつまらない残り物しかないかというと、そうではない。外側の銀河円盤にも、いろいろと面白いものがある――超大型恒星を今まさに呑み込みつつあるブラックホール、はくちょう座X-1もその１つだ*。毎日、銀河中心が太平洋を横切っているあいだに、はくちょう座X-1はノースカロライナ州上空のアメリカ合衆国の領空に入るだろう。

署長、ブラックホールが恒星を
呑み込んでいるという通報がありました。
州間高速道路295号線の6000光年上空を
西に向かっています
パトカーを出動させよう

国がブラックホールを所有しているのはクールなことだろうが、アメリカ合衆国の領空にはほかにも数百万の惑星系が出入りするだろう――それはちょっとした問題になるかもしれない。

＊　はくちょう座X-1は、それがブラックホールか否かを巡ってスティーヴン・ホーキングとキップ・ソーンという２人の宇宙物理学者が賭けをしたことで有名だ。科学者人生のほとんどをブラックホール研究に取り組んで過ごしてきたホーキングは、ブラックホールではないほうに賭けた。彼は、もしもブラックホールなど存在しないことが明らかになったときには、少なくとも賭けには勝つのだから、それがせめてもの慰めになるだろうと考えたのだった。結局、彼のブラックホール研究者としてのレガシーには幸運なことに、彼は賭けには負けてしまった。

おおぐま座47番星は少なくとも３個の惑星を持っており、おそらくもっと多くの惑星があるだろうと考えられている。これらの惑星のどれかに生命体が存在したとすると、１日に１度、それらの生命体のすべてが、アメリカ合衆国を通過することになる。つまり、その惑星の上で起こったすべての殺人が、ニュージャージー州で起こったことになるような時間帯が、毎日数分間あるということだ。

ニュージャージー州の司法制度にはありがたいことに、約12マイル以上の上空は、一般に「公海」と見なされる。議論の余地がないわけではないにせよ、アメリカ法曹協会の2012年冬季の海事法委員会ニュースレターによれば、これは、この約12マイル以上の高度で起こった死は――宇宙における死でも――1920年の「公海上での死亡に関する法律」（DOHSA）が適用されるということを意味する。

しかし、おおぐま座47番星の異星人たちがDOHSAに基づいてアメリカの法廷で訴訟を起こそうとしたとしても、彼らは失望するだけだろう。DOHSAは出訴期限が３年間なのだが、おおぐま座47番星は40光年以上離れているのだ……

悪いけど、出訴期限が切れてます
そんなばかな！ぼくらの宇宙船の時計では、
まだ切れてないよ！

……ということは、彼らが期限内に告訴の手続きをするのは物理的に不可能だということである。

25章　タイヤのゴム

数百万台の自動車やトラックのゴムタイヤは、最初は約1/2インチ（約1.27センチメートル）**の深さの溝がありますが、最後にはツルツルになってしまいます。そのゴムは至るところに散らばっているか、少なくとも高速道路はだんだん厚くなっていくはずじゃないかと思うのですが。ゴムはいったいどこに行ったのでしょうか？**

――フレッド

これはいい質問です。すり減ったゴムはどこかにあるはずですが、どの可能性も、どうも違うようですよね。

いったいタイヤのゴムはどこへ行ったんだ？
空気中？
木に降り積もった？
車の中に？
どういうわけか
太陽に行ったのか？
道路？
土の中？
水に混入？

1本のタイヤがどれだけのゴムを失うか——新しいタイヤとすり減った「ツルツルの」タイヤとの差——は、単純な計算で見積もることができる。

失われたゴム＝タイヤの直径×幅×π×（厚さ$_{新}$－厚さ$_{ツルツル}$）≒1.6ℓ

計算してみると1リットル以上のゴムが失われることがわかるが、これはかなりの量だ。タイヤ全体の体積の10から20パーセントに当たるだろう。

タイヤのゴム1リットル

1本のタイヤが擦り切れる前に60000マイル（約9万7000キロメートル）走るとすると、その経路に沿って、厚さが約1原子のゴムの帯が残ることになる。詳しく見ると、ゴムは均一に残るのではない。小さな粒子や塊になってポロポロと落ちたり、ときには一度に大量に剝がれ落ちることもある。運転手が急ブレーキをかけてタイヤがすべると、目に見えるほど分厚いゴムが路面に残ることもある。

特に交通量の多い高速道路の1車線は、1時間あたり最高2000台の車が通過すると考えられる。失われたゴムがすべて路面に残ったとすると、道路は1日あたり約1マイクロメートル、言い換えれば1年に1ミリの3分の1ずつ盛り上がるだろう。

タイヤのゴムが本当に路面に残ったなら、少なくとも環境の観点からはありがたいだろうが、ほとんどの場合そうはならない。通常の運転中にタイヤから離れた粒子は、多くが空気中を漂ったり、風、雨、通過するほかの車によって持ち去られてしまうほど細かい。こういったゴムの粒子は、高速道路から離れて漂い、大気、塵、川、海、土、そして私たちの肺のなかに行き着く。

肺は空気を吸うことになってるって、私言ったよね！

これだけのゴムを吸うのは、私たちにとって良くないし、環境にも良くない。ゴムの粒子は私たちの川や海のマイクロプラスチックの主要な原因で、水の組成に影響を及ぼし、海に棲む動物たちがしょっちゅう食べてしまう。このようなマイクロプラスチックの影響についての研究が目下進行中だ——たとえば2021年のある研究では、アメリカの太平洋岸北西部でのサケの大量死が、豪雨による雨水流出で運ばれたゴムタイヤの化学成分に関係していることが明らかになった。

タイヤゴムの摩耗カスの問題を解決するのは難しい。環境に広がるマイクロプラスチックの発生源であるゴム以外の物質のいくつかについては、すでに削減する努力が進んでいる——多くの国がマイクロビーズを化粧品に使用することを禁じている——が、タイヤから発生するゴム微粒子に対しては、手っ取り早い解決策はないようだ。

みんな何考えてんだか、
ぼくにはわかんないな。
この問題、簡単に解決
しそうじゃん

環境中のタイヤゴム微粒子を減らすためのアイデアがいくつか提案されている。道路から流出する雨水をより良く濾過（ろか）するという方法は有効だろう。環境問題を最も多く起こしているのはタイヤゴムのどの化学成分かを特定し、代わりになる物質を探すのも名案のようだ。さらに、ゴム粒子がタイヤから離れようとしているときにそれを捕らえてしまうメカニズムを提案したグループが２、３ある。

だが、もしもあなたに何かアイデアがあるなら、これこそブレークスルーの１つや２つ、絶対に起こせる分野だよ！

26章　プラスチック恐竜

プラスチックは石油から作られ、石油は死んだ恐竜から作られるなら、プラスチックの恐竜1頭のなかに、実際の恐竜がどのくらい含まれているのでしょうか？

——スティーブ・リドフォード

わかりません。

石炭や石油が化石燃料と呼ばれているのは、それらのものは地下に埋まっている生物の死骸から数百万年かけて形成されるからだ。「地中の石油は、どんな種類の死骸からできるのですか？」という質問への標準的な答えは、「海洋プランクトンと藻類です」だ。言い換えれば、これらの化石燃料には恐竜は含まれていない。

ただし、これはあまり正しくない。

たいていの人は、石油を精製された状態——灯油、プラスチック、そしてガソリン・ポンプから出てくるもの——でしか見ないので、その元になったのは、何か一様に黒くてブクブク泡だった物質だとつい想像しがちだ。

だが化石燃料には、それがどこから来たかがわかる「指紋」がある。石炭、石油、そして天然ガスのさまざまな特徴は、元になった生物や、長年のあいだにその細胞組織に何が起こったかで決まる。それらの生物がどこに棲んでいたか、どのように死んだか、死骸はどこに行き着いたか、そし

て、どんな温度と圧力の下にあったかで変わってくるのだ。

生物が死んだあとに残った物質には、その歴史――変化したりごちゃ混ぜになったり――が数百万年分もの化学的な痕跡として残っている。それを掘り出した人間は、複雑な炭化水素を精製して均一な燃料にするために、躍起になってこの歴史の証拠を取り去ろうとする。この燃料を燃やすとき、物質に残されていた歴史はついに消されて、そのなかに閉じ込められていたジュラ紀の日光が解放され、私たちの自動車の動力になる*。

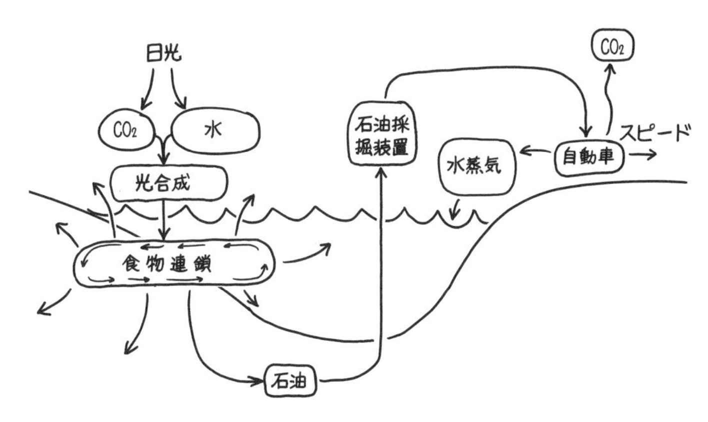

岩に残った痕跡から、その歴史は複雑だったことがわかる。欠けたピースや、捨てられたピース、そして誤解を与えるような変化を遂げたピースもある。地質学者たち――学問として研究する人も、産業界の人も――は、これらの物語のさまざまな側面を再構築し、証拠が私たちに何を語っているのか理解しようと忍耐強く研究を続けている。

石油の大半は、海底に埋まった海洋生物に由来する。つまり、恐竜から来たものはほとんどないということだ。しかし、私たちの燃料には恐竜の幽霊が封じ込められているという詩的創造力に満ちた空想も、ある意味正しい。

---

*　光合成を行うとき、生物は日光を使って二酸化炭素と水を結びつけて複雑な分子を作る。それらの生物からできた石油を燃やすとき、その二酸化炭素と水がついに大気に戻る――数百万年備蓄されてきた二酸化炭素が一気に解放されるのだ。これが何も影響を及ぼさないわけがない。

石油ができるにはいくつか必要条件があるが、その1つが、水素に富んだ大量の有機物が、低酸素環境のもとで短期間に地中に埋まらなければならないということだ。これらの条件が最も頻繁に成立するのは、大陸棚が近い浅い海である。そのようなところでは、海底の熱水噴出孔から栄養に富んだ水が周期的に噴出し、プランクトンと藻類が大量に発生する。このような大発生は一時的なもので、すぐに尽きてしまい、これらの生物の死骸がマリンスノーとなって、低酸素状態の海底に降り積もる。積もった死骸がすぐに埋まると、やがて石油や天然ガスとなる。一方陸上生物は、泥炭となって後に石炭となる可能性が高い。

これを図示するとこうなる。

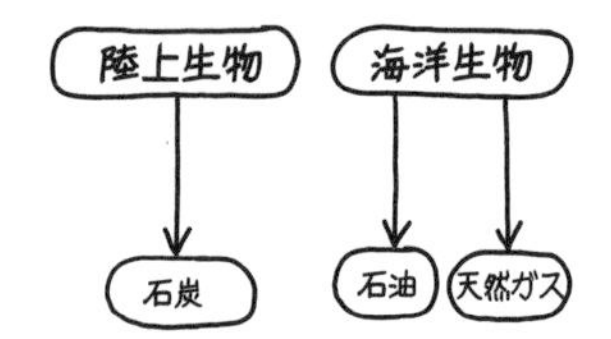

だが、炭化水素を形成するには、たくさんの段階からなるプロセスが必要で、さまざまな影響を受けやすい。大量の有機物が海に流れ込むが、その大半はのちに石油になる堆積物とはならない。だが、一部はそうなる。一部の油田——オーストラリアの油田など——では、多くの陸上生物も石油源となっている。その多くは植物だが、間違いなく動物も含まれているだろう*。

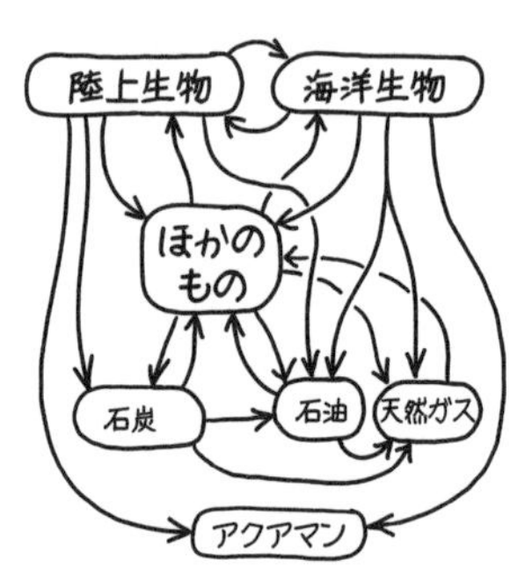

あなたのプラスチック製の恐竜に使われた石油がどこで採掘されたにせよ、本物の恐竜の死骸から直接来たのはそのごくごくわずかな一部だ。陸からの大量の物質を源とする中生代の油田で採掘されたものなら、恐竜由来のものが少し多めに含まれているかもしれない。中生代より前の、硬い水平層の下に封じ込められた油田で採掘されたものなら、恐竜はまったく含まれていない可能性が高い。あなたがお持ちの恐竜のおもちゃの製造工程を1段階ずつつぶさに追跡しない限り、それに使われている石油の出所を特定することはできないだろう。

より広い意味で言うと、海の水はすべて、どこかの時点で恐竜の一部だった。この水が光合成に使われるとき、その分子は食物連鎖のなかの脂肪や炭水化物の一部となる——しかし、その水はそんなところにあるよりも、もっとたくさん、まさに今あなたの体のなかにあるのである。

言い換えれば、あなたが持っている恐竜のおもちゃよりも、あなた自身のほうが多くの恐竜を含んでいるわけだ。

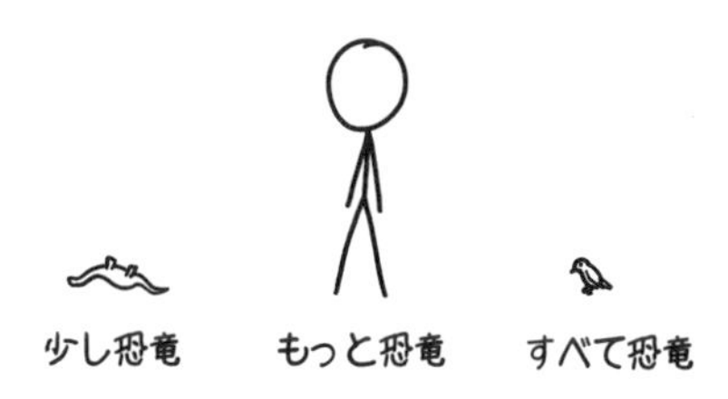

＊　大半の恐竜は陸上生活をしていたが、ごく一部——スピノサウルスなど——は少なくとも半水棲だったということは見過ごせない。

さくっと答えます #3

Q 2人ともくちびるが完全になくなるには、どれだけ長くキスし続けないといけないと思いますか？

——**アスリ**

唇がどう働くかを考えてみよう。ほかの唇に押し付ければすり減ってしまうなら、唇はもうなくなってるはずだよ。

自分の上唇と下唇はしょっちゅう
キスしてるって気づかなかった？

Q 私は大学の友人ともう何年も議論しているのですが、百万匹の空腹のアリを１人の人間と一緒にガラスの四角い箱に入れたとすると、生きて外に出られる可能性は、アリと人間のどちらが高いでしょう？

——**エリック・バウマン**

このように2種類の動物を一緒にしておくと、どちらかが死ぬまで闘い続けると誰もがいつも思い込んでいるが、これはきわめてポケモン的な生物観だ。私は、人間もアリも、お互いよりもガラスの箱で痛手を受ける危険のほうが大きいと思う。そして、彼らが脱出に成功したなら、危険に晒（さら）されるのはあなたとあなたの友人だろう。

Q 人類全体が、お互いの違いを乗り越えて協力し、地球をなめらかにして完全な球形にしたらどうなりますか？

——エリック・アンダーセン

そのプロジェクトはすぐに新たな違いをもたらすんじゃないかと思います。

Q 宇宙エレベーターについて、それを建てれば低軌道に到達できて、宇宙に物資を運ぶための時間や資源が節約できるという話がいろいろ出ています。とんでもなくばかげて聞こえるかもしれませんが、どうして誰も宇宙に続く道路を作ろうと提案しないのでしょう？　軌道は一般に62マイル（約100キロメートル）の高さでしょうから、アメリカ合衆国のどこかに高さ62マイルの山を作ることはできないでしょうか？　私はコロラド州がいいのではないかと思います。というのも、人口密度が低いですし、すでに海抜約1マイルですから。

——**ブライアン**

高さ62マイルの山は、数百万立方キロメートルの体積があるはずだ。これを作るには、北米大陸と同じ面積の厚さ100メートルの一枚岩とほぼ同じ量の岩が必要だ。

したがって、問題は何を原材料としてそれを作るのかである。

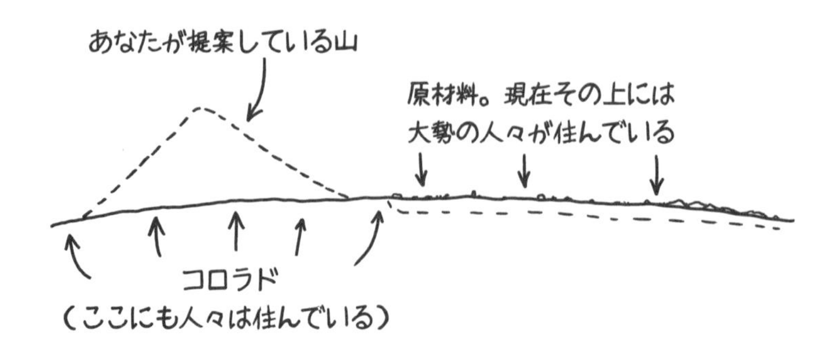
あなたが提案している山
原材料。現在その上には
大勢の人々が住んでいる
コロラド
（ここにも人々は住んでいる）

Q 木星の中心を貫通するようにロケットと弾丸を発射したら、それらは木星の反対側から出てきますか？

——**ジェームズ・ウィルソン**

ノー。

科学的事実

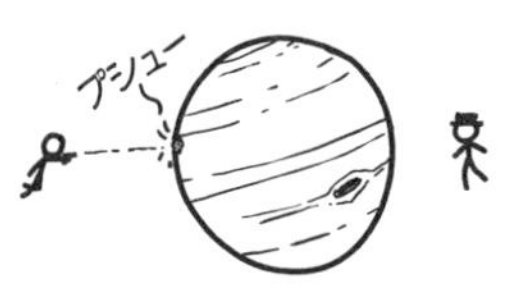

木星は防弾性です

Q エベレスト山がまるで魔法のように純粋な溶岩になってしまったらどうなりますか？　生物はどうなりますか？　私たちは全員死にますか？

——**イアン**

生物はたぶん大丈夫だと思う。

大量の溶岩が地表に現れることは珍しくない。このような溶岩の大量流出は「巨大火成岩岩石区」と呼ばれる巨岩を生み出すが、これは生物にはありがたくない話だ。化石記録から５回の大量絶滅が特定できるが、５回とも*地表への溶岩の大量流出が伴っている。

＊　現在のメキシコに隕石が衝突して起こったことがよく知られている恐竜の絶滅の際にも、このようなベチャっとした溶岩流出が現在のインドで起こっており、デカン・トラップという痕跡になって残っている。この溶岩流出は隕石がやってきたときまでにすでに始まっていたが、衝突時あたりから非常に悪化しつつあったようだ。この２つの出来事がどう関係していたかについて、そして、それぞれがどの程度恐竜絶滅に影響したかについて、科学者たちもまだ議論を続けている。最大の絶滅は隕石落下の瞬間に起こったようなので、それが主要な原因だったことは間違いないし、大量の溶岩が状況を緩和したとも思えない。

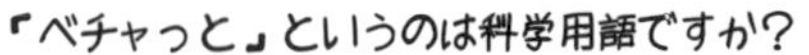

「ベチャっと」というのは科学用語ですか?

通常は「熱磁気流動事象」
または「メガベチャ」と呼びます

進化によって目が出現したのは約５億年前で、そのころ、目を持った動物たちが見た最悪の出来事はペルム紀大量絶滅だっただろう。現在のシベリアで大規模溶岩流出が起こり、大量のCO_2が大気に放出され、温度が急上昇した。海は脱酸素化され酸性化した。有毒ガスの雲が陸を覆った。植物の大半は各大陸で壊滅し、地球は荒涼とした砂漠となった。ほとんどすべての生き物が死んだ。

ペルム紀大量絶滅では約100万立方キロメートルの溶岩が流出した。ちなみに、エベレスト山の体積――エベレスト山をどう定義するかで変わるが――は、数千立方キロメートルだ。太古に生じたこれらの巨大火成岩岩石区に比べればちっぽけなものなので、あなたのシナリオはおそらくペルム紀レベルの大量絶滅を起こしはしないだろう。

それでも、人類は出現してからまだそれほど経っていない。ペルム紀大量絶滅の100分の１のことでも、私たちに起こった最悪のことになると考えていいだろう。私個人としては、そんな危険はご免だ。

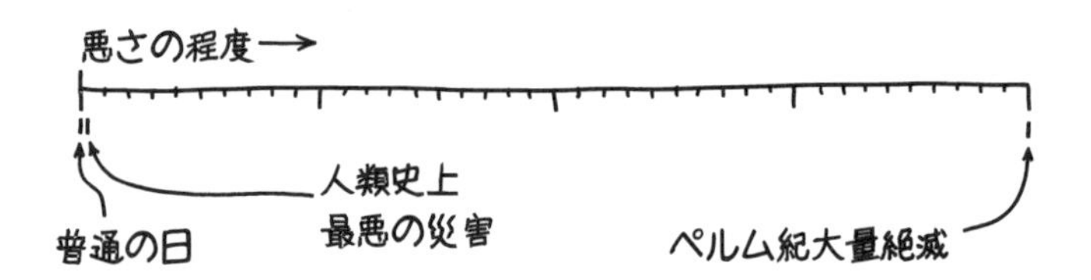

Q 泳いでいて、マリアナ海溝のなかに落ちることはありますか？　それともその上をただ泳いで通過してしまうのですか？

——ロドルフォ・エストレラ

どちらの可能性もあります。

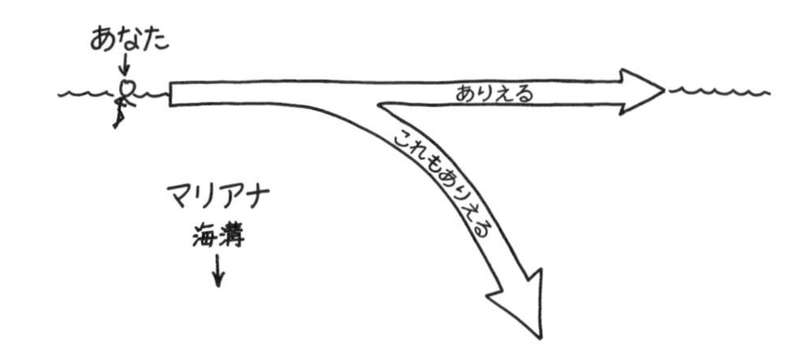

Q 私はダンジョンズ・アンド・ドラゴンズで遊びますが、私のDM（ダンジョン・マスター。参加者の１人だが、ゲームの進行をコントロールし、アクションの成否を判定する審判となる特別な役割を担う）は突風の呪文を使って帆に風を送って船を動かすのはやめようと言います。帆船に乗っている人が帆に扇風機を向けて船を進めることはできないのだと言うのです。私たちは、この呪文を使っても自分が後ろ向きに押されることはないのだから、使ってもいいはずだと反論するのですが。彼女は、あなたが私たちと同意見なら使用を認めると言っています。

——ジョージア・パターソンとアリソン・アダムズ

もちろん魔法は魔法なので、DMが何と言おうとその言葉のとおりに働く。とは言え、私はあなたの味方をしよう。この呪文を使っても、自分が後ろに押されることがないなら、それは何か別のものを押しのけているか、物理法則にはまったく従わないかのどちらかだ。そのため、それで船が動かないと予想する理由はまったくない。

ついでながら、その呪文を使ったら実際にあなたが後ろに押されるとしても、それを使って船を動かすことは可能だ。なにしろ、扇風機で船を進めることは可能なのだから。

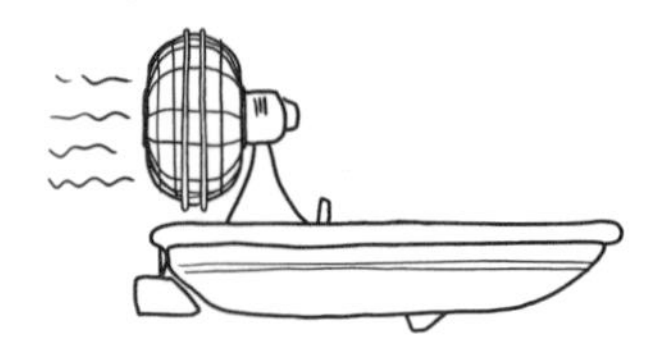

あなたは呪文を後ろにめがけてかければいいだけだ。

Q　タイタンの上でマッチを擦（す）ったらどうなりますか？　酸素がなくても、火は付きますか？

——イーサン・フィッツギボン

火花が出たあと、消えるだろう。

火は、酸化剤——通常は酸素——が燃料と反応すると生じる。この反応を起こすために、マッチには微量の燃料と酸化剤*が含まれており、マッチ

* マッチで最もよく使われる酸化剤である塩素酸カリウムは、加熱すると酸素を発生する性質があり、非常時に呼吸可能な空気を得るためにも使われることがある。民間の旅客機の酸素マスクは、塩素酸カリウムの塊が入った酸素発生装置につながっていることが多い。マスクが落ちてくるとピンが引かれて抜けるようになっており、それが化学反応を引き起こして塩素酸カリウムが加熱され、結果として酸素が発生する。

を擦った際にこれらが混じり合って反応が起こる。反応が始まったあとは、大気中の酸素が働いて火が燃え続ける。

タイタンでは、大気の成分はメタンと窒素なので、酸化剤が使い尽くされたらすぐにマッチは消えるだろう。

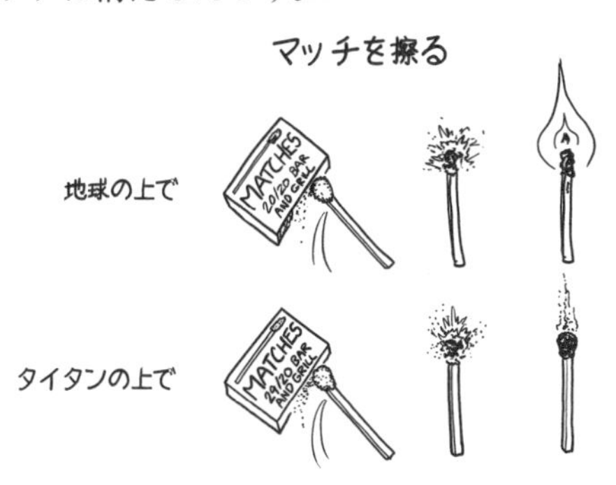

Q 私はソーシャルメディアに、「最大の災害をもたらすような最小の変化は何でしょうか？」という質問を投稿しました。返ってきた答えの１つが、「すべての原子の陽子が１個増える」でした。それで私はあなたに尋ねたいのですが、すべての原子の陽子が１個増えたらどうなりますか？

——**オリビア・カプト**

オリビア。
それは小さな変化じゃないよ。

27章　吸引水族館

子どものころ、発見したことがあるんです。プールのなかにコップを沈めて、そのコップを水で満たしてから（開いた口を下にして）水面まで引き上げると、コップのなかの水はプールの水よりも高いところまで上がっているって発見したんです。これと同じことを巨大な水槽を海に持って行って試してみるとどうなりますか？　海の生き物たちが泳いで自由に出入りできるような巨大な水族館を海の上に作ることができないでしょうか？　その上を人間が歩き回って魚に近づけるような、不規則な形をした水槽を使った水族館が作れないでしょうか？

――**キャロライン・コレット**

これはうまくいくかもしれません。

底が開いた容器を水から引き上げるとき、容器は上がっていくにつれて水を吸い上げていく。

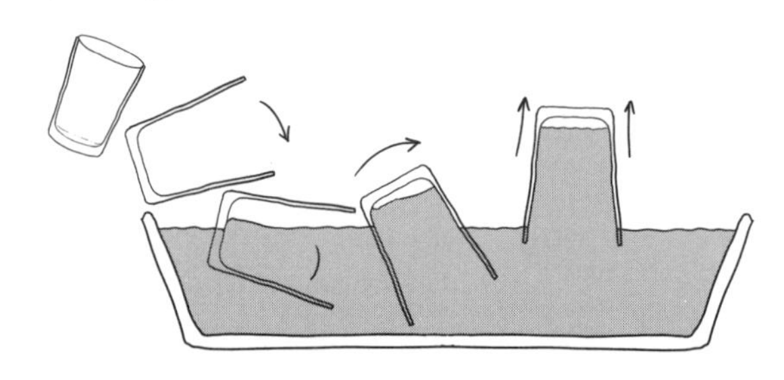

意匠を凝らした水族館を設計する人は、これと同じように、円筒形の容器を高く上げたものを展示に加えることがあり、これを「逆水槽」と呼んだりしている。海に大きな容器を入れて同じことをやって、持ち上がった海水をみんなで観察できるようにすることは可能だ。

あなたがこれをやってみることにしたとしよう。

あなたは水槽用ガラスで巨大な囲いを作り、それを海底に打ち込んだ杭の上に載せる。囲いの上側を密閉してから、囲いを上げていく。囲いの内側の海水が、海面の上に高さ1メートル突き出るまで上げよう。

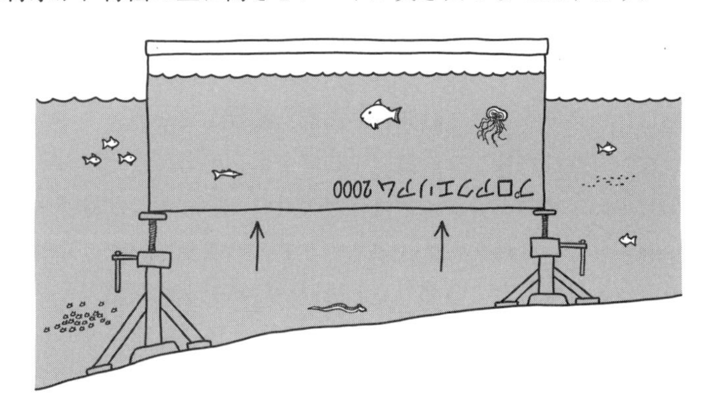

海水が海面より上に持ち上げられているのは吸引力による――囲いの内側の水は上から大気圧で押し下げられていないからだ。物理学者なら、正確にはそれ以外の部分の海にかかる大気圧が囲い内部の水を押し上げているのであって、囲いの内側の吸引力によって水が引き上げられるのではないと指摘するだろうし、その言い分は確かに正しい。しかし、内輪で話している限り、一旦これを吸引力だと納得したなら、ずっと吸引力と考え続けるほうが話を進めやすいこともある。私はそれでまったく問題ないと思う。ここでは物理学者の言い分など無視しちゃえ。

普通の水は水面では大気圧で、水面より深くなるにつれ、それだけ圧力が高くなる。私たちが言っている吸引力*が生じるのは、水槽の内部の水には通常の大気圧よりも低い気圧しかかかっていないからだ。水槽内部の水面は、海面よりも１メートル高く、気圧は１気圧の90パーセント弱だ。これは、デンバーなどの標高が高い都市の気圧と同じくらいである。あなたが水槽のなかを泳いでいて水面から顔を出しても、気圧の違いには気づかないだろう。というのも、あなたの耳は、そもそも水に潜ったことによる圧力の変化に適応しているはずだからだ。

あなたは気づかないかもしれないが、魚は間違いなく気づくだろう。海洋生物は、圧力の変化に非常に細やかに対応する傾向がある。なぜなら、水中で少し行ったり来たりしただけでも圧力は急激に変化するからである。多くの魚は、浮力を調節するのに浮袋を使うが、この浮袋は水中で姿勢を真っ直ぐに保つのにも役立つ。魚が水中を上昇したり下降したりするにつれて、魚の浮力は変化するので、浮袋内のガスがそれに適した量になるまでのあいだ、泳ぎ方を変えて釣り合いを取らねばならない。

サメなどのように浮袋がない海洋生物でさえ、圧力の変化にちゃんと気づく。2001年、フロリダにサイクロンが接近していた際に、海洋生物学者たちはツマグロという種類のサメがサイクロンの襲来に先立って外洋へと泳いでいくのを目撃した。おそらく、浅い沿岸部で水流が激しくなったり、高波が押し寄せたりするのを避けるためだろう。海洋生物学者ミシェル・

* シーッ、物理学者には内緒。

ヒューペルと同僚らの研究は、このときのサメは、風や波に反応していたのではないだろうと示唆している——じつはサメたちは、気圧がその季節の通常のレベルよりも下がっていることに気づいた瞬間に避難を始めたらしい。

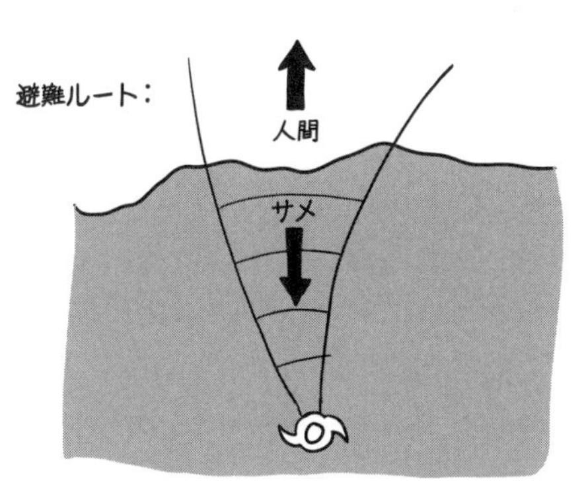

魚は、通常の海面気圧の90パーセントでも問題なく生きられるので、あなたの水槽を泳ぎ回るのに何ら問題はないだろう。圧力の変化で混乱するかもしれないが、それで何か魚に害が及ぶことはない。ただし、圧力の低下はハリケーンの接近によるものだと魚が錯覚する恐れはある。

海面からの高さが1メートルの水槽でも、面白い海の生物を見るには十分だが、本当にすごい海洋生物——悪名高きホホジロザメなど——をなかに入れたければ、もっと高さが必要だ。今のあなたの水槽では、ホホジロザメの背びれが辛うじて収まるぐらいだ。

モントレーベイ水族館の最大の展示、「オープン・シー」は、深さ35フィート（約10.7メートル）の巨大な水槽からなる。あなたは、自分の水族館でも水槽を深さ35フィートにする、つまり水面が海面から35フィート高くなるようにすれば、最大のサメまで展示できる余裕ができてカッコいいと思われるかもしれない。

だが、そのアイデアはうまく行かないだろう。

水を持ち上げる吸引力は、海面を押し下げている大気の重さによって生じるのだが、大気の圧力は、10メートル以上の高さに水を押し上げるほど強くはない。水槽の水が高さ10メートル近くになると、囲いをいかに上げようが、水はそれ以上高くは上がらない。その代わりに、最上部に真空が発生し、その低圧と接する水槽内の水面は沸騰しはじめるだろう。

あなたがいるところの気圧がわからなかったとしても、水槽内の水の高さを見れば、気圧を計算することができる。多くの気圧計はこのことを利用して気圧を計っているが、たいてい水ではなく水銀を使っている。それは、水銀は水よりもはるかに重いので、水銀柱の高さが水の場合よりも低いからだ（そのうえ、水銀は上面で沸騰したりもしない）。気圧が「水銀柱インチ」や「mmHg（水銀柱ミリメートル）」で表示されている場合、それらの気圧は水銀吸引水槽の水銀の高さを測定して得られたものだ。

あなたの水槽は気圧計としては良くないだろう。水面で沸騰している水が水蒸気となって真空を満たし、水を少し押し下げてしまうので、水面の高さを正確に読み取ることができなくなるからだ。だがそれは、水槽としてもあまりうまくいかないだろう。

水槽のなかを泳いで上がっていく魚は、自分の浮袋が膨張しすぎているのに気づくだろう。コントロールができなくなって自分の意思とは関係なく上昇してしまう可能性もある。河川工学者たちは、障壁を越えて水を流すためにサイフォンを使って吸引することがあるが、その際に魚がサイフォンの管のなかを泳いでいく場合がある。サイフォンで魚が通常の水面の高さよりも５から10フィート（1.5から３メートル）以上高く上がってしまうと、圧力の変化で大けがをしたり、ときには死んでしまうこともある。あまりに急いで海面まで運ばれたために深海魚がけがをするのと似ている。

吸引水槽は、運悪くそのなかに泳いで入ってしまった空気呼吸する哺乳類にとっても危険性が高いだろう。そんな動物が水面に出ようとすると、肺の内部の空気が膨張し、息を吐き出さなかったら肺障害を起こす恐れがある。仮に水面に達しても、そこに残っている空気は、薄すぎて呼吸には使えないだろう――エベレスト山の「デスゾーン」と呼ばれる標高8000メートルを超える部分の空気と同じように。

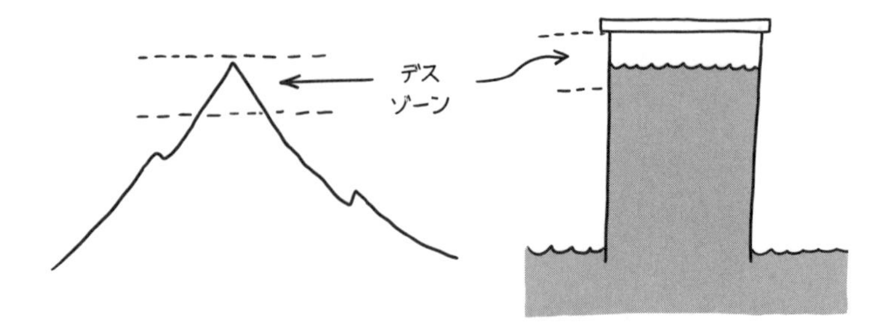

ありがたいことに、この水槽は作るのが大変難しいだろう。だが、たとえ作ったとしても長くはもたないに違いない。このような水槽を作ってみたとしても、水位は徐々に下がるはずだ。水には溶存酸素が含まれているが、圧力が低下すると、その酸素は水から出て行ってしまう。あなたの水槽では、溶存酸素は水を離れ、次第に最上部の空間を満たしていき、その結果圧力が上昇して吸引効果は弱まる。水は徐々に海へと戻っていくだろう。

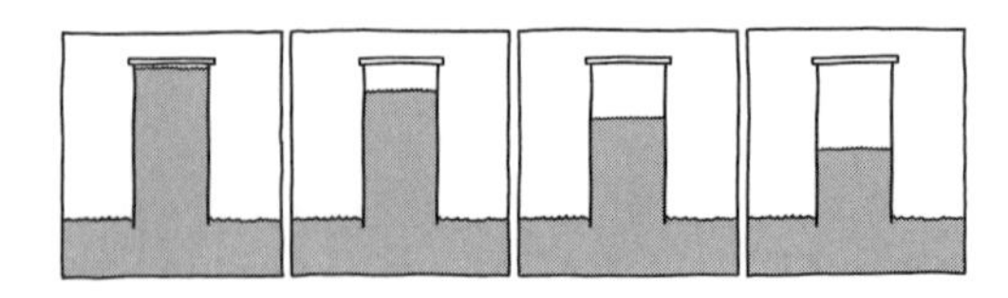

ほかの気体発生源が、あなたの水槽の水をもっと素早く流出させてしまう可能性もある。空気呼吸する海洋哺乳類は、泳ぎながらガスを出すことがあるのだが、あなたの水槽の下をクジラが泳ぐこともあるかもしれない。

つまり……

……あなたの水槽はクジラのオナラで台無しにされてしまうかもしれないのだ。

28章　地球目玉

地球が１つの巨大な目玉だったとしたら、それはどこまで遠くを見ることができますか？

――アラスデア

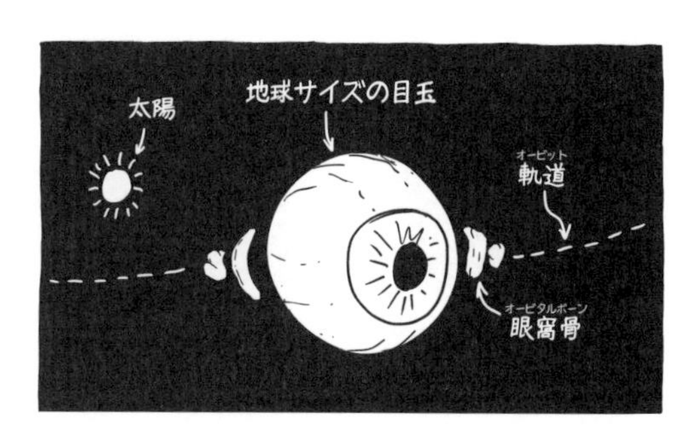

地球サイズの目玉は、瞳孔の直径が数千キロメートルあるだろう。この目玉のコンタクトレンズの厚みは大気があるはずのところを占領してしまうだろうし、１粒の涙には地球のすべての海水とほぼ同じ量の水が含まれているだろう。

これはある
女の子の物語

実際の地球サイズの目玉は使い物にならないだろう。光はそれほど大量の硝子体液を通過することはできないだろうから、網膜には暗闇しか写らないだろう。また、重力のせいで水晶体（凸レンズのような働きをし、対象物に焦点を合わせる機能がある。レンズ体とも呼ぶ）が形を維持できなくなるので、この目玉が焦点を合わせることはできないだろう。それに、網膜をそのサイズに大きくしようとすると問題にぶつかってしまうはずだ――一つひとつの細胞を大きくしたなら、それらを使って可視光の波長を検出することは不可能になるだろうから。

こういった問題を避けるために、ただ大きくなっただけで普通の目と同じように機能する、地球サイズの目玉を想像してみることにしよう。つまり、瞳孔と網膜は普通の目のそれらに比例した大きさになっており、透明性や形は普通の目とまったく同じ、というものを思い浮かべるのだ。この目玉は、ものすごくよく見えるだろう。望遠鏡の解像度は、光を集める開口部がどれだけ大きいかによって決まる――大きな望遠レンズが付いたカメラがあなたのスマートフォンのカメラよりもはるかに小さな対象物まで拡大撮影できるのはこのためだ。そして、この地球サイズの目玉は巨大な瞳孔と水晶体を持っているわけだから、その集光能力もとてつもないだろう。

一般にレンズは、欠陥や色収差（光の色、すなわち波長によって屈折率が違うために、レンズを通ったあと色によって像がずれる現象）がまったくなければ、それでどこまで細部が見えるかを制限するのは主に回折――光が持つ波としての性質により生じる像のぼやけ――である。これが回折限界だが、回折限界は開口部の直径に反比例する。

$$角度分解能 = 1.22 \times \frac{光の波長}{レンズの入射口径}$$

$$視程距離 = \frac{対象物の大きさ}{角度分解能}$$

（訳注：望遠鏡の回折限界は一般に角度分解能で表す。視程距離は、ある角度分解能の望遠鏡が、ある対象物を見分けられる最大距離）

５センチ間隔で水玉が散らばっている水玉模様のシャツを見るという実験を考えてみよう。視程距離の式を使って計算すると、このシャツを200メートル以上離れたところから見ると、一つひとつの水玉は見えず、シャツの生地は無地に見えてしまうことがわかる。

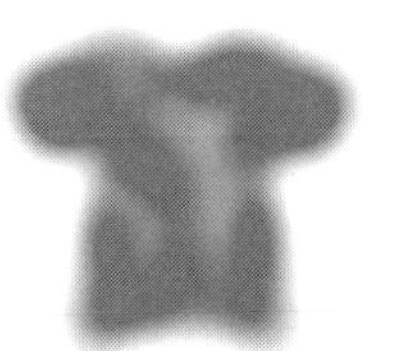

地球サイズの目玉は理論的には普通の目玉の５億倍の分解能を持っている。制限するものは回折だけだとすると、この目玉は、火星にいる宇宙飛行士が着ているシャツに模様があるのか、それとも無地かを見分ける能力があるはずである。

おや、いいシャツだね！
ゴールドのストライプが素敵だな！
何言ってるのさ？
これ、黒と青だよ！

これを望遠鏡だと見なせば、それは理屈の上では、月面に置いてある開いた本の印刷されたページを読むことができ、ケンタウルス座アルファ星を周回する太陽系外惑星の表面の大陸の形を見分けられる性能がある。「どこまで遠くを見ることができるか」という質問は、じつのところ非常に簡単に答えることができる――ジェイムズ・ウェッブ宇宙望遠鏡のように、ほとんど宇宙全体を見ることができるだろう。観測可能な宇宙の最も遠い部分から来る光は、宇宙の膨張によって引き伸ばされているので、その大部分は赤外領域の波長になっている。しかし、この目玉は最も遠い銀河のいくつかならはっきり見ることができるだろう。

だが、地球サイズの目玉でも銀河の細部を見分けることはできないだろう。それは、宇宙そのものがぼやけているからだ。

地球上の大型望遠鏡は、大気の乱れに制約されている。非常に遠方にある物体の画像は、その物体からの光が空気によって曲げられたり歪められたりするため、揺らめいたりぼやけたりする。このような空気による乱れを取り除くため、補償光学という高度な技術を使って対処し、地上にある望遠鏡の解像度を理論的な回折限界に近いものにする。宇宙では、大気の影響がないので、画像ははるかに鮮明だ。そのため、軌道を周回する宇宙望遠鏡は、この回折限界の解像度で働けるわけである。

大気による画像のぼやけ

地球サイズの目玉にとっては、**宇宙そのもの**がぼやけて乱れているかもしれない。天文学者エリック・シュタインブリンクの2015年の論文は、宇宙の構造の量子揺らぎが、遠方の銀河からやってきた光を歪めてしまう可能性を示唆している。遠く離れた山からやってきた光を、空気が曲げてしまうのと同じだ。この歪みはあまりに小さくて、私たちが現在持っている宇宙望遠鏡の画像に影響を及ぼすことはないが、それより大きな望遠鏡には影響するかもしれず、地球サイズの目玉が捉える画像をぼやけさせる恐れがある。

物がぼやけて見えるとしても、地球サイズの目玉は普通の人間の目よりもはるかに遠くまで見ることができるだろう。普通の大きさの人間の目が確かに見える最も遠いものは、せいぜい300万光年だ――空が暗くて、あなたの視力が良ければ、アンドロメダ銀河、あるいはさんかく座銀河が見えるかもしれない。これは、観測可能な銀河の端までの距離の0.01パーセント以下である。宇宙の大部分は、私たちが見るには暗すぎて遠すぎるのだ。

下の図では、天の川、アンドロメダ、さんかく座の３つの銀河を３つの点で表している。この本のこのページを開いて体育館の真ん中の床の上に置いたとすると、観測可能な宇宙の端は体育館の壁とほぼ同じくらいの距離になるだろう。夜空を見上げたときに見えるものはすべて、中央の小さな円の内側に存在しているわけだ。広大な宇宙にあるちっぽけなポケットのような場所に過ぎない。

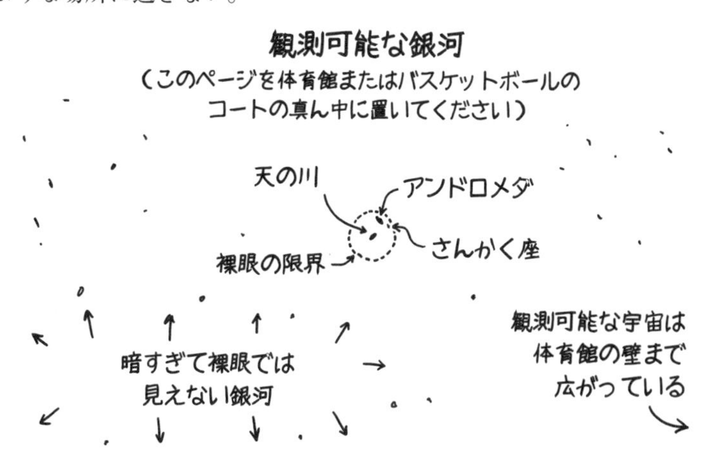

大抵の場合、あなたに見えるのはその円の内側だけだが、時折それよりずっとずっと遠くまで見えることがある。

2008年３月18日から19日にかけての夜は、北米の大半の地域で曇りだったが、メキシコとアメリカ合衆国南西部では空が晴れていた。その夜、ちょうどいい時間にあなたがはるか上空を見ていたなら、うしかい座のなかに、ぼんやりした点が１つ、約30秒間現れたのを見ることができたかもしれない。この光は、約100億光年離れた*――アンドロメダ銀河よりも数千倍も遠い――超大質量星が崩壊したときの閃光だ。裸眼で見える最も遠方にある既知の物体の新記録を樹立したのである。

このような超大質量は、崩壊するときに南北の極からエネルギーをジェ

＊　その爆発は、約75億年前に起こったのだが、宇宙の膨張によってその後どんどん遠く運ばれているので、現在の距離は約75億光年よりも遠い。

ットとして放出するが、その理由は私たちにはまだよくわかっていない。GRB080319bの自転軸がたまたまきっちり地球のほうを向いていたため、地球はこの星のジェットのなかにすっぽり入ってしまったのだ――おかげでこの輝きを75億光年離れたところから肉眼で見ることができたのである。この爆発で宇宙に放射された光線は、鉛筆のように細く、まるで地球人の目に狙いを定めた宇宙レーザーポインターのようだったわけだ。

このGRB080319bで起こったガンマ線バーストは、人間の目にはごく弱々しくしか見えなかっただろうが、直径数千キロメートルの瞳孔にはもしかしたら目がくらむほど明るかったかもしれない。実際、見える星はすべてあまりに明るくて、この目玉には見つめることはできないおそれもある。星の光に焦点を合わせると、その光は巨大な瞳孔の表面を焼いてしまいかねない。たいていの人は、太陽を直接見るのは危険だと学ぶものだ。しかし、大量の光を小さな点にまで絞ることができる地球サイズの目玉にとっても、ほかの太陽（恒星）を見つめるのは危険かもしれない。

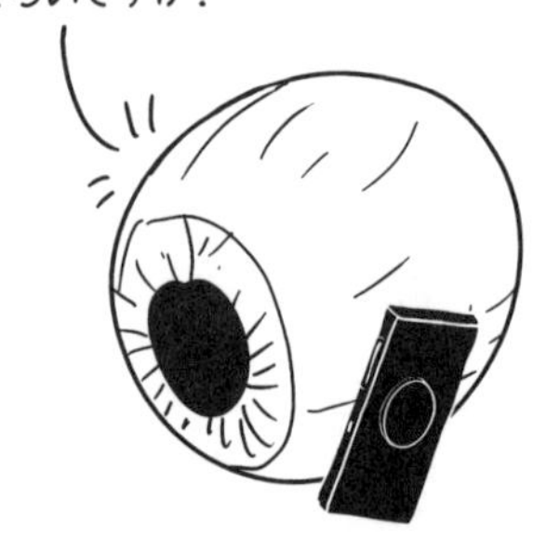

もしもし、サングラスハットさんですか？
御社で販売している一番大きなサイズは
どれくらいですか？

29章　ローマを１日にして作る

ローマを１日で作るには何人の人間が必要ですか？

――ローレン

人数は必ずしも制約にはならない。昔からのジョークにも、赤ちゃんが生まれるには１人の人間が９カ月かけなければならないが、この仕事を９人の人間にやらせても、赤ちゃんは１カ月では生まれないというのがある。ローマを作るためにどんどん多くの人間を送っても、やがては、現場がカオス的で無秩序な混乱状態になってしまうだけだろう。

1990年代から2000年代初頭にかけて土木技術者ダニエル・W・M・チャンと同僚たちが行った一連の研究は、香港での建設事業に関するデータを使って、建設事業の総コストと物理的な大きさに基づき、ある建設事業が完了するまでにどれだけ長くかかるかの予測を示す方程式を導き出した。

ごく大雑把な見積りをするために、同程度の大きさのいくつかの都市の

GDPと不動産評価額を見てみると、ローマの総資産価値は約1500億ドルというところだろう。建設コストは市場価値の約60パーセントだと仮定すると――これも、非常に大雑把な見積りだ――ローマを建設するコストは約900億ドルとなる*。この数値をチャンの方程式に入れると、ローマを作るには10年から15年かかることがわかる。これを１日で終わらせたいのなら、5000倍かそこらスピードを上げなければならない。

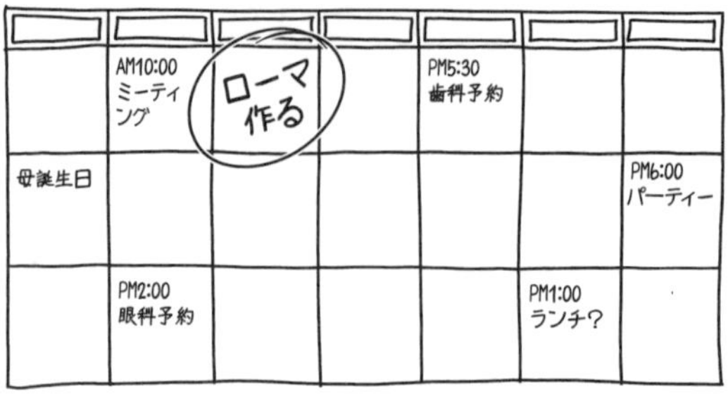

人を増やしても、スピードはある程度までしか上がらない。ある時点になると、トラックがどんどん人と物資を運んでくるなかで大渋滞を避けるために、みんなを訓練し、連携できるようにすることが最大の課題になるだろう。すべての道はローマに通ずと言うが、本当にそうならありがたい。しかし、ちょっと地図を見ると、多くの道はまったく別の大陸にあることがわかる。

だが、私たちは全世界の人々を集めることができ**、さらに、労働の側面だけを考えて、訓練、連携、交通の問題をすべて解決できると仮定しよう。

＊　アメリカの２、３の都市を見てみると、ある地域の総資産はその地域の年間GDPより少し大きいことがわかる。たとえば、イリノイ州のクック郡（郡都はシカゴ）の総資産は2018年には約6000億ドルだったと見積もられているが、同年の郡のGDPは4000億ドルだった。ニューヨーク・シティは総資産価値は約１兆6000億ドルでGDPは１兆ドルだった。ローマのGDPは1000億ドルを少し上回るが、アメリカの都市の例から類推すると、ローマの総資産価値はおそらく約1500億ドルだろうと考えられる。

＊＊　世界のすべての人を１カ所に集めるのは、『ホワット・イフ？　Ｑ１』の「全員でジャンプ」の章で論じたように、まずい考えだ。ローマの面積は1285平方キロメートルなので、そんなことをしたら私たちは１平方メートルあたり６、７人というモッシュピット並みの密度に押し込まれてしまう。この密度の群衆は、建設作業はおろか楽に立っていることすらできないほどの密集状態だろう。

私たちはどれだけ素早くローマを作ることができるだろう？　いくつか異なる方法で答えを見積ってみて、それらがどの程度一致するか調べてみよう。

私の友人たちの家では、最近浴室の床を新しくタイル張りにしたのだが、そのタイル張りの作業のコストは1平方フィートあたり10ドルだった（1平方メートルあたり約108ドル≒1万4000円）。ではここで、都市もタイル張りの床と同じだと仮定しよう――あまりに強引なこじつけだと思われるのは百も承知だが、我慢して付き合っていただきたい。ローマの面積は1285平方キロメートルなので、ローマ全域にタイルを張るには1400億ドルかかることになる。少なくとも、私の友人たちが使ったのと同じ業者が担当するなら*。世界が労働の対価として時給20ドルを請求するなら、この（1400億ドルかかる）作業の総時間は70億時間だ。80億人がこの作業を行うのだから、私たちは1時間経たないうちに片付けなければならないということになる。

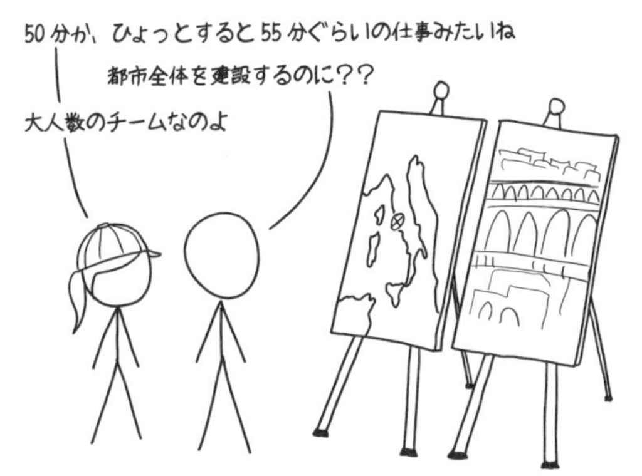

違う角度から考えてみよう。GDPに基づいて見積もった900億ドルというローマ建設コストの値を使うことにし、さらに建設コストの30パーセントが労働のコストだとすると、時給20ドルでローマを建設するのに13億人時間強の時間がかかるはずだ。80億人で取り組むなら、これは10分ほどでできるということだ――タイル作業に基づく見積りよりちょっと速いが、大まかには同程度の時間と見なせる。

＊　都市ローマの行政機関が見積りを希望されるなら、私が連絡を付けてもいいですよ。

ローマを建設するための時間

モデル	結果	実際の歴史との比較
浴室タイル張り	50分	25,000,000倍速い
GDPからの大まかな推測	10分	125,000,000倍速い

もちろん、あちこちに記念碑的建造物や、芸術作品、それに値段の付けようのない貴重なものがある都市を、タイル張りの床や現代のアパートであるかのように見なして見積もるなどばかげている。そこで、まったく異なる方向から取り組んでみよう。

システィナ礼拝堂の天井は世界で最も有名で象徴的な芸術作品の1つだ。ミケランジェロは、523平方メートルの天井を埋め尽くす一連の絵画を4年をかけて制作した*。

ミケランジェロが週に40時間、年に52週間描いたと仮定すると、彼は16時間に1平方メートルのペースで描いたことになる。このペースでローマ全体を都市サイズのルネサンスの傑作で覆いつくすには、200億ミケランジェロ時間かかる。80億人で分担すると、2時間半、つまり150分の労働になる。

ローマを建設するための時間

モデル	結果	実際の歴史との比較
浴室タイル張り	50分	25,000,000倍速い
GDPからの大まかな推測	10分	125,000,000倍速い
システィナ礼拝堂方式	150分	8,000,000倍速い

これは、ローマをタイル張りの床をモデルに推測して得た50分とそれほど大きくは違わないし、やはりローマを1日で作るのは、少なくとも労働の観点からは、見かけほどあり得なくはないと示唆している。

＊　画家たちは「もしもローラーを使っていたなら、彼は一度の週末だけでそれを完成できただろうに」とよく言う。

もちろん、ローマを１日で建設することはできない。第一、それはもう建設されているので、あなたがそれを再建しようとしたら、ローマの人々は激怒するだろう。そして、たとえあなたが別のところにローマを作ったとしても、必要なところに作業員全員を適切に配置することはできないし、割り当てられた部分を建設するために必要な資材を一人ひとりに提供することもできないし、全員に仕事に集中させスケジュールを守らせることもできないだろう。

誰がどの仕事を担当するかを決めるという単純なことはできても、それ以上の組織化は困難になるだろう。システィナ礼拝堂はバチカンにあるので、ローマのなかということになる――ただし、正確には別国家でローマには属さない――が、ローレンの建設プロジェクトに含まれるかどうかはっきりしない。含まれるなら、礼拝堂の天井画の制作は別に数千人を集めて彼らに分担してもらうことになるだろう。

描き手のあいだで芸術の方向性の違いを巡り対立が起こることは間違いない。

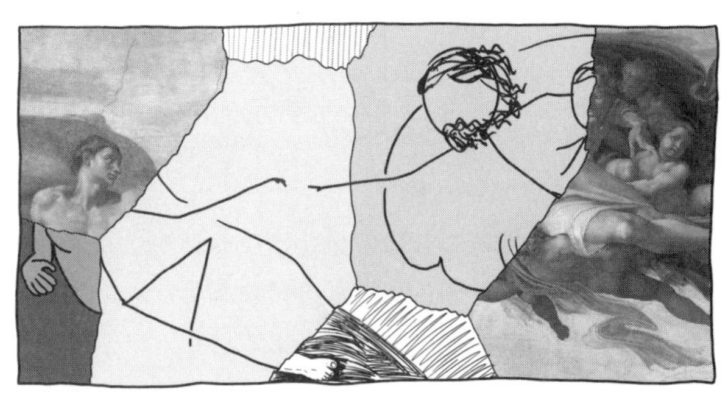

30章　マリアナ海溝チューブ

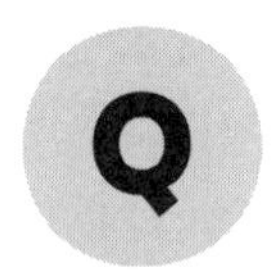

直径20メートルの頑丈なガラスの管を海に入れて、海の一番深いところまで届かせるとします。この管の一番下に立つと、どんなことになりますか？　ただし、そのとき太陽が真上を通過するとします。

――ゾキ・キューロ、カナダ

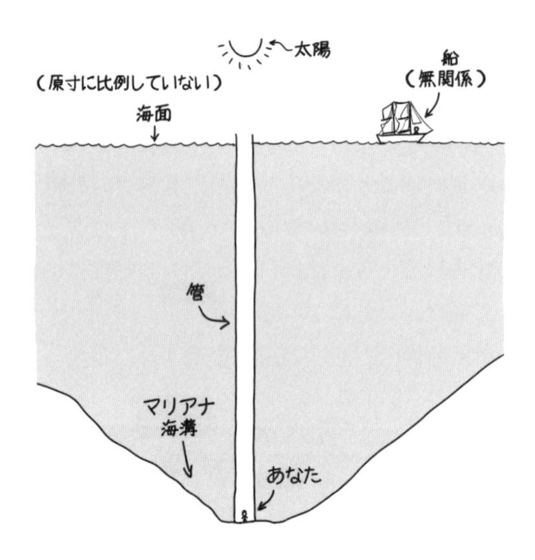

その管は、最も深い採掘坑の３倍の深さになるだろう。深い採掘坑のなかは、暑くて気圧が高い。だが、あなたの管のなかでは、熱は問題にはならないだろう。採掘坑の熱は周囲の岩から来ており、深く行くにつれてま

すます暑くなる。深海の温度は氷点（摂氏0度）をわずかに上回るだけの低温なので、あなたの管の壁は冷たく、なかの空気を涼しく保ってくれるだろう。

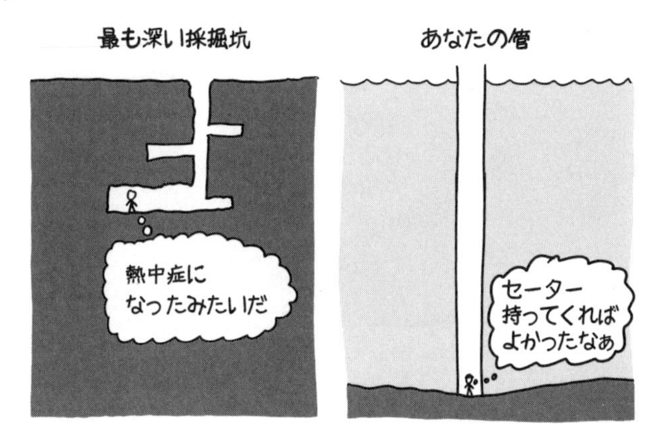

管の内部の気圧は非常に高く、海面の気圧の数倍だろう。この気圧は、あなたの周りの高圧水とはまったく関係ない。水は管によって隔てられている。管の内部の気圧が高まるのは、あなたが海面のはるか下にいるからだ。大気圧は、6キロメートル高度が下がるたびに2倍になるので、10キロメートルの深さでは、あなたが慣れている気圧の4倍近い気圧になるだろう。ありがたいことに、人間はこのような圧力の変化にはさほど苦もなく対処できる——ある種の病気を治療するために使われる高気圧治療装置では、患者がこれと同程度の気圧環境に置かれる。減圧症を起こさないように、戻るときはゆっくりのぼるようにしよう。

太陽が管の口の真上を通過するのは、毎年4月20日ごろから8月23日ごろまでのあいだの2、3日だけだ。このような日には、1、2分のあいだ、あなたは何ら問題なく物を見ることができるだろう！　見えるのは太陽のごく一部だけかもしれないが、太陽は非常に明るい[要出典]ので、管の底は明かりのついた部屋のように明るくなるだろう。あなたの上にある高密度の空気が、通常よりも多く光を吸収したり散乱したりして、太陽をほんの少し暗くするだろうが、気が付くほどの違いではない。

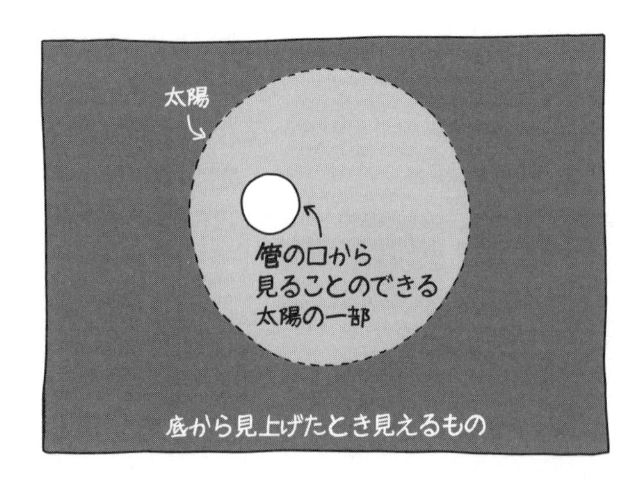

あなたの周りの水は暗いだろう。管の壁を通して懐中電灯を照らしても、おそらくただ沈泥が広がっているのが見えるだけだろうが、ナマコなどの海洋生物がときどき見つかるかもしれない。もしも何か見つけた場合のために注意しておいてほしいのは、マリアナ海溝の底に行ったことがある人はごくわずかしかいないので、そこで最もよく見られるのがどんな生き物なのかわからないということだ。

太陽が通り過ぎたあと、あなたはまた6カ月間漆黒の闇に閉じ込められる。なので、あなたはエレベーターに飛び乗って海面に戻りたくなるだろう。

エレベーターがなければ、ある面白い方法を使って、いつでも海面に戻ることができる。それは、管の側面に穴を開けて待つという方法だ。

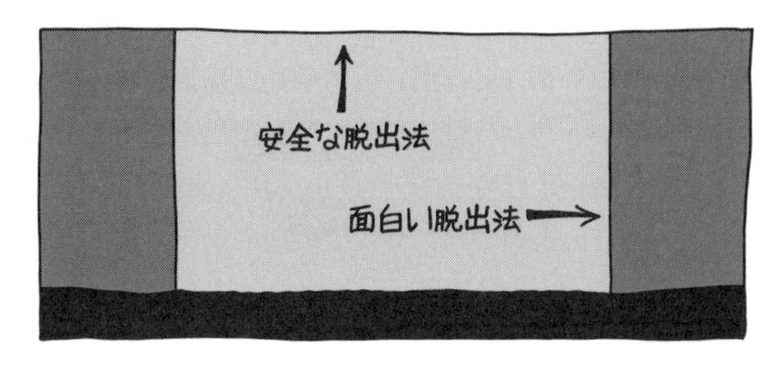

管の側面に穴を開けることにしたなら、穴の正面には立たないこと。チャレンジャー海淵の猛烈な水圧で、超音速の水のジェットが穴を通して飛び込んでくるからだ。

仮にあなたが管の底を完全に開いて海水を自由に流れ込ませたら、水はマッハ1.3の速度で管を登っていくだろう。このジェット水流に乗って上に行こうとしても、最初の水の衝撃による猛烈な加速にあなたは耐えられないだろう。安全に上昇するには、もっと制御された方法でゆっくりと水が管に満ちていくようにしなければならない。

管の最下部の１、２キロメートルが満たされたなら、管の底を全開にしても、危険なほど急激な加速は起こらないだろう。もしもあなたが何らかの巨大なラバーカップのようなものを持っていて、それを使ってすべての水を自分の下側に留めるようにしたら、あなたは加速によって、１分もかからないうちにロケットのように上昇して海面に出るだろう。一番上の開口部に達したとき、あなたは時速500マイル（秒速約220メートル）で上昇しているはずで、冷たい水の噴水に乗って海面の上高く運ばれていくだろう。

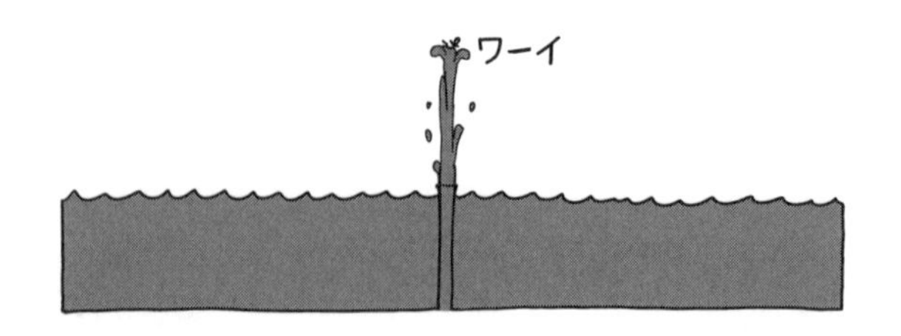

驚くべきことに、あなたが脱出したあとも、水は噴出し続ける可能性がある。1956年に海洋学者のヘンリー・ストンメルがこのことを指摘した。海面と深海の温度と塩分濃度の違いのため、海面と深海を管でつなぎ、そのなかを水が通るようにすると、水はいつまでも流れ続けるかもしれないというのだ。

管が永久運動を生み出すわけではない。定常的な流れが可能になるのは、元々海面と深海とのあいだで温度と塩分濃度が異なり、海面と深海の水は完全に平衡ではないことが原因だ。管内を深海から上がってきた水は、管の壁を通して周囲と同じ温度まで温まるが、塩分を外部と交換して塩分濃度を同じにすることはできない。ストンメルの計算によれば、この管によって深海から上昇した水は、海面と同温だが塩分濃度が低い状態になり、海面水より低密度となって、海面水より上に行こうとする。そのため、最初に上昇した深海水が温まって海面水と入れ替わって元々の上下関係が逆転したなら、その後の管があるかぎり深海から水が上昇しつづけ、海面と深海の水が混合するという。2003年にポリ塩化ビニルの管を使ってマリアナ海溝の上で（底までは届かなかった！）行われた実験で、この効果によって水がゆっくり交換されることが確認された。

これを応用して、海面を冷却し、ハリケーンの勢力を弱くする案や、深海の栄養を利用して海水を富栄養化し、海生生物の生育を促進する案、廃棄物を処理する案などが出ている。ストンメル自身は、これらの案には懐疑的だった。彼は1956年の論文の最後で「この現象の実用的価値はありそうもなく、それについて憶測するのは時期尚早だと思われる」と述べ、「動力源としてはほとんど見込みがない。したがってこれはもっぱら興味深い現象の１つに留まっている」と指摘している。

31章　高価な靴箱

サイズ11インチ（約28センチ）の靴箱をいっぱいにして最も高額にする方法は何でしょうか（たとえば、すべて合法的に購入された音楽が録音されている64GBのマイクロSDカードでいっぱいにするなど）？

——リック

靴箱の中身が持ちうる価値の上限は、約20億ドルのようだ。意外なことに、中に入れられる可能性のあるさまざまなものに対して、この金額は共通していることがわかった。

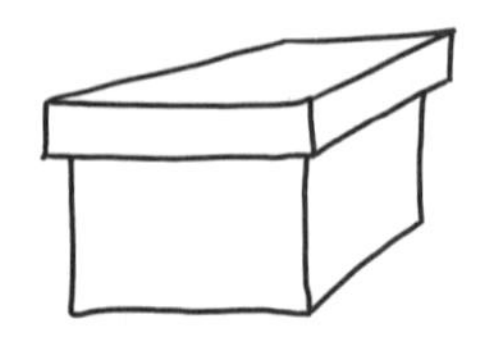

マイクロSDカードというのは名案だ。あなたがそれぞれのマイクロSDカードに約1ドルの歌を記録したとしよう。マイクロSDカードは、1ガロン（約3.8リットル）あたり約1.6ペタバイト（1.6×10^{15}バイト）の容量を持っている。男性用のサイズ11の靴箱は、ブランドや靴の種類によって約10から15リットルの容積があるので、4メガバイトの歌を15億曲入れておくことができる（あるいは、あなたには本当に推しているアーチストがいるのなら、1曲を15億回コピーして保存することもできる）。

高価な企業向けソフトウェアは、数千ドルで販売されることが多いが、数ギガバイトの容量を食うので、コスト対メガバイト比はこれより少し高い程度だろう。

ソフトウェアの値段を考えるなら、靴箱のなかのものの「コスト」は、おそらく好きなだけ上昇させることができるだろう。暗号通貨に手を出したり、あるいは、何かの定額課金制ゲームのアプリ内購入を無制限に行ったりすればいいのだから。だが、その結果あなたのスマホに誕生したRPGキャラクターは、確かにあなたがそれだけのお金をかけた結果ではあるが、このキャラクターに１兆ドルの値打ちがあるとは、とても真顔では主張できないだろう。

アメリカ国民のみなさん、
我が国の国家債務が２兆ドルという
予期せぬ増加を遂げました。
ついでながら、まったく関係ありませんが、
私のキャラクターが素晴らしい剣を
何本持っているか調べてみてください！

そのようなわけで、実体のある物について考えよう。

もちろん、貴金属の金がある。13リットルの金は、2021年現在約1400万ドルの価値がある。プラチナはこれより少し高くて、靴箱あたり1600万ドルで、価値密度、つまり体積あたりの価値では、100ドル紙幣の約10倍だ。一方、靴箱いっぱいの金は小さな馬ぐらいの重さがあるので、金塊を持って買い物に行くよりはやはり100ドル紙幣を持っていくほうが実際的だ。

もっと高価な金属がいくつか存在する。たとえば、１グラムの純粋プルトニウムは、購入するのに約5000ドルかかる*。おまけに、プルトニウムは

*　少なくとも、私がインターネットで調べてわかる範囲では。言い換えれば、今私はいくつもの政府の監視リストに載っているということ。

金よりも少し高密度で、靴箱に300キログラム近く詰め込むことができる。

20億ドルかけてプルトニウムを購入する前に、これから言うことを心に受け止めてほしい。つまり、プルトニウムの臨界質量は約10キログラムなのだ。理屈の上では、300キログラムのプルトニウムを靴箱に詰め込むことは可能だが、その状態は束の間しか続かない。

高品質のダイヤモンドは高価だが、ダイヤモンドの正確な価格を知るのは、~~業界全体がペテンなので~~宝石の市場は複雑なので難しい。Info-Diamond.comは、傷のない600ミリグラム（3カラット）のダイヤモンドに20万ドル以上の値段を付けている——ということは、靴箱いっぱいの高品質の宝飾用ダイヤモンドは、理屈の上では150億ドルの価値があるということである——が、靴箱を隙間なく埋めるためには、もっと小さなダイヤモンドもいくつか詰めなければならないはずなので、10から20億ドルと見積もるほうが妥当だろう。

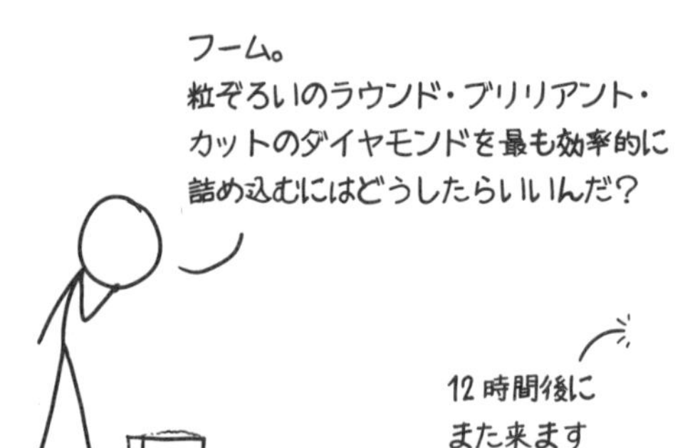

フーム。
粒ぞろいのラウンド・ブリリアント・
カットのダイヤモンドを最も効率的に
詰め込むにはどうしたらいいんだ？
12時間後に
また来ます

違法薬物の多くは、重さあたりで言うと、金よりも高価だ。コカインの価格は大きくばらついているが、多くの地域で、グラムあたり100ドルぐらいだろう*。金は現在その半分以下だ。しかし、コカインは金よりはるかに密度が低い（つまり、かさばる）ので**、靴箱いっぱいのコカインは靴箱いっぱいの金より値段が低い。

コカインは世界で最も高価な薬物ではない。マイクログラム単位で売られているLSD――マイクログラム単位で広く売られている限られた物質の１つかもしれない――は、重さあたりではコカインの約1000倍以上の値段だ。靴箱いっぱいの純粋なLSDは約25億ドルといったところだろう。ワクチンの有効成分もマイクログラムで量られることが多いので、１回分の値段はそれほど高くはないものの、靴箱いっぱいのmRNAやインフルエンザ・ウイルスタンパク質もやはり数十億ドルの価値があるだろう。

違法薬物の対極にあるものとして処方薬を見てみると、一部の処方薬は、１回の投与量は違法薬物ほど小さくはないが、極めて高価だ。ブレンツキシマブ・ベドチン（商標名アドセトリス）は、１回の投与量が13500ドルなので、これを靴箱に詰め込むと、その値段はLSD、プルトニウム、そしてマイクロSDカードと同様に、20億ドル程度になる。

もちろん、靴箱にはいつでも靴を入れることができる。

ジュディ・ガーランドが『オズの魔法使い』で着用した靴は、オークションで

＊　更新情報：これを調べた私は、今や政府の他の監視リストにも載ってしまった。

＊＊　でも、ちょっと待って――金属と公平に比較できるようなコカインの密度は定義できるだろうか？　Straight Dope Message Boardsには、この問題の核心に迫ろうとする数名の人々による素晴らしく真剣で出典も多数示されている議論があり、私はしばらく時間をかけてそれをじっくり読ませていただいた。彼らはコカインの沸点と、オリーブオイル中の溶解度を特定することに成功したが、結局密度を突きとめるのはあきらめ、たいていの有機物と同じ、１リットルあたり約１キログラムと決めてしまった。

666000ドルで落札され、そして――私たちが検討したほかのものとは違い――ある時点では実際に靴箱のなかに入れられていただろう。

あなたが本当に好きなだけ高額なお金を箱に入れたいなら、米国財務省に頼んで１兆ドルプラチナ硬貨を１枚鋳造してもらえばいい。記念硬貨の鋳造に関する法律に穴があって、理屈の上では財務省はこれを行う権限を持っている*。

だが、もしもあなたが、アメリカの通貨制度が持つ、任意の無生物に価値を与える法的権限を巧みに活用するなら……

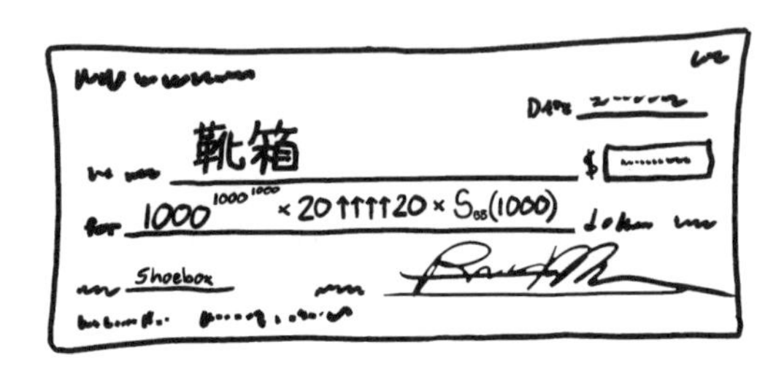

……あなたはただ小切手を書けばいいだけだ。

* あなたがこれを読んでいるときにも、まだこの法律の穴が残っていて、奇妙な雑学的知識であり続けていますように。

32章　MRIコンパス

コンパス（方位磁針）は、MRI装置が生み出す強力な磁場のせいで最も近い病院を指すはずだと思うのですが、なぜそうなっていないのでしょうか？

——D・ヒューズ

MRI装置は実際に強力な磁場を発生し、それは問題になり得ます！

やだ！　私の希少カセットテープのコレクションが、クレジットカードが、それに砂鉄も！
MRI

医療用MRIスキャナーは、内部に強力な磁石がある。スキャナーはシールドされているので、磁場の最も強い部分はスキャナー内部に閉じ込められている。しかし、比較的弱い磁場はその周囲に広がっている。この「フリンジ磁場」は、装置から離れるにつれて急速に弱まるとはいえ、ある程度離れたところにまでその影響は及んでいる。

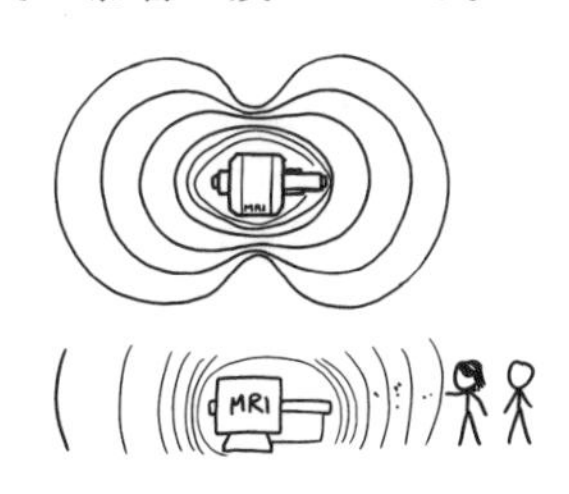

広く使われているある機種のMRIスキャナーのマニュアルには、フリンジ磁場が損害を与えるのを防ぐために、ある種の敏感な物体は装置に近づけてはならないとある。クレジットカードと小型モーターは３メートル、コンピュータとディスクドライブは４メートル、ペースメーカーとX線管は５メートル、そして電子顕微鏡は８メートル離さなければならないとしている。

方位磁針を使って地球の北磁極まで歩いて行こうとすると、MRIからのフリンジ磁場のせいで道からそれてしまうかもしれないが、すぐ傍まで近づかない限り大丈夫だ。地球の磁場、すなわち地磁気の強度は場所によって異なるが、だいたい20から70μT（マイクロテスラ）だ。MRIスキャナーからのフリンジ磁場は、約10メートルの距離ではこれより低いレベルになるので、この10メートルというのが、方位磁針を頼りに歩いている人をMRIで引き寄せられる最大の距離の大まかな目安と言えるだろう。

引き寄せられた人の進路はMRIの磁石のN極から遠ざかりS極へと向かうだろう。

探検家が進む方向

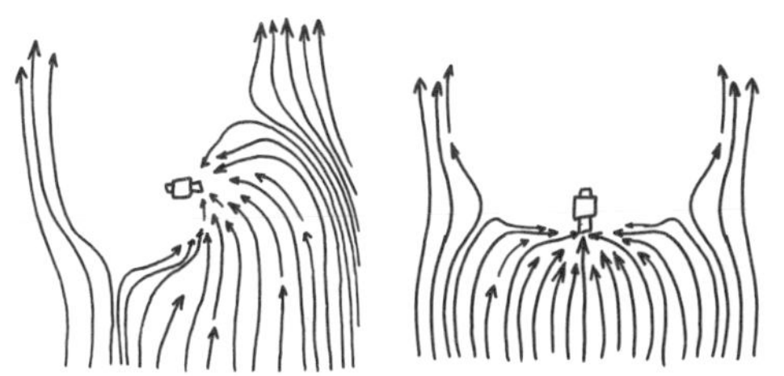

地球の北極へ向かって歩いている人がMRIのS極に引き寄せられるというのは腑に落ちないかもしれないが、そう感じるのは、地球の北極と南極の名前は逆さに付いているからだ。磁石の「N」極は、地球の北極（north pole）を指すほうの端なので、地球の北磁極は実際にはS極であり、南磁極は実際にはN極なのだ。私もこれには大変イライラするが、どうしようもないので、先に進んだほうがいいだろう。

北アメリカ大陸の真ん中にいる人が北磁極に向かって歩こうとしていたとして、あなたがカナダのどこかに何らかのMRIスキャナーを置いてその人を引き寄せようとしたなら、その人がMRIで進路を逸らされる確率は約50万分の１だろう。カナダ医薬品・医療機器審査機構のカナダ医療用画像技術総覧によれば、2020年にカナダで稼働していたMRIスキャナーは378台だったという。だとすると、これらのMRIをカナダじゅうに分散させて設置すれば、磁気（マグネティック）ネット*を作ることができ、これによって北極を目指す探検家たちのおおよそ1300人に１人を引き寄せることができるだろう。残りの1299人は実際の北磁極に到達するだろうから、数百台のMRIをもってしても、この方法で探検家を引き付けるのはまったく効果的ではないことがわかる。

MRIスキャナーで道をそらされるであろう探検家

北磁極に到達する（あるいは、極地環境で野ざらしになって死亡する）であろう探検家

＊　略して「マグネット」とも言う。

しかし、このシナリオの全体は、見かけほど非現実的ではない。

MRI装置から漏れるフリンジ磁場は、方位磁針を頼りにする探検家を引き寄せるほど強くはないが、これと似たような悪さをやることは実際にときどきあった。

1993年のアメリカの運輸省のリポートには、ドクター・ヘリが病院の屋上のヘリパッドに着陸しようとしていた際に起こった重大インシデントが記されている。ヘリがヘリパッドに接近する際、方位計（コンパス）とそれに関連する機器が突然、機体が予想外に60度回転してしまったことを示した。さいわい、パイロットは機器の誤った判断を無視し、安全に着陸した。犯人は、ヘリパッドの近くに停車していたトレーラーに積んであったMRIスキャナーであることがわかった。

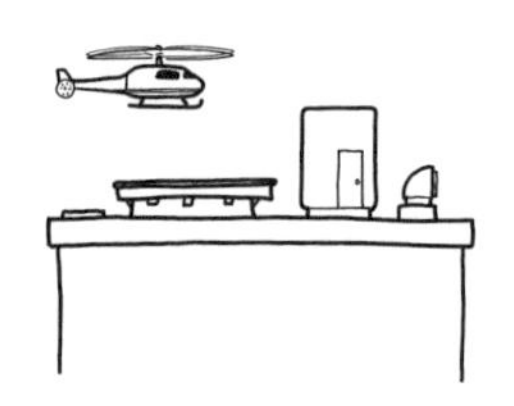

そんなわけで、どこか遠くにあるMRIスキャナーが、森のなかを方位磁針を頼りに歩いているあなたに影響を及ぼさないかと心配する必要はない。だが、病院の近くでヘリコプターを着陸させようとしていたなら、絶対に警戒が必要だ。

こっち側のヘリパッドに着陸しよう。
あっち側のは嫌な感じがする。

33章　祖先の割合

つい先日気づいたのですが、家系図の人間の数は、世代を遡るごとに指数関数的に増えますよね。つまり、私には親が２人、祖父母が４人、曾祖父母が８人、といった具合にいます。このことから私は思ったのですが、たいていの人は、これまでに生きていたことがあるホモサピエンスの大半の血を引いているのでしょうか？　そうでないなら、私はこれまでに生きていたことのあるすべての人々の何パーセント、何分の１の子孫なのでしょうか？

――シェイマス

あなたと、これまでに生きていたことのある大半の人間とのあいだに血縁関係はありません。おそらくそのうちの10パーセント程度の人々の子孫なのでしょうが、正確な数値を突きとめるのは困難でしょう。

普通、人には２人の親がいて、そして――地球規模の人口減少が起こった時期を除いて――平均的には少なくとも２人の子どもがいる。このことからすると、私たちの祖先と子孫の両方が指数関数的に増加する傾向にある。時間を遡って数えても、早送りして数えても、あなたと血縁がある人の数は増加する。どの子どもも、２つの家系図につながっており、数世代以上にわたって続く家系はどれも、指数関数的に大きくなって、やがてすべてを包含してしまう。

私たちの祖先という集合も、これと同じように大きくなる。あなたの祖先の一人ひとりが、２つの家系樹の合流を表しているので、世代を遡っていくほど多くの人々が含まれていく。過去に遡っていくあいだに、あなたの家系樹はときどき縮小する――たとえば、祖先のなかに、何世代にもわたって隔離されていた人々がいたなどが原因で――が、完全に途絶えてしまうことはない。遡るたびに家系は絶えず２倍になり続けるので、どんどん過去に遡っていけばいつかは、存続するすべての系統があなたの家系樹に吸収される時点に達するだろう。その時点において、子孫を残したすべての人はあなたの祖先であり、あなたとほかのすべての人は、同じ１つのグループの祖先の子孫だということになる。これが共通祖先時点だ。

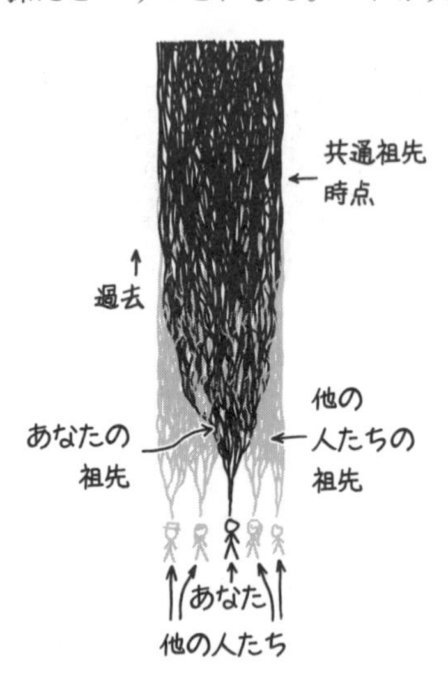

ダグラス・L・T・ローデと同僚らによる2004年のシミュレーションによって、紀元前5000年から2000年の間のどこかに共通祖先時点があったと推定された。その時点で、１人でも子孫を残した人はすべて、今生きているみんなの祖先だ。その時点からのすべての血筋は、途絶えたか、拡張して生存しているすべての人間を含むようになったかのいずれかである。したがって、現在生存しているすべての人間はその時点以前のすべての祖先の集合を共有していることになる。

子どもを持つ人々の大多数は、この家系図に加わることになる。ローデらは、ヒト個体群において、１人でも子どもを持った人間の60パーセントが永遠に系統樹のなかに入ることになり、また、成人するまで生きた人の73パーセントが子どもを持ったと推定する。小児死亡率の歴史的研究に基づき、55パーセントの人が成人するまで生きると仮定すると、ローデらの推定は、これまでに生まれたすべての人間の約25パーセントがいつかは子どもを持ち、永続する子孫たちの血統を残したと示唆していることになる。

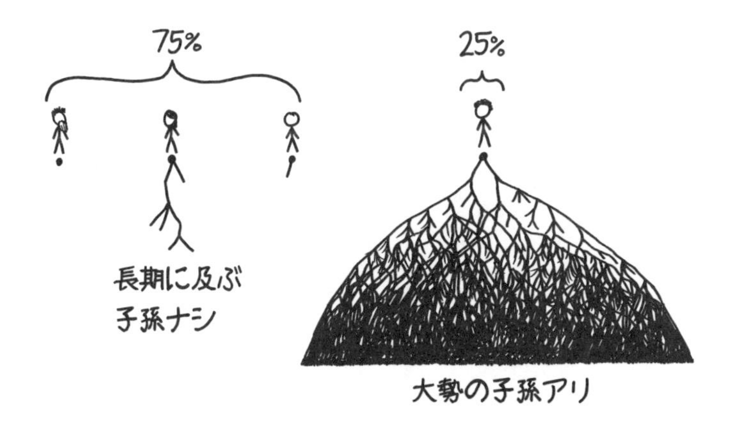

この数値に、人口と出生率の歴史的変遷を結びつけると、共通祖先時点以前に約200億人の人間が生きていたと推測され、また、50億人があなたの祖先であること推測できる。

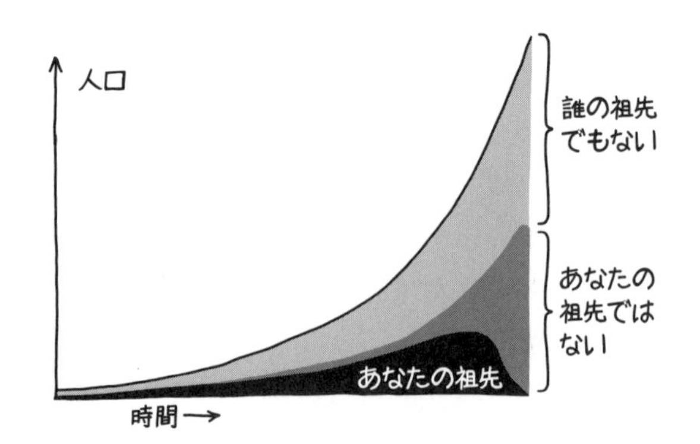

共通祖先時点以降は、あなたの祖先の集合は、ほかの人たちの祖先と完全に重なることはなくなるが、それでもなお多くの人々を含む。共通祖先時点以前、あなたの家系図は河川の網状流路のような形をしている。直近の1000年ほどになって初めて、家系図は収束して木のような形になる。このあいだにさらに50から100億人の祖先が加わっているだろう。

結局、あなたの家系図には、これまでに生きていたことのある1200億人の人々のうち、100億から150億の人間が含まれるということになりそうだ。したがって、そのうち3300万人が、今使われているグレゴリオ暦で今日が誕生日だということになる。

今日が２月29日でない限り。

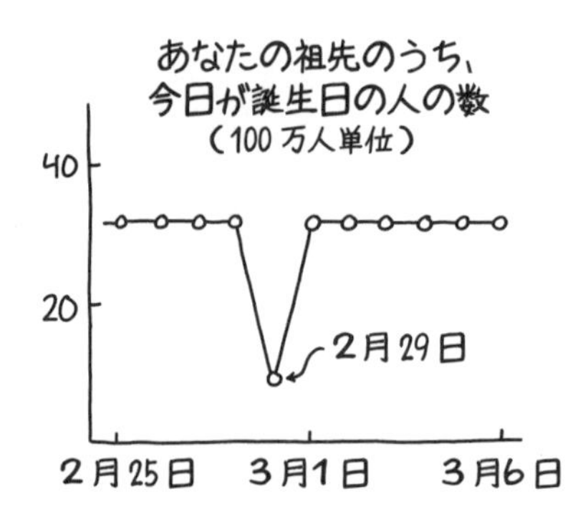

34章　バードカー

私はエアコンのない車に乗り続けるしかない、しがない大学生です。そんなわけで、私は、窓はほとんど開けっ放しで運転しているのですが、こんなふうに想像しだしたんです。つまり、もしも１羽の鳥が私の車のスピードと進行方向に完全に一致して飛んでいたとすると、私が車の進路をサッと変えてその鳥をつかまえて車のなかに入れたら……次に何が起こるのかな、鳥が怒る以外に？　鳥は私が置いてやった車内の場所にずっといるのかな？　フロントガラスに激突するのかな？　座席に下りるのかな？　などと。私とルームメイトの意見が一致しません。この問題の解決に少しでも力を貸してくださったなら、仲直りできると思うのですが。

——ハンター・W

これは、一見そんなわけないと思える類の話だ。しかし、これをお伝えするのは心苦しいのだけれど、正直なところ、これはひょっとしたらうまくいくかもしれない。鳥は間違いなく混乱し、怒るだろうが、うまく鳥の不意をついて、この作戦を成功させられたなら、鳥はおそらく無傷のまま捕らえられるだろう。新しいペットができましたね、おめでとう。

鳥を車のなかに捕らえるためにあなたが車の進路をサッと変える瞬間に何が起こるかを見てみよう。

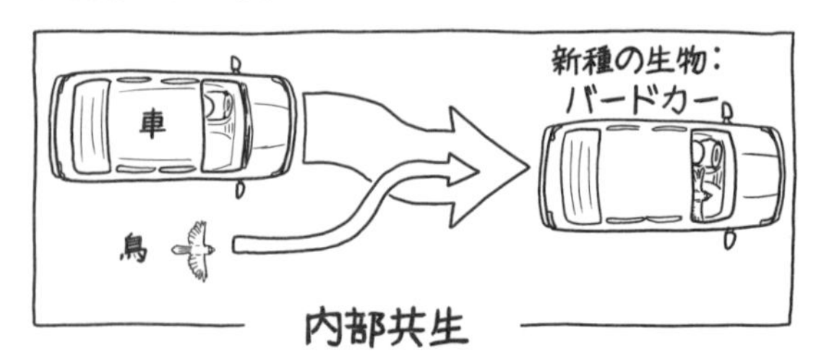

（訳注：内部共生とは生物学用語で、ある生物が他の生物の体内または細胞内で生息すること。）

あなたも鳥も時速45マイル（時速約72キロメートル）で進んでいるとしよう。あなたが車の進路をサッと変えて鳥を捕らえると——鳥は抵抗せずに車のなかに留まるだろう。鳥の視点からすれば、自分が時速45マイルの向かい風に飛び込んだときに、あなたの車が並んで走っていただけのことだ。

一定のスピードで飛ぶために、鳥は翼を上下に動かす［要出典］。これは、高速飛行する際に受ける大きな抵抗に対抗できる推力を生み出すためだ。

車の内部の空気は時速45マイルで動いている。そこに窓から入ってきた鳥にしてみれば、それまで対抗していた向かい風が突然消えてしまう。抵抗がなくなっても、翼の上下動は推力を生み出し続けるだろうから、もしも鳥が羽ばたき続けたら、鳥は車に対して進行方向に加速し始めるだろう——ランニングマシンで走っているときにマシンのベルトが突然停止したときと同じように。

対空速度（大気に相対的な速度）時速45マイルで飛んでいるハネビロノスリ（中型のタカの一種）は、約３分の１ニュートンの抵抗を受けているので、羽ばたきで３分の１ニュートンの推力を生み出さないと抵抗に対抗することはできない*。抵抗がなくなっても同じように羽ばたきつづけるなら、推力はハネビロノスリを進行方向に加速し始めるだろう。

ほかのすべての力が同じままなら、その３分の１ニュートンの推力は、ノスリを車の前方に$1\,\mathrm{m/s^2}$で加速させるのに十分であり、そのため、１、２秒後ノスリはゆっくりとフロントガラスにぶつかるだろう。しかし、ほかのすべての力は同じままではない。

猛烈に通り過ぎる向かい風がなくなると、ノスリの翼はもはや揚力を生み出さなくなり、ノスリは突然落下しはじめるだろう。重力が$9.8\,\mathrm{m/s^2}$でノスリを下向きに加速させるだろうが、これは羽ばたきを続けて得られる$1\,\mathrm{m/s^2}$という前向きの加速よりもはるかに大きい。

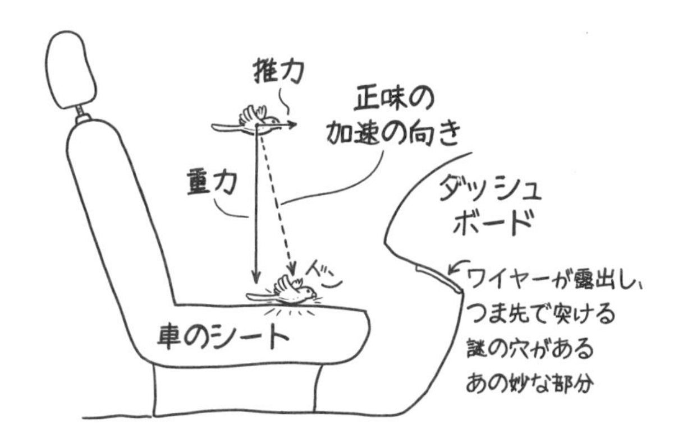

この２つの力が合わさって、ノスリは助手席のシートにドンと落ちるだろう。

しかし、ここまでの話は、重大な要素を無視してしまっている。それは、

＊　渡りをするタカが、常に羽ばたくのではなく、時々滑空するのは、羽ばたくと、これだけのエネルギーを消費するからだ……８時間羽ばたくと彼らの１日分の代謝量が使い尽くされてしまう。

ノスリがどう反応するかである。鳥の大半はあなたと一緒に長距離ドライブなどしたくない[要出典]。鳥は驚くと、飛び立って、広い空間のように見えるほうに向かって飛ぼうとすることが多いが、そのためしばしば窓に衝突してしまう。窓が十分近ければ、鳥はスピードを上げる時間があまりないので、大けがをするほどのことはないだろう。オーデュボン協会（野鳥保護や自然・環境保護を目的とするアメリカの団体）が、鳥の餌台を窓から10メートル離して設置できない場合は、窓から1メートル以内に設置するよう呼びかけているのはこのためだ。

あなたの車のフロントガラスは、あまりに近いので鳥が本当にけがをすることはないかもしれないが、飛んでそれに衝突するのが鳥にとっていいはずはない。あなたは窓はいつも開けていると言っていたので、このありそうにない状況のなかで、鳥にはぜひけがをせずになんとか車外に戻ってほしいものだ。

もしも鳥が車から出たくないのであれば、それはまったく別問題で、あなたはおそらく野生生物リハビリ療法士に連絡して助言を求めるべきだろう。

鳥があちこち飛ぶのにちょっと疲れていたならこの限りではない。おそらく、今回に限り、車に乗せてもらうことに感謝するだろう。

また死んだアライグマを
通り過ぎちゃったなんて信じられない！
さっきのはまだ新鮮みたいだったのに！
あのね、いつでもまた元のように飛んでいいんだよ
あり得ない。このほうがずっと楽なんだもん。二度と飛行生活
なんかに戻るもんか！　ねえ、クラクション鳴らしていい？

35章　ルール無用のNASCAR（ナスカー）

自動車レースのルールをすべてとっぱらって、ただ人間にコース200周を最速で走らせる競走にしたなら、どんな戦略を取れば勝てますか？　ただし、レーサーは死んではならないものとします。

——ハンター・フライヤー

あなたに可能な最善のタイムは、約90分だろう。

このレースに勝てそうな車を作る方法はたくさんある——カーブで道路の舗装にしっかり食いこむように設計された電気自動車、ロケット動力付きのホバークラフト、コースに設置されたレールの上を走るポッドなど。だが、このどれもが、設計を進めるうちに、人間が一番の弱点になってしまうところにすぐにぶつかってしまう。

問題は加速だ。コースのカーブした部分に来ると、ドライバーたちは猛烈な重力加速度（いわゆるG）を感じるだろう。フロリダにあるデイトナ・インターナショナル・スピードウェイ（全米自動車競走協会、略してナスカーが統括するカーレースの会場）には、主カーブが２つあるが、あまりに高速でカーブを曲がると、ドライバーは加速だけのために死亡する恐れがある。

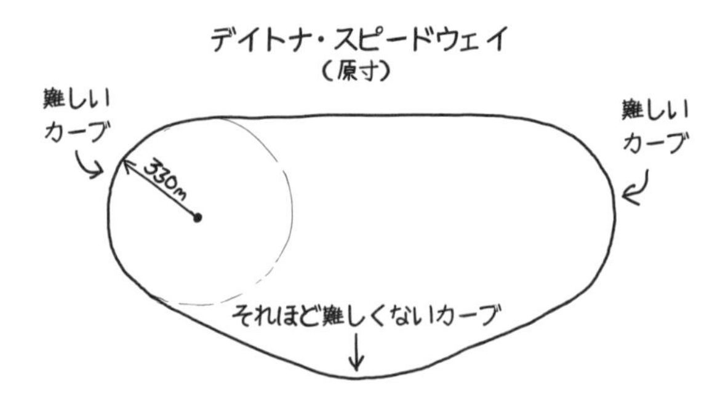

自動車事故の最中など、人間がごく短時間のうちに数百Gの加速度を受けながらも、生き延びられる場合がある（1Gは、地面に立っているときに受ける地球の重力加速度の大きさ）。戦闘機のパイロットは機動飛行（飛行機の性能を最大に活用する戦闘行動時の飛行）中に最大10Gの加速度を受ける。おそらくそのためだろう、この10Gは、人間が対処できる加速度の大雑把な上限値として使われることが多い。しかし、戦闘機のパイロットが10Gを受けるのはごく短いあいだだ。私たちのドライバーはそれを数分間か、おそらくは数時間にわたって繰り返し受けることになるだろう。

ロケットを打ち上げる際には、大きな加速度が長時間維持されるため、NASAは人間の加速に対する耐性について幅広い研究を行ってきた。だが、最も面白いデータは、ジョン・ポール・スタップという空軍将校の実験で得られたものだ。スタップは、自分自身をロケットスレッド（橇のような乗り物を地上に設置されたレール上でロケット推進により走行させる実験装置）にくくりつけ、自らの体を限界までもっていき、1回の走行が終わるたびに詳細な記録を取った。彼は忘れがたい人物だった。『ウィングス＆エアパワー・マガジン』にニック・T・スパークが書いた彼の実験に関する記事には、「……［彼が無謀な実験をするのをやめさせるために］スタップには少佐の地位が与えられ、その際に、人間の生存可能性の限界は18Gなのだよ（だからもう無茶するな）とあらためて諭（さと）された……」とある。

スタップの実験は短時間に極めて大きな加速を行うものだったが、他の大半のデータは、普通の人間がおよそ1時間のあいだ耐えられるのはせいぜい3から6Gの加速に過ぎないことを示している。私たちのレースでは

4Gを車の加速の上限にすることにすると、デイトナにおける車の最高速度は時速240マイル（時速386キロメートル）程度だろう。このスピードでは、デイトナのコースを200周する私たちのレースは約2時間で終了することになるだろう――実際の車でここをこれまでに走った誰よりも速いことは間違いないが、それほど速くはない。

でも、ちょっと待って！　直線コースはどうなんだろう？　車はカーブのあいだは加速しているだろうが、直線コースでは惰性走行しているはずだ。私たちはそこを敢えて、直線コースで車をより高速に加速させ、直線の終わりに近づいたら元のスピードまで減速することもできる。その場合、速度は次のグラフのように変化するだろう。

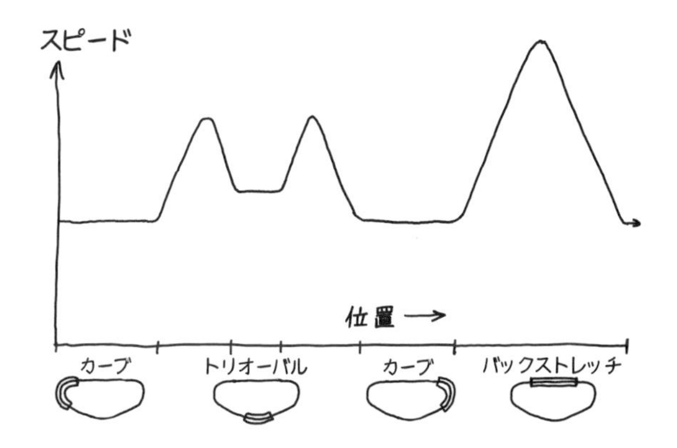

このようにコース上で速度を変化させる方法には、ドライバーが――コース上で巧妙に加減を繰り返す操作を行いながらだが――比較的一定の加速でレースの最初から最後まで走れるので、加速に耐えやすくなるかもしれないという更なる利点もある。

しかし、加速の方向が常に変化することには留意しないといけない。人間は、前方、つまり自分の胸の方への加速には最もよく耐える。ドライバーが通常前へと加速しているときと同じように。人体は、下向き、つまり足のほうへの加速に対して最も耐性が低い。これは、血液が頭のなかに集中してくるからである。

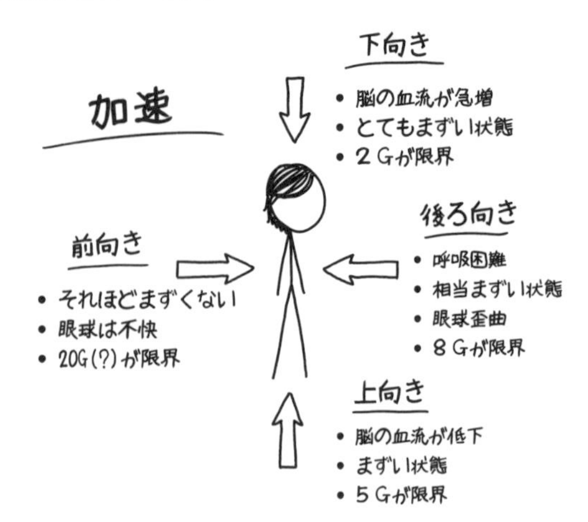

ドライバーを死なせないために、彼らをシートごと回転させて、常に背中を押し付けられている状態にしてやらなければならないだろう（だが、あまりに速く回転させすぎないよう注意が必要だ。さもないとシートの回転の遠心力*そのものが致命的になりかねない！）。

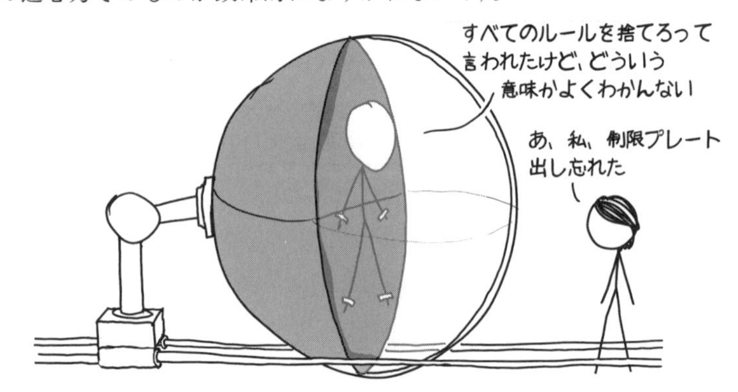

近年デイトナで最速のレーサーたちは200周走り終えるのに約３時間かかっている。４Gに制限されると、私たちのドライバーたちは１時間45分を少し切るくらいの時間で走り終えるだろう。制限を６Gに上げると、タイムは１時間20分に短縮される。10G――人間が長時間耐えられる上限を

＊　私は「遠心力」か「求心力」かという議論にはもううんざりしているので、妥協することにする。

はるかに超えている――でもなお1時間かかる（この場合、バックストレッチで音速の壁を破るという問題も出てくる）。

そのような次第で、怪しげで未検証の液体呼吸――酸素を添加した液体で肺を満たし、より高い加速度に耐えられるようにする方法――などの手段を除外すれば、人体は生物学的にデイトナの完走タイムの下限を1時間強に制約してしまうのだ。

「死んではならない」という必要条件を外したらどうなるだろう？　車はどれだけ速くコースを周回できるようになるだろう？

ケブラー（デュポン社が開発した強度と耐久性に優れた繊維）製のストラップでコースの中央に設置された旋回軸につながれた車を想像してみよう。バランスを取るために、反対側には釣合い重りがつながれているとする。これは言わば巨大な遠心分離機のようなものである。このセッティングには、私が大好きな奇妙な方程式を適用することができるのだ。それは、回転する円盤の周の最高速度は、それが作られている材質のある強度*の平方根を超えないという式だ。ケブラーのように強い材料の場合、この速度は秒速1から2キロメートルである。このような速度では、旋回軸の周囲を回転するカプセル状の車は、もしかすると約10分でレースを終えられるかもしれない――なかのドライバーは絶対に生きていないだろうが。

というわけで、遠心分離機のことは忘れてください。ボブスレーのコースのような、丈夫な滑り台を作って、その上でボールベアリングの玉（これが私たちの「車」だとする）を高速で滑らせたらどうだろう？　残念だが、先ほどの回転する円盤の方程式がここでも利いてくる――ベアリングの玉は秒速2、3キロメートルより速くは転がれない。もしもそれ以上の速さで回転したら、ばらばらになってしまうだろう。

転がす代わりに滑らせたらどうだろう？　滑らかなダイヤモンド製滑り台の上を滑っているダイヤモンドの立方体を思い浮かべよう。回転する必要はないので、回転するベアリング玉よりも大きな加速度に耐えられる可

＊（引張強度÷密度）（訳注：引張強度÷密度は比強度と呼ばれ、比強度が大きい材料ほど軽いわりに強度が高い。回転体の最高回転速度は材料の比強度で決定される）

能性がある。しかし、滑り下りるダイヤモンドキューブはベアリング玉の場合よりもかなり大きな摩擦を受けるはずで、ダイヤモンドは燃え出す恐れがある。

摩擦に打ち勝つため、カプセルを磁場で浮揚させ、さらに、加速と誘導が容易になるように、徐々にカプセルを小さく軽くしていくこともできるだろう。おっと——偶然ながら私たちは粒子加速器を作ってしまった。

粒子加速器はハンターの条件に正確には適合しないとしても、極端なサーキット・レースとの良い比較対象になる。大型ハドロン衝突型加速器（LHC）のビーム内部の粒子は、光速に非常に近い速度で周回する。その速度で、これらの粒子は500マイル（30周。１周27kmなので30周は810km≒500マイル）を2.7ミリ秒で終了する。

世界には1000カ所ほどの自動車レース用のコースがあると推測される。LHCのビームは、これらのすべてのコースで、一つひとつ順番に、デイトナ500レースに相当する距離を走行し終えるのに約２秒しかかからない。ドライバーたちは最初の１周を走り始めたばかりなのに。

そしてジェフ・ゴードンは相対論的な部分に
衝突したようです。
コースには中間子、エキゾチック粒子、
そしてさらに2、3の新たに生み出された
ドライバーが散らばっています。

（訳注：ジェフ・ゴードンは実在するナスカーの元名ドライバー）

そして、これが本当に可能な最高速度だ。

ちょっとヤバそうな質問集 #2

Q 真空ホースの先端を目に当てて、真空引きしたらどうなりますか？

——キティ・グリーア

Q 車の窓から腕を真っ直ぐ突き出して、郵便受けにパンチを食らわして支柱から完全に落とすことはできますか？　手を骨折せずにできますか？

——タイ・グウェナップ

Q 人間の歯が永遠に成長し続け、一旦成長し終えるたびに抜けて、それを人間が呑み込むのだとしたら、それで問題が起こるまでにどれくらいかかりますか？

——ヴァレン・M

この質問だけで、
すでに私は問題を
抱えているよ

Q 攻撃者から身を守るべき状況になりそうなとき、攻撃しそうな相手を圧倒するにはどれだけのエピネフリン（エピペンの）が必要ですか？

——ヘンリー・M

心配ないよ――
エピペンは
剣よりも強し

（訳注：エピペンはアナフィラキシー症状が出たときに使われる注射薬）

36章　真空管スマートフォン

私のスマホが真空管ベースでできていたならどうなりますか？　どのくらいのサイズになりますか？

——ジョニー

理論的には、トランジスタで作られたコンピュータはすべて真空管で作ることができ、その逆も言える。

トランジスタと真空管は同じ基本タスク——電気信号を受け取ったらスイッチを一方に入れ、受け取らなかったらもう一方に入れる——を行うために違うメカニズムを使っている。このスイッチでまた別の電気信号をコントロールし、別のスイッチたちに何をすべきかを教えるのに使うこともできる。このようなパーツを鎖のようにつないで、デジタル回路を作り、入力を受け、出力を生み出すための複雑な何組ものルールを作り出すことができる。

数学者のクロード・シャノンは1937年に書いた修士論文で、真空管を配置して任意の論理ステップの組合せを実装できることを示し、これがアラン・チューリングの万能コンピュータを実際の電子部品を使って作るための青写真となった。1960年代にはトランジスタが真空管に取って代わった。それは、トランジスタのほうがはるかに小さく、信頼性が高かったからだが、同じデジタル回路を、トランジスタでも真空管でも作ることはできる。

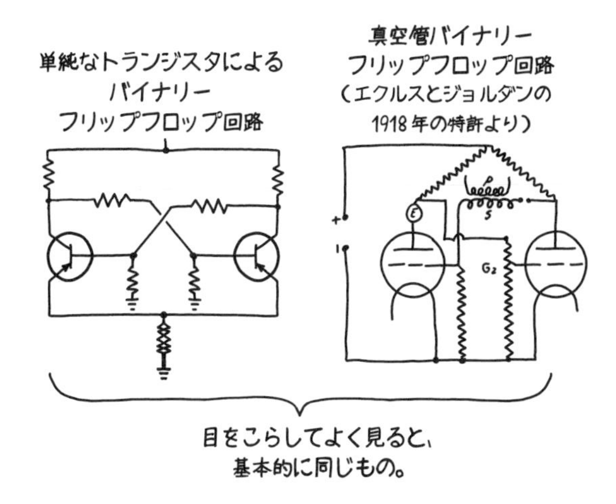

初期のコンピュータは、現代の基準からすれば非常に大きい。プログラミング可能な最初のコンピュータ、ENIACは、高さが人間の背丈ほどあり、30メートルの長さがあった。その数年後に完成した商用コンピュータのUNIVACは、よりコンパクトな立方体だったが、それでも１部屋分のサイズだった。

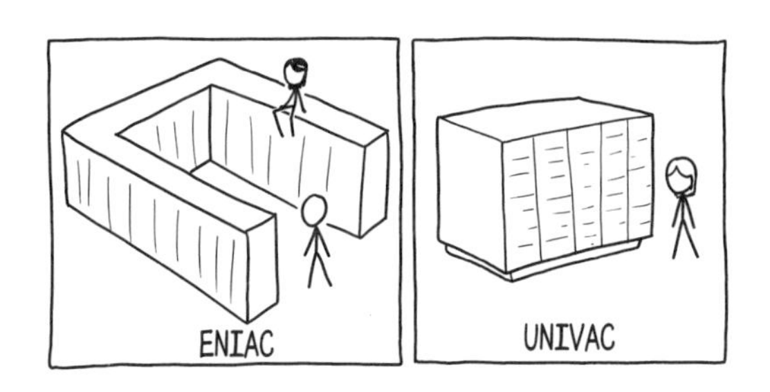

現代のスマートフォンはENIACやUNIVACよりも小さいが、これらの大きなコンピュータよりも**はるか**に多くのデジタル・スイッチを持っている。UNIVACの場合、5000個を上回る数の真空管が25立方メートルの筐体（きょうたい）のなかに詰め込まれている。iPhone 12は、80ミリリットルのケースに118億個のトランジスタが詰まっている。iPhone 12のほうがUNIVACよりも１リットルあたりのコンピュータの数が約１兆倍多いことになる。

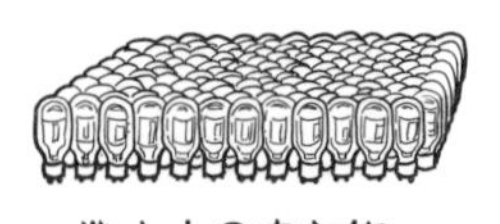

トランジスタの代わりに、真空管をUNIVACと同じ密度で詰め込んでiPhoneを作ったとしたら、その電話は、長い方の縁を下にして立てて置いたときに、街のブロック５つ分ほどの大きさになるだろう。

逆に、最初のUNIVACをiPhoneで使われているサイズの構成要素で作ったとすると、装置全体の高さは0.3ミリメートル以下になり、一粒の塩の内部に十分埋め込める小ささになる。

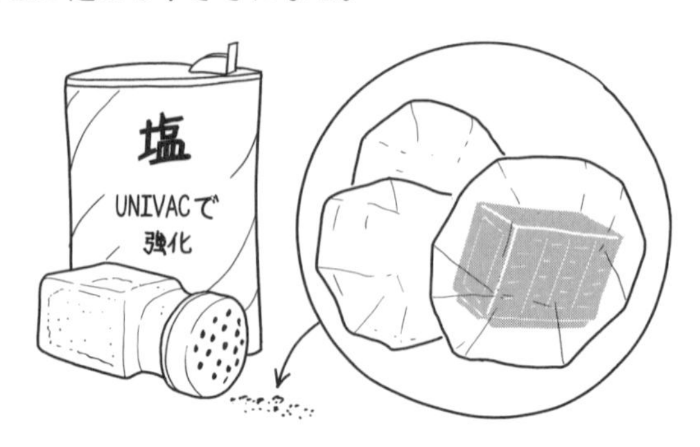

真空管そのものはそれほど場所をとらない。真空管スマートフォン（VacPhone）の他のすべての部分も現代の部品で作ったとしたら、全体をもっと小さくできる。最初期のコンピュータに使われていた真空管は7AK7で、サイドウォークチョーク（舗装された歩道の上に描くためのチョーク）１本ほどの大きさだ。118億本の7AK7をiPhoneの形に詰め込んだなら、それは街のブロック１つ分の大きさになるだろう。

これ、せめてポートレート・
モードで使えます？

あなたの電話にはいくつか問題があるだろう。１つには、動作があまり速くないはずだ。デジタル回路はステップを１つずつ実行するが、次のステップへの移行はクロックによって調整されている。クロックが速いほど、コンピュータは１秒間に多くのステップを実行できる。実のところ真空管は高速スイッチングはかなり得意なのだが、UNIVACはまだ２MHzクロックを使っていた。現代のコンピュータの約1000分の１の速さだ。

あなたの電話はとても大きいので、光の速度を考慮しないといけない。信号が端から端まで伝わるのに長い時間がかかるので、電話のいろいろな部分が同期しなくなるだろう。その電話が２MHzで動いていたとすると、一端のクロックがカチッと進んだとき、その信号は次にクロックがカチッとすすむ前に電話の他端に届くことはできない。

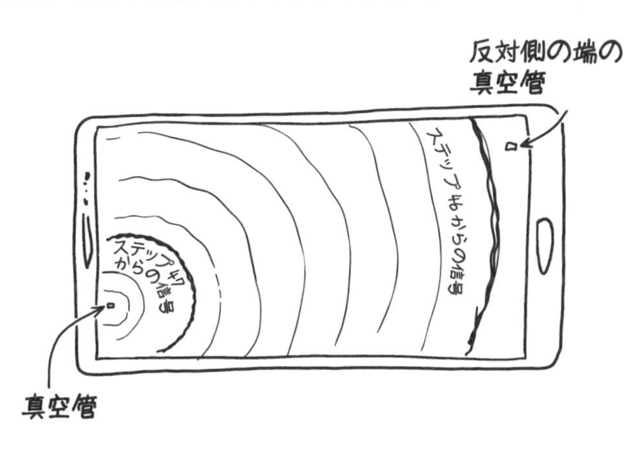

光の速度が遅いということは、あなたの電話のさまざまな要素ができるだけ並行して働くような配列を考えなければならないということだ。そうすることで、片側の端のコンピュータが、反対側の端のコンピュータの結果を待ち続けなければならないことは避けられるだろう。

ばかばかしく聞こえるかもしれないが、現代のコンピュータもこれとまったく同じ問題を抱えている。１つのチップが３GHzで動いていたとすると、光――と電気信号――は１回のクロックサイクルでコンピュータの端から端まで伝わることはできない。あなたのコンピュータのいろいろなパーツは同期が取れていない。２つの部分が素早くやり取りしなければならない場合、回路基盤設計者は両者を物理的に近いところに配置するほかない。そうやって、光速が遅いせいでやり取りが遅れるのを防ぐのだ。

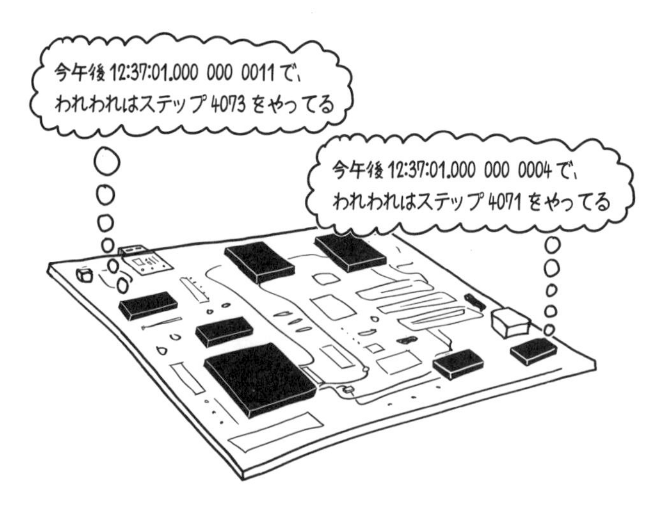

だが、あなたのVacPhoneの命運が尽きてしまうほんとうの原因は速さではない。それは電源だ。7AK7真空管は働いているあいだに数ワットの電力を消費するので、あなたのVacPhoneは合計10^{11}ワットに相当する熱を発生することになる。それでどのくらい熱くなるのだろう？　熱放射エネルギーに関するシュテファン＝ボルツマンの法則を使って、次のように見積もることができる。

電話の表面積　電話の温度　環境温度　物理定数と係数

$$\text{放射エネルギー} = A \times \left(T_{\text{電話}}^{4} - T_{\text{環境}}^{4} \right) \times \varepsilon\sigma$$

$$T_{\text{電話}} = \sqrt[4]{\frac{\text{エネルギー}}{A_{\text{表面}} \times \varepsilon\sigma} + \left(T_{\text{環境}}\right)^4} = \sqrt[4]{\frac{10^{11}\text{ワット}}{100{,}000\text{m}^2 \times \varepsilon\sigma} + (20^\circ\text{C})^4}$$

$$T_{\text{電話}} = 1{,}780^\circ\text{C}$$

たとえあなたの電話があり得ないほど丈夫で壊れないとしても、世界はそうではない。1780℃の温度は花崗岩の融点よりも高いので、あなたがその電話を落としたら、電話は地面を溶かしながらどんどん沈んでいき、地殻を突き抜けるだろう。

保護ケースの使用をおすすめします。

37章　レーザーの傘

雨に濡れないように、あるいは何かを守るために傘やテントを使うのはつまらないと思います。やってくる雨粒一つひとつを狙ってレーザーを当てて、地面から10フィート（約３メートル）以内に入る前に蒸発させるってのはどうですか？

——ザッハ

レーザーで雨を止めるというのは、完全に理に適っているように思える類のアイデアの１つだが、もしもあなたが——

ノー。理に適ってなんかない

レーザーの傘というアイデアは魅力的かもしれないが、それは——

魅力的なんかじゃないよ

わかりました。でも、今私たちは、レーザーで雨を止めるというアイデアを考えてるんです。

それはあまり実際的な考え方ではない。

まず、基本的なエネルギー必要量を考えてみよう。１リットルの水を蒸発させるには約2.6メガジュール*が必要で、やや強めの雨では１時間に0.5インチ（約12.7ミリ）ほどの雨が降る。これは簡単な計算で答えがわかる類の問題だ——１リットルあたり2.6メガジュールという数値に１時間あたりの降水量を掛け合わせるだけで、レーザーの傘に必要な電力を、傘で覆われる面積の１平方メートルあたりのワット値として得ることができる。

$$2.6\,\frac{\text{メガジュール}}{\text{リットル}}\times 0.5\,\frac{\text{インチ}}{\text{時間}}=9200\,\frac{\text{ワット}}{\text{メートル}^2}$$

９キロワット毎平方メートルは、その面積に日光が運ぶエネルギーよりほぼ１桁大きいので、あなたの周囲はかなりのペースで熱くなるだろう。実質的に、あなたは自分の周囲に蒸気の雲を生み出して、そこにレーザーのエネルギーをどんどん注ぎ込むことになる。

言い換えれば、あなたは人間と同じくらいの大きさのオートクレーブ（高圧蒸気滅菌器）、すなわち、物体内の有機物を焼却することによってその物体を滅菌する装置を作っているのだ。「物体内の有機物を焼却する」というのは、傘としては良くない特徴だ。

---

*　水が冷たいと、もっとエネルギーが必要だが、それほどは違わない。水を沸点寸前まで暖めるのに必要なのは2.6メガジュールの一部に過ぎない。その大半は100℃の水から100℃の水蒸気へ、境界を越えるのに使われる。

だが、じつはそれよりなお悪い！　レーザーで水滴を蒸発させるのは、思った以上に複雑なのだ*。水滴を、より小さな多数の水滴に散らばらせることなく蒸発させるには、大量のエネルギーを素早く提供しなければならない。水滴をきれいに気化するには、ここまでのあいだに考えた、すでに理不尽な量を超えたエネルギーよりも大量のエネルギーが必要になる可能性が高いだろう。

そしてさらに、狙う（的を絞る）という問題がある。おそらく理論的には解決可能だろう。大気による乱れを打ち消すために天体望遠鏡の反射鏡を迅速に調整するのに使われる補償光学の技術は、光線を驚くほど高速で正確にコントロールするのにも使える可能性がある。100平方メートルの面積（この面積はザッハからの手紙の、ここに抜粋しなかった部分にも記されていた）をカバーするには、毎秒50000パルス程度が必要になるだろう。これは、相対性理論が直接問題になるほど速くはないが、装置は――少なくとも――レーザーポインターを旋回する台にただ取り付けるだけというよりははるかに複雑でなければならないだろう。

雨粒を狙うことは完全に忘れて、ランダムな方向にレーザーを発射するだけにしたほうが簡単なようだ**。レーザーをでたらめな方向に一発発射したら、それが水滴に当たるまでにどれだけの距離進むだろう？　この問いに答えるのは至極簡単だ。それは、雨のなかでどこまで遠くが見えますか？　と尋ねるのと同じで、その答えは、せいぜい数百メートルである。あなたがご近所全体を雨から守ろうとしているのでない限り、強力なレーザーをランダムな方向に発射しまくるのは、あまり意味がないだろう。

そして、率直に言って、もしもあなたがご近所全体を守ろうとしているのなら……

＊　そして正直なところ、それは非常に複雑に聞こえる。

＊＊　実際、このやり方で解決できない問題なんてないでしょう？

……強力なレーザーをランダムな方向に発射しまくるのは、絶対にまずい。

38章　雲を食べる

1人の人間が、雲を丸々1つ食べられますか？

——タク

無理です、まず雲から空気を絞りださない限り。

雲は水でできているが、水は食べられる。と言うより、飲める、かな。じつのところ私は、食べると飲むの境目が今もってわからない。

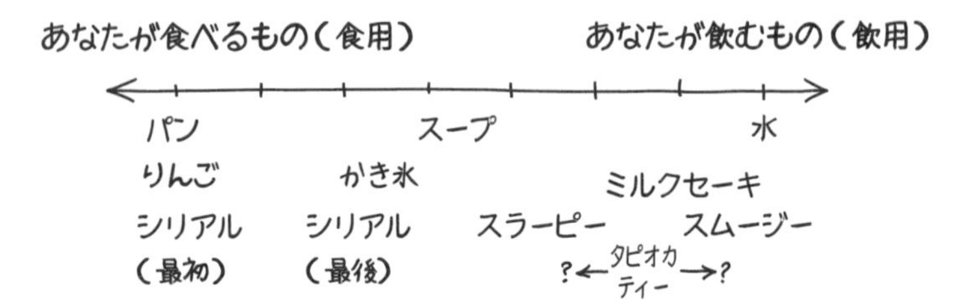

雲には空気も含まれている。普通私たちは、空気を食べ物の一部とは考えない。というのも、空気は噛むたびに、あるいは——ときどき——呑み込んだ直後に口から逃げていくからだ。

雲を少量口に入れて、それに含まれる水を呑み込むことは確かにできるだろう。問題は、空気を逃がしてやらないといけないことだ――しかし、あなたの体内にしばらく入っていた空気は、多量の水分を吸収しているだろう。その空気が口から外に逃げるとき、冷たくて雲ができやすいような外気に触れると、なかに含まれている水分が凝縮する。言い換えれば、雲を食べようとすると、食べる速さを上回るペースでゲップが出て、食べた以上の雲を吐き出してしまうのである。

しかし、水滴を集めることができれば――雲を細かいメッシュに通過させて空気を絞りだすか、水滴をイオン化して、帯電させたワイヤーで集めるなどの方法で――、小さな雲なら間違いなく食べられるだろう。

家ぐらいのサイズのむくむくした積雲は約1リットルの水、言い換えれば大きなグラス2、3杯分の水を含んでいるが、これは人間の胃袋が一度に入れることのできる容積とほぼ一致する。大きな雲を食べることはできないが、通過するときに1、2秒太陽を遮る、小さな家ぐらいのサイズの雲なら、間違いなく食べることができるだろう。

雲1つというのは、大体、あなたが一度に食べられる最大のものだ。雲以上にふわっと膨れていて、密度が低いものはそう多くはないだろう。ホイップクリームはかなりふわっとして見えるが、密度は水の15パーセントなので*、1ガロンのホイップクリームは約1ポンドの重さがある。やがてかなりの空気が抜け去ることを考慮に入れても、小さなバケツ1杯分以上は食べられないはずだ。雲に最も似た食べ物の1つ、綿菓子は、非常に密度が低い――水の密度の約5パーセントだ――ので、理屈の上では一度に約1立方フィート（約0.028立方メートル、一辺が30センチ程度の立方体の体積）の綿菓子を食べることができる。それは必ずしも健康に良いわけではないが、可能だろう。だが、綿菓子を食べて一生過ごすとしても、家くらいのサイズの綿菓子を食べ尽くすことはできないだろう、とりわけ、綿菓子しか食べない食生活は、寿命に影響を及ぼすだろうから。

超軽量の食べられる物質としては、ほかに雪、メレンゲ、そして袋入りポテトチップスがあるが、一度に食べられる最大量は、どれも約1立方フィートだろう。

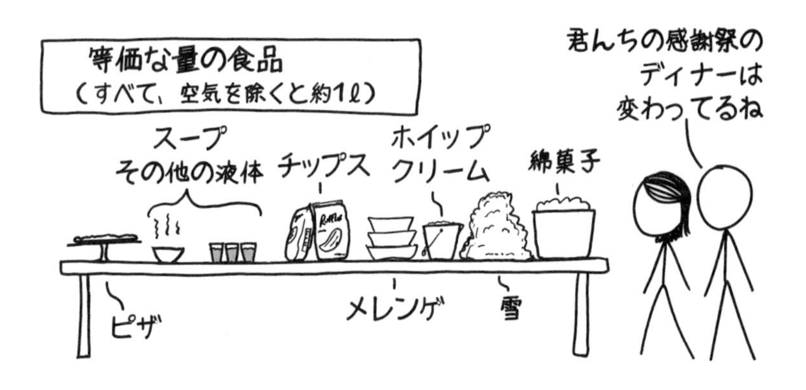

＊ 出典：ポッドキャスト「歴史の授業で習わなかったこと（Stuff You Missed in History Class）」の司会者トレイシー・V・ウィルソンは、私がこの質問を受け取ったときに、たまたま料理用のはかりと缶入りホイップクリームを手元に持っていた。

そのようなわけで、もしもあなたが雲を食べたいなら、多少作業が必要になるが、成功したなら、あなたは自分が食べ得る最大のものを食べたわけなので、満足できるに違いない。

雲

栄養成分表示

1人用の分量：雲1つ
空の供給量：無数

総カロリー：0

	1日分の成分比*
総脂質：0g	0%
飽和死亡：0g	0%
トランス脂肪：0g	0%
コレステロール：0g	0%
ナトリウム：0g	0%
総炭水化物：0g	0%
食物繊維：0g	0%
糖類：0g	0%
タンパク質：	たまに数匹の虫

カルシウム：0%	鉄：0%*
マグネシウム：0%	亜鉛：0%

＊ 鉄の値は、4章の家の風下に住んでいる場合はこれより高い可能性あり

雲は再利用可能なボトルで保存することを忘れずに。そうすれば、そんなにたくさんプラスチックを捨てる必要はありません！

うわっ、そういうものって、環境にめっちゃ良くないんだよ。
わかってる、わかってる……

39章　背が高い人の日没

身長が違う２人（159cmと206cm）が並んで立って、日没を見ているとします。背が高い人は、背が低い人よりもどれだけ長く太陽を見ていられますか？

――ラスムス・ブンデ・ニールセン

丸１秒以上長く見ていられる！

背が高い人ほど太陽は遅く沈む。なぜなら、背が高いほど、地平線（水平線）の向こう側を遠くまで覗（のぞ）くことができるからだ。

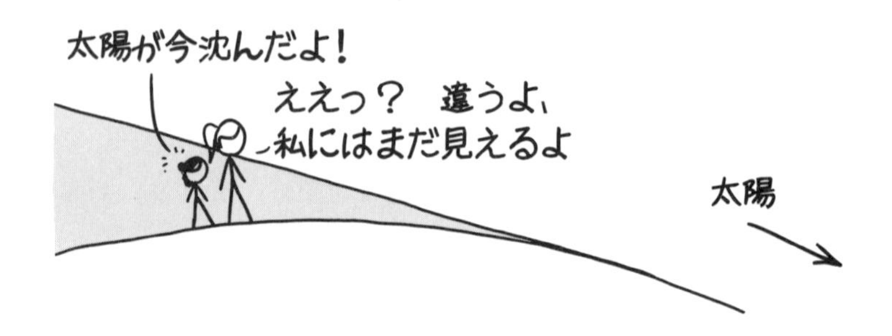

太陽が今沈んだよ！
ええっ？　違うよ、
私にはまだ見えるよ
太陽

背が高い人は、日没が遅いほかに日の出が早く、そのため概して１日が長い。あなたが赤道近くの海水面の高さにいたとすると、身長が2.5センチ高くなるごとに、１年あたり１分近く日中の時間が長くなり、緯度が高いほど、日中の時間の長さの差は大きくなる。海抜30メートルではこの効果は小さくなるが、身長が2.5センチ高くなるごとに、少なくとも年間10秒日中の時間が長くなる。

その一方で、背が高い人は風のより強い部分が当たり、階段を上っているときに頭をぶつけやすく、歩いていて蜘蛛の巣にひっかかることが多く、たまたま罠が仕掛けられた廃寺に迷い込んで、揺れる巨大鋸刃が命中して首を刎ねられる可能性がより高い（これが起こる確率が正確にどのくらいかは私にはわからないが、身長と共に高くなるはずだというのはわかる）。

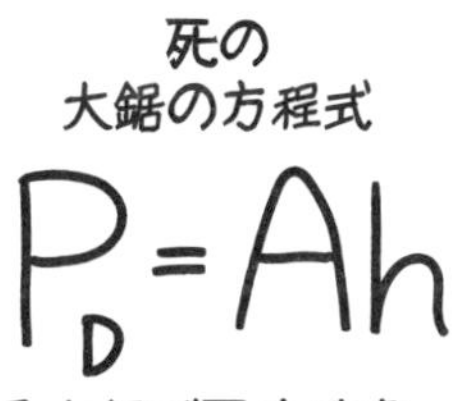

P_D＝揺れる大鋸で死ぬ確率
h＝身長
A＝未知の定数

あなたが海抜0メートルに近い、水平線または地平線がよく見える場所にいるなら、この高さの効果を使って、日の出または日没を2度続けて見ることができる。必要なものは、素早く上り下りができる、階段、はしご、あるいは丘だけだ。

これは、日没よりも日の出のほうがやりやすい。というのも、階段を素早く上るのは、下りるよりも大変だからだ。ただし、日の出を見るには早起きが必要になる。

しかし、あなたの目的ができるだけ長い時間日差しを浴びることなら、早起きはそれ自体が報酬かもしれない。あなたが海抜０メートルに近いところに住んでいて、いつも遅くまで寝ているなら、毎日10秒早く起きることによって、昼間の長さが長くなる――身長が６メートル伸びたことに相当する変化だ。

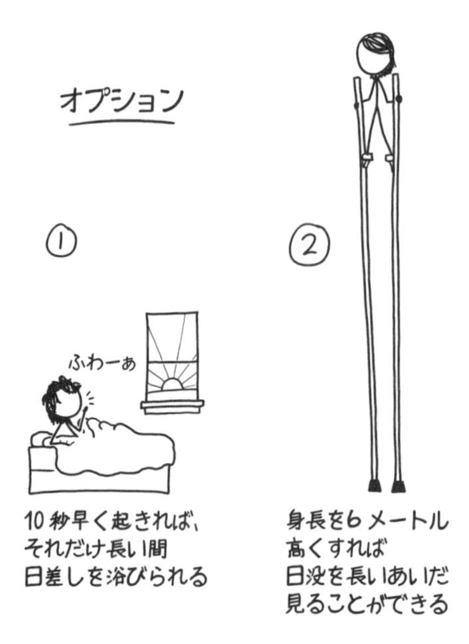

オプション
①
ふわーぁ
10秒早く起きれば、
それだけ長い間
日差しを浴びられる
②
身長を6メートル
高くすれば
日没を長いあいだ
見ることができる

40章　ラバライト

本物の溶岩（ラバ）でラバライトを作ったらどうなりますか？透明な媒体液として何を使えばいいですか？見るときにはどこまで近づくことができますか？

——キャシー・ジョンストン、6年生を教える教師（生徒が代わって投稿）

これは、『ホワット・イフ？』の基準からすると、驚くほど理に適ったアイデアだ。

つまり、それほど理に適ってはいないという意味だ。少なくとも、あなたは教員免許と、もしかしたら最前列の生徒数名を失うのではないかと思う。しかし、実行は可能だ。

一体どうして生徒に
湯気とガラスの破片と溶岩を
浴びせたんだい!?

子どもたちを教えるには、
先生はこわいって思わせなきゃ

爆発して教室の半分に赤熱したしぶきが飛び散る心配なしに溶岩を入れておける透明な物質としては、いくつか選択肢がある。最適なのは石英ガラスだろう。表面温度が中程度の溶岩の温度まですぐに上がってしまう、高輝度電球に使われるのと同じ材料だ*。もう1つ使えるかもしれないのがサファイアで、これは2000℃まで固体の状態を維持し、高温チャンバーの窓として広く使われている。

透明な媒体液として何を使うかという問題のほうが難しい。たとえば、低温で融解する透明なガラスが発見されたとしよう。高温の溶岩に含まれる、ガラス容器を曇らせる恐れがある不純物のことは無視するにしても、このガラスを使おうとするとある問題が生じるだろう**。

溶融ガラスは透明だ。なのにどうして透明に見えないのだろう***? 答えは簡単である。それが熱放射で輝くからだ。高温の物体は黒体放射を発する。溶融ガラスも溶岩と同じように、同じ理由で輝く。

そのようなわけで、溶岩ラバライトが抱える問題とは、溶岩と媒体液の両方とも同じくらい明るくなるので、溶岩を見るのは難しくなるというこ

---

* ステージ照明用の一部の電球は、1000℃までの温度に対処できると謳っているが、多くの種類の溶岩はこれより低温だ。

** さらに、後になって教育委員会がこのことを知ったときに、また別の問題が生じる。

*** これはちょっと矛盾しているように聞こえる。「この音楽はうるさいが、うるさくは聞こえない」というのと同じように。

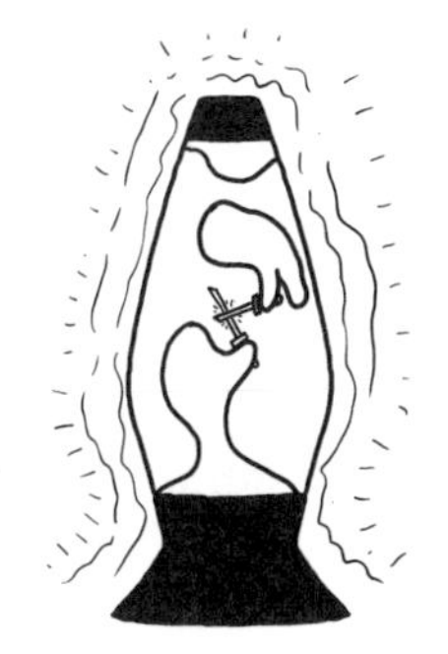

となのだ。ライトの上半分には何も入れないようにすることはできるかもしれない——だが結局、十分高温なら、溶岩は自ら泡立つ。したがって残念ながら、ライトの本体も溶岩と接触してしまうはずだ。サファイアなら簡単には溶融しないかもしれないが、サファイアにしても輝くので、内部の溶岩がどうなっているかを見るのはやはり難しいだろう。

非常に明るい電球を取り付けないかぎり、このラバライトはすぐに冷えてしまう。床の上に落ちて散らばった溶岩の塊と同じように、最初の１分間のうちにライトは固まって、授業時間が終わるまでには、火傷せずに触れることができるようになるだろう。

固まったラバライトは、世界で最も退屈なものと言ってもいい。だが、溶岩でライトを作るのが大して面白くないなら、ライトで火山を作るのはどうだろう？

これはおそらく、私が今までにやった最も役に立たない計算だろうが、*しかし……セントヘレナ島が今日再び噴火して、テフラ**の代わりにコンパ

＊　はいはい、それが真実であるわけありません。

＊＊　テフラとは、「火山から噴出されるあらゆるもの」を意味する専門用語。

クト蛍光灯を噴き出したとしたらどうなるだろう？

そんなことになったら、人間が環境中に放出する水銀の総量*を数桁上回る水銀が大気中に放出されるだろう。

この言葉（訳注：「知れば知るほど」の意で、これをタイトルとするアメリカの公共広告シリーズが存在する）の続きとして一体何が想定されているのかまったくわからないところが面白い。「知れば知るほど……」……何なのだろう？　幸せになる？　教養人になる？　命にかかわるトリビア・コンテストで生き残る確率が上がる？　私がこのシリーズをやっていたなら、タイトルは「もうわかったでしょ」に変更するだろう。

結局のところ、ラバライトを溶岩で作っても、期待外れだろう。それに、セントヘレナ島がコンパクト蛍光灯を噴出しなかったのはきっとよかったのだと思う。そして、私がジョンストン先生のクラスの生徒だったら、できるだけ教室の後ろに座りたいね。

＊　その45パーセントは金の採掘が原因。

41章　シーシュポス的冷蔵庫

冷蔵庫または冷凍庫を持っている人が全員、戸外でそれらを一斉に開けるとします。それだけの量の冷気を一気に放出したら、気温ははっきりわかるほど変化するでしょうか？　そうでないなら、たとえば気温を華氏５度（摂氏約３度）下げるには、何台の冷蔵庫が必要ですか？　それよりさらに気温を下げるとしたらどうでしょう？

――ニコラス・ミッティカ

冷蔵庫は周囲を冷やすのではなく、暖める。

冷蔵庫は、内部の熱を外部に排出することによって機能する。内部が冷えるほど、外部は熱くなる。冷蔵庫の扉を開けると、冷蔵庫は前からやってくる熱を吸い上げて、冷却コイルを使ってその熱を空気中に排出しようと果てしなく努力し続けるだろう。なぜなら、排出した熱い空気がまた戻ってくるだけだからだ。そうなったら、冷蔵庫はまた一から冷却作業を始めなければならない。永遠に巨岩を山頂に運ぼうと努力し続けるシーシュポスのように（シーシュポスはギリシア神話の登場人物。ゼウスの怒りを買い、地獄で大石を山頂まで運ぶ罰を受ける。大石は頂上にたどり着く寸前で必ず再び落ち、シーシュポスの努力は終わることがない）。

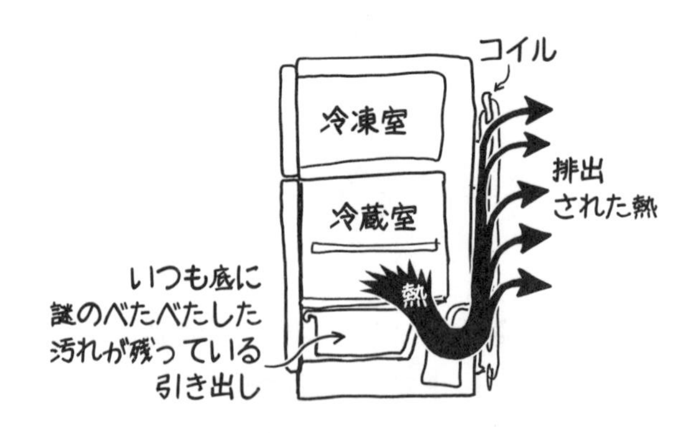

これだけの熱をあちこちに動かすために、冷蔵庫は電力を消費するが、それによってさらに熱を生み出す。冷蔵庫の扉を開けっ放しにしたときのように、コンプレッサーを最高出力で働かせている冷蔵庫は、150ワット程度の電力を消費するだろう。そのため、意味もなく内部から背面のコイルへと移動させた熱に加えて、さらに150ワットに相当する熱が周囲の環境に捨てられることになるだろう。

この追加の、冷蔵庫１台あたり150ワットの熱は、理屈の上では地球の平均気温を上げるだろうが、ほんの少しだけだ。今現在、２、３億戸の家庭が冷蔵庫を持っているだろうが、世界の80億人の一人ひとりが冷蔵庫を

1台持っており、全員が冷蔵庫を戸外で1日24時間、週7日間稼働させたとしても、地球の気温は摂氏1度の千分の一以下しか上昇しないだろうし、この程度の変化は小さすぎてとても観測できない。

しかし、冷蔵庫が直接捨てる熱は無視できるとしても、結局これらの冷蔵庫は実際に地球の温度を上げるだろう。私たちの家庭の電気の多くは化石燃料の燃焼に由来する。この80億台の戸外の冷蔵庫の電力が、2022年のアメリカにおける各種電力源の比率と同様の電力源から供給されると仮定すると、これらの冷蔵庫によって、毎年約60億トンのCO_2が大気中に放出されることになる。これは、世界の排出量の約15パーセントに当たる。

冷蔵庫が21世紀の終わりまでこれだけの排出を続けたなら、人間によるほかのすべての原因による温暖化に加えて、さらに0.3℃地球温暖化が進むだろうと、さまざまな気候モデルから推定される。

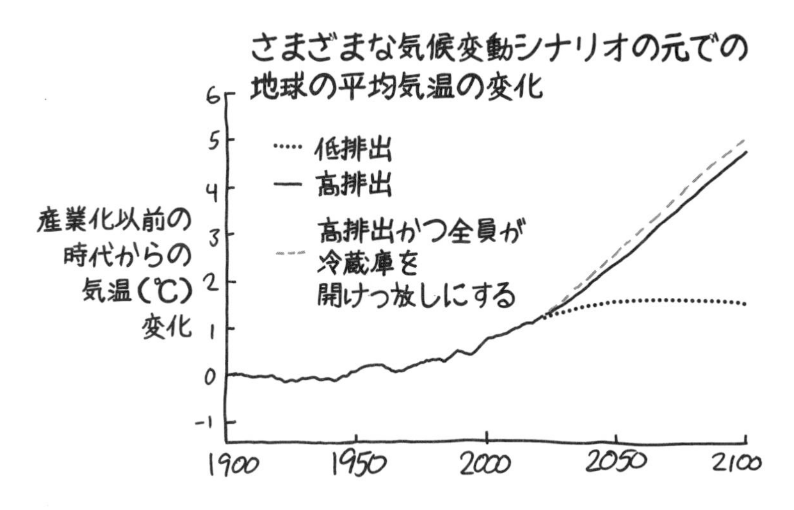

これは、他の無意味な仕事に比べてどうなのだろう？　ギリシア神話によれば、シーシュポスは巨岩を山頂まで上げる作業を永遠に続けているという。ホメロスによる『オデュッセイア』の記述によると、彼がかなり懸命に働いていたことは明らかだ。

　また巨大な岩を両の手で押し上げつつ、無残な責苦に遭っているシシュポスの姿も見た。岩に手をかけ足を踏ん張って、岩を小山の頂上めがけて押し上げてゆく。しかし漸くにして頂上を越えんとする時、重みが岩を押し戻し、無情の岩は再び平地へ転げ落ちる。彼は力をふりしぼって再び岩を押すが、その全身から汗が流れ落ち、頭の辺りから砂埃が舞い上る。

――『オデュッセイア（上）』（松平千秋訳、岩波書店）より

　ウルトラマラソンの走者たちのデータから、人間が長い時間耐久を強いられる状況で行える仕事量の上限は、人間の安静代謝量の2.5倍だとわかる。シーシュポスのカロリー摂取量の合理的な推定値を得るにはそもそもどうすべきかすら私にはわからないが、彼が相当な運動をしているのは間違いないので、筋骨隆々としたボディで有名な元レスラーの俳優、ドウェイン・ジョンソンに代わりをやってもらおう。私はジョンソンの身長と体重を調べ、それを安静代謝計算ソフトに入力することによって、2150キロカロリー／日、つまり105ワットという推定値を得た。

	コリントスのシーシュポス	ドウェイン・ジョンソン
怪力	イエス	イエス
彼が何度も死にそうになる物語で有名	イエス（シーシュポスの神話）	イエス（『ワイルド・スピード』シリーズ）
かつて神の座にあった	イエス（冥界のタナトス）	イエス（映画『モアナと伝説の海』のマウイ）
身長と体重をグーグルですぐ探せる	ノー	イエス

シーシュポスの代謝率を105ワットとすると、彼の長期的出力の最大値は260ワット、つまり、開けっ放しの冷蔵庫より少し多い程度と推定される。

そのようなわけで、あなたがこれといった理由もなく庭に無意味な物体を置いて、いつまでもエネルギーを浪費させ続けたいなら、冷蔵庫をコンセントにつなぐより、シーシュポスに巨岩を山頂まで運ばせるほうがいいだろう。そうすれば、動力は再生可能なエネルギー源（冥界の神ハーデースの尽きることなき怒り）から供給されるので、電気代が節約できるし、気候変動への影響も無視できるだろう。

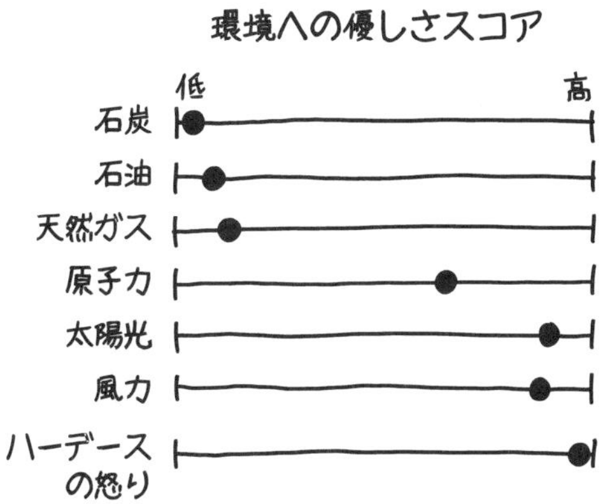

環境への優しさスコア

低
高
石炭
石油
天然ガス
原子力
太陽光
風力
ハーデースの怒り

シーシュポスに来てもらえないなら、代わりにドウェイン・ジョンソンがその役を引き受けてくれるかもしれないですよ。

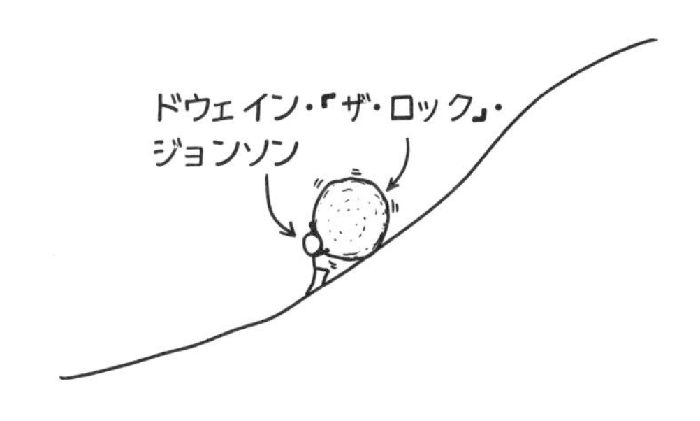

42章　血中アルコール

酔っぱらった人の血を飲んで、酔っぱらってしまうことはありますか？

——フィン・バーン

人間には約５リットル、つまりコップ14杯分の血液が流れている。

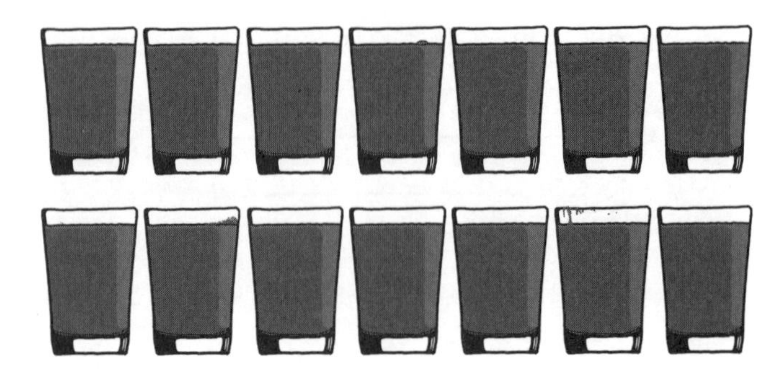

毎日コップ８杯の血を飲むのを忘れずに。

人間は血液のアルコール濃度が約0.5パーセントを超えると、死ぬ可能性がかなり高い。アルコールの血中濃度が１パーセントを超えながら命を取り留めた人がこれまでに数人存在するが、LD_{50}——50パーセントの人が死ぬレベル（日本語では半数致死量または50パーセント致死量と呼ぶ）——は0.40（0.4パーセント）だ。

血中アルコール濃度（BAC）0.40の人がいて、その人の血液コップ14杯分すべてを短時間のうちに飲んだ[*]とすると、あなたは嘔吐するだろう。

5リットルの血液を吐き出している人の
絵は描きたくありません。

そこで、代わりにリスを描きました。

あなたが嘔吐するのはアルコールのせいではない。血液を飲んだから吐いただけだ。嘔吐するのを何とか我慢できたなら、あなたは合計20グラムのエタノールを摂取したことになる。ビール500ミリリットルから摂取するエタノールの量と同じだ。

体重にもよるが、それだけの量の血液を飲むと、あなた自身の血中アルコール濃度が約0.05まで上がる恐れがある。これは、アメリカの多くの地区で合法的に車の運転ができる低濃度だが、実際に運転したなら、事故に遭うリスクは2倍になるレベルだ。

あなたのBACが0.05だったなら、他人の血液に含まれていたアルコールのたったの8分の1しか体内には入ってこなかったということになる。あなたがこれだけの血液をすべて飲み干した後に、だれかがあなたを殺して、あなたの血液[**]を飲んだとすると、その人のBACは約0.006になるだろう。

＊　あなたが誰かの血液をすべて飲んだとしたら、その誰かが死ぬ確率は100パーセントだ。
＊＊　それが公平というものだろう。

このプロセスが約25回繰り返されたなら、最後の人の血液には、エタノールが８分子以下しか残っていないだろう。さらに２、３回このプロセスを繰り返せば、エタノールは完全になくなる可能性が高く[*]、それ以降は普通の血液を飲んでいるだけになる[**]。

アルコールが含まれていようがいまいが、コップ14杯分の血液を飲むのは楽しくはないだろう。これをテーマにした医学研究はあまり多くないが、非常に注意すべき類のインターネット・フォーラムに寄せられている投稿から得られる事例証拠によると、500ミリリットル以上の血を飲もうとする普通の人間はすべて、嘔吐するようだ。このイラストからわかるとおりだ。

血液をしょっちゅう飲んでいると、長年のあいだに体内に鉄分が蓄積し、鉄過剰症を起こす恐れがある。輸血を何度も繰り返した人に現れることがあるこの病気は、瀉血が正しい治療として使われる数少ない疾患の１つだ。

１人の人間の血液を飲んでも、鉄過剰症を起こすことはおそらくないだろう。それだけの血液を飲んであなたが罹るとすれば、それは血液感染による病気だ。血液感染症の大半は、胃のなかでは生き延びられないが、血液を飲むときに、口のなかや喉にできた引っかき傷から血液のなかにたやすく入り込んでしまうウイルスが原因だ。

感染者の血液を飲むことにより自分も感染し得る病気には、B型・C型肝炎、HIV、そしてハンタウイルスやエボラなどのウイルス性出血熱がある。私は医者ではないので、本書で医学的なアドバイスを提供するつもりはない。しかし、ウイルス性出血熱の感染者の血液は飲むべきではないと自信を持って言おう。

＊　ホメオパシーの基準からすれば、これでもまだ相当高濃度だ。
＊＊　ルーザー・ドリンクのゲームで負けた人のように。

やってはならないことリスト（最新版）

#156818　地球の地殻をはぎとる
#156819　サハラ砂漠に手作業でペンキを塗ろうとする
#156820　無断で誰かの骨を抜く
#156821　自国の政府予算の100%をモバイルゲームのアプリ内購入に充てる
#156822　ラバライトに本物の溶岩（英語でラバ）を入れる
#156823　（新着！）ウイルス性出血熱の感染者の血液を飲む

とはいえ、血液を飲んだり食べたりするという話はないわけではない。多くの文化においてはタブーだが、牛の血液を固めた「ブラッドソーセージ」は伝統的なイギリス料理だし、それに類似した料理は世界中に存在する。東アフリカの遊牧民、マサイ族は、かつては牛乳を主食としていたが、ときには血液も飲んだ。牛から取った血液を牛乳に混ぜて、一種の究極のプロテイン・シェイクを作ったのだ。

そのような次第で、結論は、誰かの血液を飲んで酔っぱらうのは非常に難しいだろうし、きっと非常に不快だろうし、重病に罹るおそれもある、ということだ。相手がどれだけ酔っぱらっていたかには無関係だ——血液そのもののせいで、あなたの体はひどい目に遭うだろう。血中のアルコールが何か影響を及ぼすずっと前に。

ねえねえ、
ガロンチャレンジって
知ってる？ やってみようよ、
これで——
——やんないよ

（訳注：ガロンチャレンジは、1ガロン〔約4リットル〕の牛乳を吐き出すことなく1時間以内に飲み終えるというゲーム）

43章　地球バスケットボール

バスケットボールを指先の上でスピンさせるとき、ボールの側面を反対側の手でたたいて、回転を速めバランスを取るのは知っていますよね？　もしも隕石が地球に十分近いところを通過したなら、手がバスケットボールにするのと同じように、この隕石が地球の自転を速めることがあり得ますか？

——ゼイン・フレッシュリー

あり得ます！

そんなことうまくいくわけないだろうと思えるけれど、じつは本当にその通りになるという類のことがたまにある。これはその一例だ。

隕石が地球に落下する、あるいは地球をかすめるように大気中を飛んでいくとき、それは地球の自転を変えてしまう。

隕石は普通、大気に突入するときに完璧に垂直に落ちたりしない。正確に垂直に狙いでもしない限り、隕石はある角度で大気に突入し、その結果地球に対してどちらかの向きに少しスピンをかける。隕石は、東向きに突入したなら地球の自転を加速させ、西向きに突入したなら地球の自転を減速させるだろう。

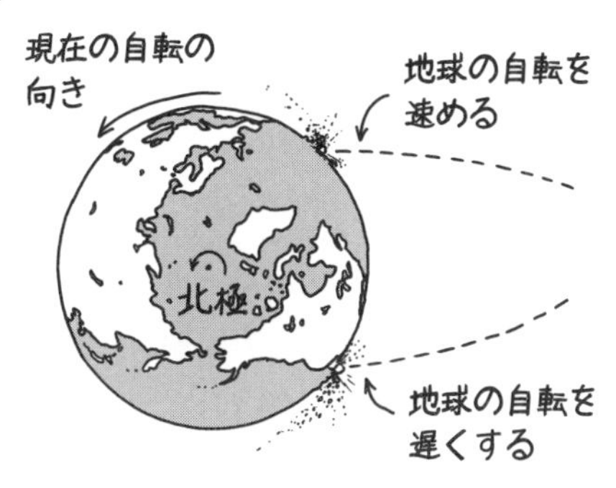

宇宙を飛んでいて地球の傍をただ通り過ぎるだけの隕石は、明らかな差が出るほどには地球の自転に影響しない。影響するには、地球と物理的に接触しなければならない。とはいえ、実際に地面まで到達する必要はない。隕石が上空で燃えたとしても、その残骸が大気を強く押し、その動く大気の一部による空気抵抗が、最終的に地面にまで及ぶ。

隕石が大気を通過して宇宙に戻る場合でも、それが大気中で失う運動量の多くが最終的には地球の自転に影響を及ぼすことになる。そのように地球をかすめていく隕石は稀だが、1972年にそんな１つがアメリカとカナダの上空で大気をかすめて通りすぎたことがあるし、ほかにもいくつもの隕石が天体観測者、自動望遠鏡、そしてレーダーによって確認されている。

地球は大きい[要出典]ので、壊滅的な被害が出るような隕石落下でさえも、１日の長さを大きく変える可能性は低い。恐竜を絶滅させたチクシュルーブの隕石落下では、直径100キロメートルのクレーターが残ったものの、１日の長さは、せいぜい２、３ミリ秒長くなったくらいのものだろう。大抵の目的にとって、2、3ミリ秒の変化は気づくほどのものではないが、地球の自転によって決まる時間と、原子時計によって決まる時間がずれてしまうのを防ぐために毎年うるう秒を加えねばならないような変化ではある。

衛星や惑星と同じくらいの大きさのものが地球に衝突したなら、それは1日の長さを極端に変える可能性がある。しかも、それよりはるかに大きな破壊を起こしたうえで。月ができたのは、まだ形成されつつあったころの地球に火星ほどの大きさの天体が衝突した結果だと考えられている。その衝突はおそらく1日の長さを大きく変えただろう。ある意味、それは1カ月の長さも、一層大きく変えただろう……

史上初の
月めくりカレンダー

……月という時間単位を初めてもたらすことによって。

44章　クモ VS. 太陽

太陽とクモのどちらのほうが、私に及ぼす引力が大きいですか？　確かに、太陽のほうがずっと大きいですが、太陽はずっと遠くにありますし、高校の物理で習ったように、引力は距離の二乗に反比例しますよね。

――マリーナ・フレミング

文字通りの意味では、この質問はまったく理に適っているが、質問を言い換えると、意味をなさない文章を簡単に作ることができる。

太陽が大きいのにまさるぐらい、
クモがずっと近くにいるなんてことある？
何だって？

1匹(ぴき)のクモが及ぼす引力は、その体重がどんなに重くとも、太陽に打ち勝つことは決してないだろう。ルブロンオオツチグモ（*goliath birdeater*）[*]は、大きなリンゴ（アップル）ほどの重さがある[**]。たとえあなたが1匹の

---

*　ありがたいことにウィキペディアの英語版には、このクモは名前こそ「鳥を食べる者（birdeater）」だが、「鳥を捕食することは極めて稀である」と記されている。

**　このリンゴ（アップル）が果物のリンゴであれ、iPhoneであれ、この文章は正しい。このクモの体重はリンゴともiPhoneともだいたい同じである。

ルブロンオオツチグモに——こんなことはあってほしくないが——出来る限り接近したとしても、太陽からの引力のほうが5000万倍以上大きい。

私が感じている引力は、
ほぼ間違いなく
あっちのほうから来てるわ！

では、世界中のすべてのクモならどうだろう？

「あなたの半径１メートル以内には常にクモが１匹いる」という、よく知られているファクトイド（立証されていないのに、広まっていることで事実と見なされている主張）がある。これは文字通りには正しくない——クモは水中では生きられないので[*]、泳げばクモから逃れられるし、野原や森のなかに比べれば、建物のなかにクモはそれほどいない。しかし、たとえ北極圏のツンドラ地帯であっても、あなたが戸外に近いところにいるなら、おそらく１メートル以内にクモが何匹かいるだろう。

このファクトイドが真実であろうとなかろうと、地球上には膨大な数のクモが存在する。正確に何匹なのかはわからないが、大雑把な見積りをすることはできる。ブラジルのクモの個体数密度を調査した2009年の研究では、林床１平方メートルあたりのクモの重量はミリグラム単位で１桁の数値だった[**]。この密度でクモが存在しているのは、世界の陸地の約10パーセントで、それ以外のところにはクモはまったく存在しないと仮定すると、世界中では合計２億キログラムのクモが存在すると推定できる[***]。

たとえ私たちの推定値が大幅にずれていたとしても、マリーナの質問に答えるには十分だ。クモが地球の表面に均一に分布していたとすると、ニ

＊　唯一の例外が*Argyroneta aquatica*、ミズグモである。

＊＊　これは乾燥質量。生きたクモの値を知りたければ３、４倍しなければならない。

＊＊＊　ニュージーランドとイングランドの畑や牧草地に関するある調査では、１平方メートルあたり２桁の数のクモが見つかった。１匹のクモが体重約１ミリグラムだったと仮定し、さらに地球の陸地の約10パーセントにこの密度のクモが生息していたとすると、クモの総生物量（訳注：生物量は、特定の生物群の量をその重量で表したもの）は１億から10億キログラムとなる。この数値は、少なくとも私たちの最初の推定値と一致する。

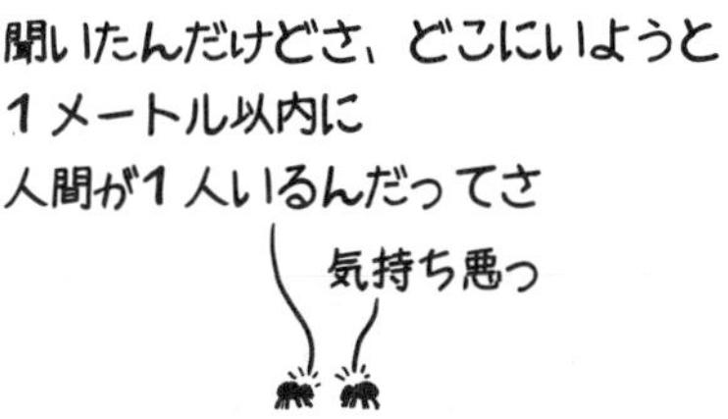

ュートンの球殻定理を使ってクモが地球の外部の物体に及ぼす集団的引力を特定することができる。この計算を実際にやってみると、太陽の引力のほうが13桁も大きいことがわかる。

聞いたんだけどさ、どこにいようと
1メートル以内に
人間が1人いるんだってさ
気持ち悪っ

ところで、この計算ではいくつか正しくない仮定を使っている。クモの分布は離散的であって、連続的ではない*。それに、ほかの場所よりもクモが多い地域だってある。たまたま、あなたの周りにクモが多かったらどうだろう？

2009年、バックリバー排水処理場は、彼らが「クモによる超異常事態」と呼ぶものに陥った。米国昆虫学会が発表した興味深くも恐ろしい論文に記されているように**、8000万匹と推定されるコガネグモ科のクモたちが、排水処理場のあらゆる面をクモの巣の重たいシートで覆って***、巨大なコロニーと化してしまったのだ。

このときすべてのクモによる総合的な引力はどれくらいの大きさだったのだろう？　まず、この種類のクモの体重を知らなければならない。「コガネグモの性的共食い：経済的モデル****」という論文によれば、オスは約20グラム、メスはその数倍である。そのような次第で、あなたが2009年にバックリバー排水処理場の隣に立っていたとしても、処理場内のすべてのクモによる引力は、太陽の引力の1/50000000に過ぎないだろう。

どんな角度から見ても、結論は同じだ。私たちは、1つの巨大な恒星が圧倒的な優位にある世界で、小さなクモたちに囲まれて暮らしているとい

---

*　クモたちは量子化されている。

**　その論文の結論には、次のような究極的に素晴らしい一節がある。「改善のための私たちからの助言には、以下のような全般的な提案を含めた。現場の職員には、この種のクモは無害であることを周知徹底して安心してもらい、処理場に張り巡らされた大規模なクモの巣のシートは肯定的な観点から、未曾有の博物学的驚異として提示されるべきである」。

***　それがさらに膨大な数のクモの重たいシートで覆われてしまった。

****「コモリグモにおける交尾前、交尾後性的共食いのあいだのトレードオフ」と混同してはならない。こちらも同じく実在する学術論文である。

うのがそれだ。

でも、少なくともその逆ではない。

45章　人間を吸い込む

ハウスダストの最大80パーセントが死んだ皮膚細胞だったとしたら、１人の人間は一生のうちに何人分の皮膚細胞を摂取する／吸い込むのでしょうか？

――グレッグ、南アフリカのケープタウン

いい知らせがある。あなたが人間１人を吸い込むことはないし、部屋などにたまるほこり、ハウスダストの主成分は死んだ皮膚ではない。

ハウスダストの主成分が死んだ人間じゃないってわかって、安心したよ。だって、もしそうなら気持ちわるいじゃん
このあとわかるその他の事実について、悪い知らせがあるわよ！

ハウスダストが主に死んだ皮膚だという主張は広く受け入れられている。グーグルで検索すると、それを支持するもの、その誤りを暴露するもの、両方の記事がたくさん出てくる*。この説について白黒はっきりさせるのが

* YouTubeの科学動画チャンネルVeritasiumのデレク・ミュラーは、この問題をテーマに長い動画を投稿した。そのなかで彼は1981年に出版されたハウスダストについてのアレルギー学、ダニ学、菌類学的な研究書に触れ、そこに引用されている1967年のオランダの清掃の作業標準書の記述を紹介している。結局ハウスダストに含まれる皮膚細胞は通説よりもかなり少ないと推定したものの、最後は「うわぁ、皮膚って結構たくさん落ちてるんだね！」と締めくくっている。

難しい理由の１つは、ハウスダストは、１つに特定できるものではないことにある。それは、たまたまあなたの家に落ちているあらゆるものでできた、気持ちが悪くなりそうなごたまぜで、その内訳は、土、花粉、木綿繊維、パン屑、粉砂糖、化粧用や装飾用のラメ、ペットの毛やふけ、プラスチック、煤、人間や動物の毛、小麦粉、ガラス、煙、ダニ、そして特定困難な無数の塊である。

そこに多少の皮膚が含まれていることは間違いないが、普通それは主成分ではない。オフィスと学校の床のダストに関するいくつもの調査で、ダストの大多数は有機物ではないことが明らかになっており、1973年の『ネイチャー』誌に掲載されたさまざまな環境で空中に浮遊している粒子についての研究では、皮膚細胞は空気によって運ばれるダストの0.4から10パーセントに過ぎないことが判明した。

実のところ私たちは驚くほどのペースで死んだ皮膚細胞を体外に捨てている。私たちは１時間に50ミリグラムほどの細胞を捨てているが、その皮膚の大半は空気中には拡散しない。もし人間が毎時50ミリグラムの皮膚ダストを空気中に拡散していたなら、私たちの家は炭鉱や木工所と同じぐらいほこりまみれになるだろう。空気は常にダストで満たされているというわけではないので、ダストはどこか別の場所に行っているに違いない。その一部は、すぐに床に落ちて、そこに落ち着くだろうが、多くのものは、私たちが体を洗ったときに排水管に流れたり、皮膚からはがれて服にくっつき、洗剤によって洗い流されるか、私たちの枕やマットレスの上に落ちるだろう。

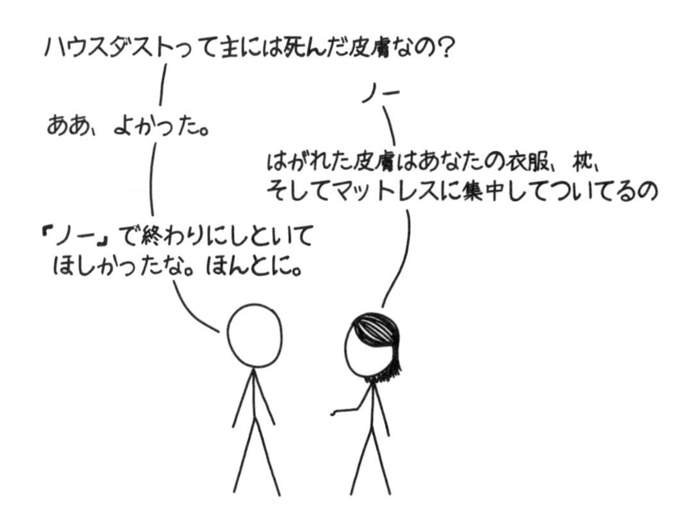

ハウスダストって主には死んだ皮膚なの？
ノー
ああ、よかった。
はがれた皮膚はあなたの衣服、枕、
そしてマットレスに集中してついてるの
「ノー」で終わりにしといて
ほしかったな。ほんとに。

たとえあなたが空気中の皮膚ダストの濃度を最大化する方法を発見したとしても、人間１人を吸い込むことはできないだろう。皮膚ダストを室内に送り込む装置をあなたが開発して、皮膚ダスト濃度を１立方メートルあたり10ミリグラム――炭鉱作業員の職業暴露限界を超えるほど――に上げたとしても、平均寿命のあいだに約３キログラムの皮膚細胞を吸い込むに過ぎないだろう。

「約3キログラムの皮膚細胞」っていう言葉、
聞かないほうがずっと良かったよ
「500ミリリットルを少し
下回る量の皮膚細胞」
のほうがいいの？
ああああああああ！

そんなわけで、人間を１人吸い込むことはありえないが、一生のうちに人間の体重の何パーセントに当たる皮膚ダストを実際に吸う可能性があるか——約３キログラムといえば体重の５パーセントである——を聞いたら、誰もが本当に気持ち悪くなるのは間違いない。

ついでながら私も、死んだ皮膚細胞に関する質問に答えるのはもうごめんだ。

46章　キャンディーを砕いて発光させる

ウィンターグリーン味のライフセーバーズ・キャンディーを砕いて実物大の稲妻を作るには、何個必要ですか？

——バイオレット・M

数十億個です。

暗闇で砂糖を砕くと、閃光が発生する。この現象は摩擦発光と呼ばれている。その光はごく弱い場合もあるが、昔からあるライフセーバーズのウィンターグリーン味*は、香りづけに使われている添加物のおかげで、特に明るい閃光が出ることでよく知られている。砂糖が摩擦発光で放射する光の大半は紫外領域だが、一部のライフセーバーズは蛍光物質であるサリチル酸メチルを含んでおり、これが紫外線を吸収して、目に見える青色光として放出する。

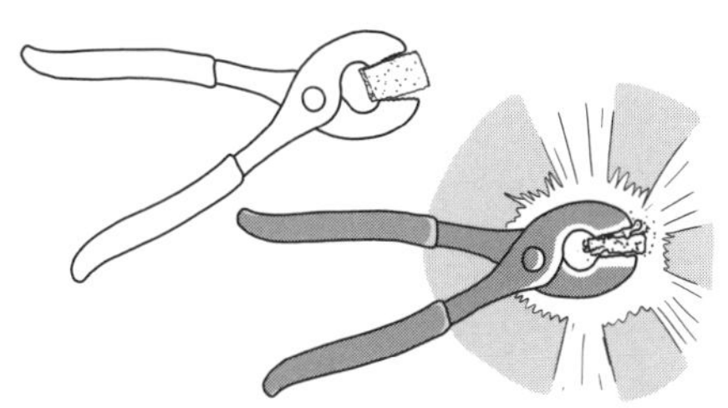

*　これは、ずっとWint-O-Greenと綴られてきたのだが、私は今初めてこれに気が付いた。この「O」は、ベレンスタイン・ベアーズ（Berenstain Bears）の「a」のようなもので、正しい綴りは見過ごされがちなのだろう。（訳注：ウィンターグリーンはアロマオイルの一種。この香りを付けたキャンディーの商品名は、wint-o-greenと綴ってウィンターグリーンと発音する。有名な童話ベレンスタイン・ベアーズの綴りはBerenstainだが、「～スタイン」という名前は「～stein」と綴るのが一般的なので、そこが「a」とは気づきにくいという話）

摩擦発光については、まだ十分理解されていない。

物質をこすり合わせたり、砕いたりするときには、電荷どうしが引き離されて、その後再結合する際にエネルギーを放出する場合がある。しかし、原子どうしはさまざまなやり方でぶつかり合うので、どのような影響が関連し合って発光を起こしているのか、どんな特定の実験に対しても、科学者たちはまだ厳密には解明できていない。

あなたがライフセーバーズを１重量キログラムの力で噛（か）み砕いたとすると、あなたは約１ジュールの力学的エネルギーを砂糖の結晶に与えたことになる*。比較のために申し上げると、落雷は約50から100億ジュールのエネルギーを運ぶので、同じ量のエネルギーを得るには、あなたは50から100億個のライフセーバーズを砕かなければならない。

＊　一部の摩擦発光には、蓄えられていた化学的エネルギーの放出が伴うものもあるかもしれない。その場合、所定の閃光を得るのに必要なライフセーバーズの個数は減る可能性がある。

ライフセーバーズを砕いても、本当に閃光が出るわけではない。ドアノブに触れたときに出るのが本当の閃光だ。近づいてよく見ると、小さな稲妻のように見える。だが、ライフセーバーズを砕いている画像をスローモーションでじっくり見ても、稲妻は見えない。砂糖は、砕けるときにほんの一瞬光るだけだ。カメラのフラッシュのように。しかし、見かけは違うけれども、ライフセーバーズの閃光と稲妻には共通点がたくさんある。どちらも、物質が力学的にこすり合わされる際に電荷と電荷が引き離されることによって生じるし、どちらの場合も光が生じるのは、いったん引き離されてプラスとマイナスに分かれた電荷が、再び結びついてプラスマイナスゼロになる（中和する）ときにエネルギーが放出されるからだ。

そして、じつのところ、私たちは稲妻もよくはわかっていない。雷雲のなかで生じる上昇気流のせいで、雷雲の上部と下部に電荷が蓄積することはわかっている。そして、雨や氷を吹き抜ける風が関与しているだろうと考えられているが、電荷がどうやって分離するのか、詳しいことはまだ謎のままなのだ。

さくっと答えます #4

Q 人間は狂犬病に罹った動物を食べて大丈夫ですか？

——**ウィンストン**

ノー。狂犬病に罹った動物を食べるのは安全ではないし、狂犬病がうつる恐れがある。感染した動物を食べたためにこのウイルスに感染したと考えられる狂犬病患者の症例が医学論文に数件ある。

実際の答え ＼ あなたが期待する答え	YES	NO
YES	MITに教室はありますか？	アマースト大学に核シェルターはありますか？
NO	稲妻はなぜ発生するのか、科学者たちは知っていますか？	狂犬病に罹った動物を安心して食べられますか？

Q 突然、地球のコアが熱を発生しなくなったらどうなりますか？

——**ローラ**

率直に言って、私たちには何の問題も生じないだろう。

地球のなかで瞬時に起こった物理的変化は、どんなものでも、理論的には地殻の層内の圧力を変化させるので、地震や火山の噴火を起こすが、コアの発熱を停止させたその原因が、この短期的な歪み（ひず）みを、ゆっくり再配分させたと仮定すると、熱の流れが実際に変化しても、大した問題にはならないだろう。

私たちに関わる熱の大半は太陽から来る。地殻内の熱流は、地球全体の地表面熱のバランスのなかではほんの小さな一部でしかなく、大気に影響することはほとんどないだろう。もしも外核が固化してしまったなら、地磁気はなくなるだろうが、しかし――2003年の映画『ザ・コア』で描かれているのとは違って――そのせいで宇宙から来たマイクロ波ビームでゴールデン・ゲート・ブリッジが真っ二つになったりはしない。ただ地球の上層大気が宇宙に拡散するペースが少し速まるだけだろう。

十分長い時間が経てば、プレートテクトニクス――地球内部の熱が動力源だ――は徐々に停止するだろう。プレートテクトニクスは、地球の温度を調整する長期的なカーボンサイクルの重要な一部なので、これが停止すればやがてはカーボンサイクルの温度自動調節機能も機能不全に陥り、海は沸騰してすべて蒸発するだろう。とはいえ、このような事態は何が原因だとしても、いつかは起こることなので、私はあまり気にしないだろう。

地球のコアが熱の発生をやめたよ！

何にしろ、大丈夫よ

Q 人類は、今ある技術を使って月を破壊することができますか？

——**タイラー**

Q 地球温暖化で地磁気は弱まりますか？

——**パバキ**

Q レーザーを使えば、何かを焼くことができますか？

——**アンドリュー・リュー**

それぞれ、ノー、ノー、そしてイエス。

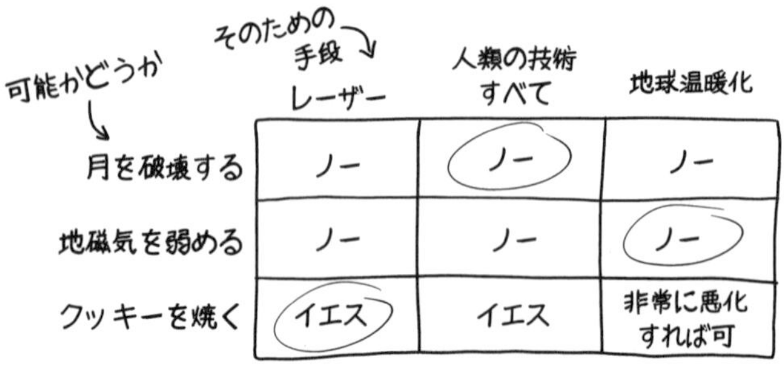

そのための手段

可能かどうか

	レーザー	人類の技術すべて	地球温暖化
月を破壊する	ノー	ノー	ノー
地磁気を弱める	ノー	ノー	ノー
クッキーを焼く	イエス	イエス	非常に悪化すれば可

Q 地球を、リンゴのように半分に切ったらどうなりますか？　生き残る確率を最大にするには、どこにいればいいですか？

——**匿名**

Q クラゲがいっぱいいるプールに落とされたら人間はどうなりますか？

——ロレンツォ・ベロッティ

どの種類のクラゲなのかによる。私が見たことのある最大のクラゲの群れは、ミズクラゲのものだ。ミズクラゲに刺されてもあまり痛くないことが多く、気づかない人も少なくない。触れると、驚くほど硬く、濡れたグミ（菓子）のような感じがする。そのようなわけで、落とされた人は、摑みにくい新しい友だちが大勢できるだけだろう。

Q 家の床を巨大なエアホッケー・テーブルにして、重たい家具を簡単に部屋の反対側に移動させることはできますか？

——ジェイコブ・ウッド

できます。次回の我が家のリフォームで何をするかが決まりました。

Q 私の７歳の息子が最近、夕食のときに、ジャガイモはどの時点で溶けるのか（真空中で、ということだと思います）と、私たちに尋ねました。助言をお願いします。

——ステファン

ジャガイモはどんな温度でも本当の意味では溶けない。デンプンは分解してゲル化するが、それは通常の調理のプロセスと同じだ。つまり、温度が上がるにつれ、異なる成分が異なる温度で分解するのだ。

しかし、私が気になるのは、あなたが息子さんのどの質問にも「真空中で」を付け足して、息子さんが本当にそう言いたかったと思い込むのか、という点だ。

ぼくの誕生日に
ピザ・パーティーやってもいい!?

真空中でピザ・パーティーがしたいのかい!?
それは大変だろうが、やってみようか……

Q ハトは、重力の影響を受けなかったとしたら宇宙まで行けますか？

——**ニック・エバンス**

ノー。鳥は、無重力状態で羽ばたいて、推力を得ることはできるかもしれないが、上層大気は寒すぎるし、それにハトは呼吸する必要もあるので。

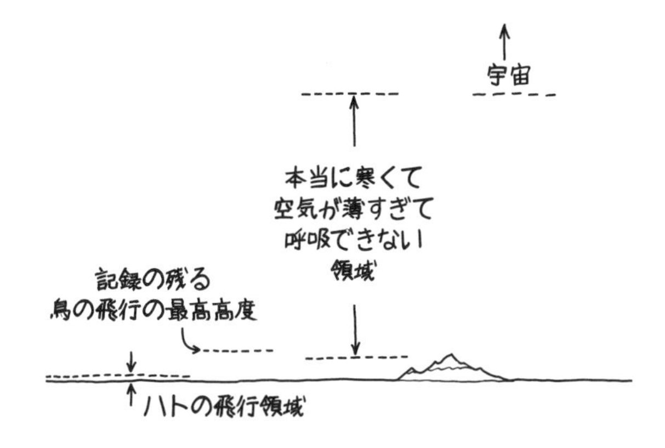

Q 当てずっぽうで天の川銀河のなかを飛行していたとすると、恒星または惑星と衝突する確率はどれくらいですか？

——**デイヴィッド**

恒星が多く分布している銀河円盤のなかでなるべく長く過ごせるように真横方向に飛ぶことにしたとしても、恒星と衝突する確率は約100億分の１に過ぎないだろう（惑星に衝突する確率はさらに1000倍小さいだろう）。

比較のために申し上げると、それはバラク・オバマに電話をかけることに決めて、電話を手に取り、ランダムに10桁の数字をダイヤルして、１回目でオバマとの通話が成功する確率とほぼ同じである。

しかし、天の川銀河を横切って飛行するには、長い時間がかかる。30秒に１回、１つの番号に電話するという作業で、すべての番号に電話するのにはたった１万年しかかからない。天の川銀河を横切るには、もっと長い時間がかかる――光速の１パーセントの速度で、1000万年だ。そんなわけで、一旦オバマに電話が通じたら、あなたは彼と話す時間がたっぷりあるだろう。

Q 私たちの太陽系のさまざまな天体の上で（太陽系と同等の他の天体グループでも構いません）、おおよそどのくらい長く生存できるでしょうか（巨大ガス惑星〔木星、土星、天王星、海王星〕の上では、惑星の大気のどこかにあって、１つの表面だと合理的に見なせるような魔法の台の上にいるとします）？　ただしそのとき与えられるのは、絶対に途絶えない空気の供給と、暖かい冬服だけだとします。つまり、ヘルメットと与圧服は無く、魔法の空気生成機に接続された鼻と口を覆うマスクと、たとえば冬のシカゴに適するような服だけです（魔法の空気供給機を使って熱その他を発生させるなどの嬉しい秘策は無しです）。

――メリッサ・トライブル

- 地球：100年くらい
- 金星：数週間から数カ月
- その他のすべての天体：数分から数時間

金星の大気には、温度と気圧が両方とも通常の地球表面の条件に比較的近いような層が１つある――太陽系内で、地球と宇宙船の内部以外に唯一の、そのような場所である。しかし、金星大気中の硫酸が肌に付着するとすぐに火傷してしまうだろう。

Q　誰かが宇宙からあなたの上に金床を落としたとすると、何が起こりますか？

――サム・スティール、10歳、イリノイ州エバンストン

いい知らせは、金床は十分小さいので、それがあなたに到達するまでに大気が終端速度まで減速してくれるだろうということだ。悪い知らせは、75キログラムの金床の終端速度は時速300から400キロメートルだということだ。

金床が新幹線並みのスピードであなたに命中するとき、それがどの高さから落ちたかはあまり問題にならない。

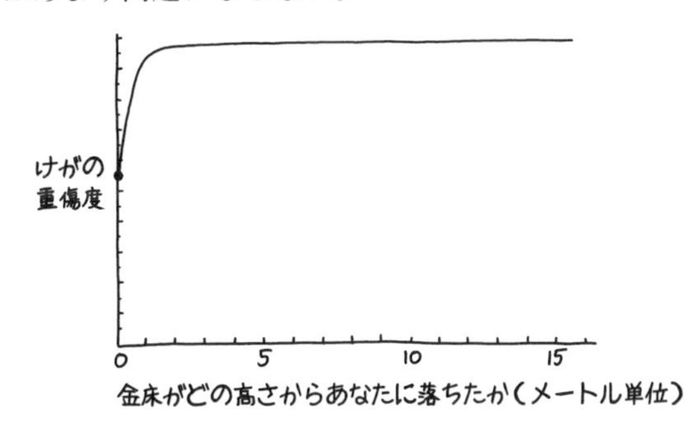

47章　トーストのように心地よい暖かさ

トースターで自分の家を暖めたいとしたら、何台のトースターが必要ですか？

――ピーター・アールストレーム、スウェーデン

あまりたくさんは必要ない。というのも、何台ものトースターをオンにしたままで放置すれば、あなたの家は燃え出すだろうからだ。一旦火が付くと、家は自らを熱し続けて燃え尽きるだろう。

ぼくたちの家に、15分か20分くらいのあいだ
自分を暖めさせる方法を発見したよ！

しかし、あなたの家が燃え始めるまでの短いあいだ、トースターたちはとてもいい具合に家を暖め続けるだろう。

電気ストーブは、いつでも家を暖める最善の方法だとは限らない――電気を使って直接熱を生み出すのは、その電力で熱ポンプを働かせ、外の空気を暖めるのに比べて非効率的だし、電力が天然ガスや石油暖房よりも高くつく地域もある。しかし、電気ストーブの面白いところは、どれも同じ効率だということである。つまり、すべての電気ストーブはそれが使用する電力１ワットあたり１ワットの熱を生み出すのである。

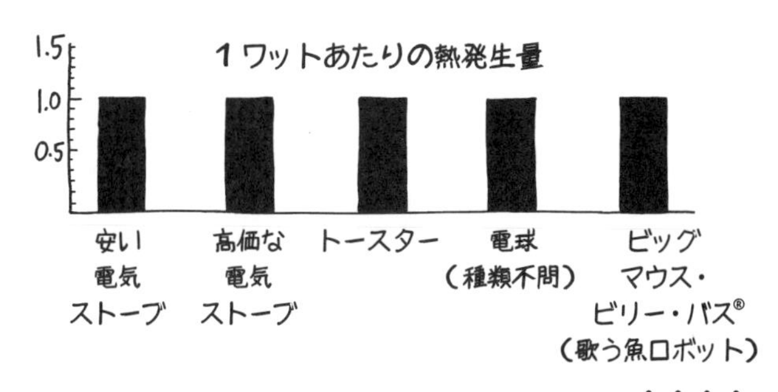

実際、熱力学の法則により、電力を消費するほとんどすべての電気機器は、その電力を最終的には同じ割合で熱に変換する。60ワットの電球は光を生み出すが、その光は何かの表面に当たって、それを熱する。最終的には、60ワットの電気ストーブと同じ60ワットの熱を生じる。トースター、ミキサー、電子レンジ、そして電球も、電気ストーブと同じように、みんな１ワットあたり１ワットの割合で熱を発生する。

平均的なトースターは約1200ワットの電力を消費し、北米の典型的な家屋の暖房システムは80000BTUs/時間（BTUは英国熱量単位。1BTUは１ポンドの水の温度を華氏１度上昇させる熱量）のエネルギーを必要とすると推測されるが、これは約25000ワット時／時間、あるいは25000ワットに相当する。このような家を１軒暖めるには約20台のトースターが必要だろう。

何も入っていないままトースターをオンにするのは気が引けるのであれば、トーストをたくさん作ることにしてもいいが、食べきれない分がすぐにたまってくるだろう。トースター１台にはパンを２枚セットできるとし、その２枚のそれぞれを２分間温めるとすると、あなたの20台のトースターは１時間あたり約30斤のパンをトーストにすることになる。ピーク時には、あなたは中程度のアメリカの町と同じペースでパンを消費するだろう。

このパンゆえに、あるいは、このパンも問題になることを考えれば、これは家を暖める最悪のアイデアだよ。

48章　陽子でできた地球、電子でできた月

地球が陽子だけでできていて、月が電子だけでできていたなら、どうなりますか？

——ノア・ウィリアムズ

これは、私がこれまでに書いた『ホワット・イフ？』のシナリオで、最も破壊的なものかもしれない。

あなたは、電子の月が陽子の地球の周りを回っている、巨大な水素原子のような状態を思い浮かべるかもしれない。見方によっては、理屈に合っていると言えなくもない。つまるところ、電子は陽子の周囲を回り、衛星は惑星の周囲を回るのだから。実際、原子の惑星モデルが一時的に広く支持されたこともあった（とはいえ、結局それは原子を理解するのにあまり役立たないこともわかったのだった*）。

水素原子の核は1個の陽子で、
「地球」と呼ばれています。
それは7個のクォーク、
または「大陸」でできています

２個の電子を近づけると、その電子どうしは飛び散って離れようとするだろう。電子は負に帯電しており、この電荷による斥力は、両者を結びつける引力より約20桁も大きい。

月を作るために10^{52}個の電子を一体化すると、電子たちは互いに強い斥力を及ぼし合い、その結果それぞれの電子は、信じられないほどの量のエネルギーで突き飛ばされるだろう。

じつは、ノアのシナリオの陽子の地球と電子の月にとって、惑星モデルは通常以上に当てはまらないのだ。この月と地球は互いに影響を及ぼす機会がほとんどないので、月が地球の周囲を回ることはないだろう。それぞれの天体をばらばらにしようとする力が、両者のあいだに働くどんな引力よりもはるかに強いだろうから。

一般相対性理論はしばらく忘れるとすると――あとで戻って来よう――、互いに突き飛ばし合っているこれらの電子によるエネルギーを計算することができ、それはすべての電子を外向きに光速に近い速さまで加速させるのに十分であることがわかる[**]。粒子がこのような速度に加速するのは珍しいことではない。卓上粒子加速器――たとえばブラウン管のモニター――は、電子を光速のかなりの割合にまで加速することができる。しかし、ノアの月のなかの電子は、このような普通の加速器のなかの電子よりもずーっと、ずーっと大きなエネルギーを持っている。そのエネルギーというのは、プランクエネルギーより何桁も大きいだろう。そしてプランクエネルギー自体、普通の大型加速器で到達できるエネルギーより何桁も大きいのだ。言い換えると、ノアの質問は私たちを通常の物理学から遠く引き離して、量子重力や弦理論のような高度な理論物理学の領域に連れて行ってしまうのである。

＊　このモデルは1920年代にはほぼ廃れたが、私がセーラム・チャーチ中学校の６年生の科学の授業で、発泡スチロールと工作用モールで苦心して作ったジオラマでは、まだその精神は生きていた。

＊＊　しかし、それを超えることはない。私たちは一般相対性理論は無視しているが、特殊相対性理論は無視していない。

そのようなわけで、私はニールス・ボーア研究所の弦理論研究者、シンディ・キーラー博士に連絡を取り、ノアのシナリオについて尋ねてみた。

キーラー博士は、それほどのエネルギーを個々の電子に与えることに関わる計算は、どれも信頼すべきではないという考えに同意した。理由は、そんなエネルギーは現在加速器で実験できる範囲をはるかに超えているからだ。「私は、１個の粒子にプランクスケールを超えるエネルギーがあるとするものは一切信頼しません」と彼女は言った。「私たちがこれまでにほんとうに観測した最大のエネルギーは宇宙線のもので、LHC（大型ハドロン衝突型加速器）の約10^6倍以上だと思われますが、それでもまだプランクエネルギーには遠く及びません。私は弦理論研究者として、粒子にそんなエネルギーを与えたら何か弦に関わることが起こるでしょうと言いたくなりますが――しかし、私たちにはまったくわからないというのが真実です」。

ありがたいことに、話はそれで終わりではなかった。先ほど、一般相対性理論は無視することに決めましたよね？　じつは、このシナリオは、一般相対性理論を持ち込むと、問題が解決しやすくなるという、稀な状況の一例なのだ。

このシナリオには、非常に大きなポテンシャルエネルギーが含まれている――お互いに遠く離れようとしてがんばっているこれらの電子すべてのエネルギーというのがそれだ。このエネルギーは、質量と同じように、空間と時間を歪ませる。私たちの電子でできた月の内部のエネルギーの大きさは、観測可能な宇宙全体の総質量と総エネルギーを足し合わせたものとほぼ同じであることがわかる。

全宇宙に匹敵する質量とエネルギー――しかも、それが私たちの（比較的小さな）月の容積に集中している状態――は、時空を非常に強く湾曲させ、これら10^{52}個の電子の斥力さえも上回るだろう。

キーラー博士の診断はこうだ。「そう、ブラックホールです」。だがこれは、普通のブラックホールではない。それは、大量の電荷を持ったブラックホールなのだ[*]。そして、このようなブラックホールに対しては、標準的なシュヴァルツシルト方程式ではなく、ライスナー・ノルドシュトロム方程式を使わなければならない。

ライスナー・ノルドシュトロム方程式では、外へ向かう電荷の力と、内へ向かう重力の引力との釣り合いをみる。電荷による外向きの力が十分大きければ、このブラックホールの周囲の事象の地平面は完全に消えてしまう可能性がある。この場合、密度が無限大なのに、そこから光が逃れるこ

＊　陽子だけからなる地球も、やはりこのブラックホールの一部になり、そのため電荷の総量は低下するが、地球の質量を持った陽子の集団は、月の質量分の電子よりも電荷がはるかに少ないので、結果にはあまり影響を及ぼさない。

とができるブラックホールがあとに残ることになる——裸の特異点と呼ばれるものだ。

裸の特異点ができると、物理学は徹底的に崩壊し始める。量子力学と一般相対性理論は突拍子もない答えを出し、しかも両者の答えは同じ突拍子もない答えですらなくなる。物理法則はこの種の状況が起こることを完全に禁止してしまうと主張する人々もいる。キーラー博士が言うように、「裸の特異点が好きな人はいない」のだ。

電子でできた月の場合、互いに突き飛ばし合っているすべての電子が持つ総エネルギーは非常に大きく、(特殊相対性理論によれば質量とエネルギーは等価なので、これによって生じるブラックホールのライスナー・ノルドシュトロム方程式では)電荷の力に重力の引力が勝ち、結局この特異点は普通のブラックホールを形成すると考えられる。少なくとも、ある意味では「普通」である。つまり、それは観測可能な宇宙と同じ質量のブラックホールなのだ*。

このブラックホールは宇宙を崩壊させるのだろうか? これに答えるのは難しい。答えは、ダークエネルギーとはどんなものかに依存するが、ダークエネルギーがどんなものかは誰も知らない。

しかし、少なくとも当面は、近隣のほかの銀河たちは安泰だろう。ブラックホールの重力の影響は光速でしか外に広がらないし、私たちの周囲の宇宙の大部分は、幸せなことに、私たちが行ったばかげた電子の実験のことなど露ほども知らぬままだろう。

---

* 観測可能な宇宙と同じ質量のブラックホールは、138億光年の半径を持っているだろう。そして、宇宙は138億歳であることから、一部の人々は、「宇宙は1つのブラックホールだ!」と主張している。これは、一種深い洞察のようにも思えるが、じつのところ正しくはない。宇宙は1つのブラックホールではない。1つには、宇宙のなかではすべてのものが互いに遠ざかっているが、ブラックホールではそんなことは起こらないことはよく知られている。

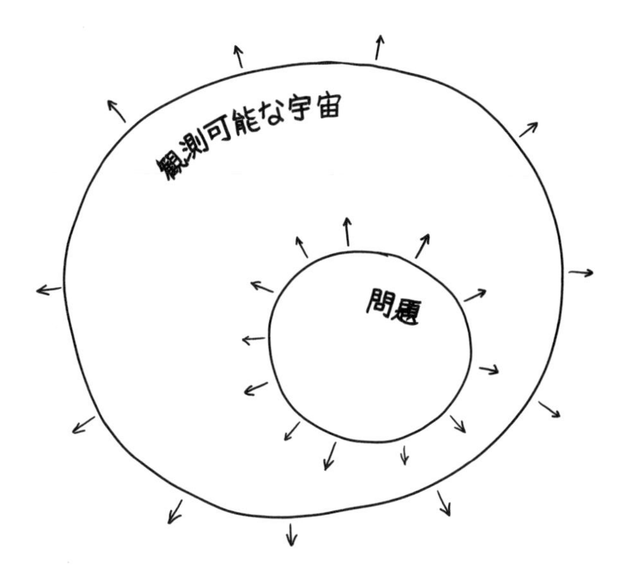
観測可能な宇宙
問題

49章　目玉

片方の目玉を取り出して、その目玉をもう片方の目に向けて覗き込ませると、何が見えますか（神経と血管はまったく無傷のままだと仮定します）？

――レンカ、チェコ共和国

目玉が見えるでしょう。さらに、その目玉の周囲には、背景としてのあなたの部屋に、顔と手が重なった二重の像がぼんやりと見えるはずだ。

目玉に目玉を向けても、カメラが撮影している動画が映っているモニターに、そのカメラ自体を向けたとき（合わせ鏡のような拡大または縮小された無限の像が見える）のような、奇妙なループができたりはしない。それぞれの目玉には、１個の目玉が見えるだけだ。両方の目を注意深く一直線上に並

べることができたなら、２つの目玉は重なり、あなたの脳は２つのよく似た像を結び付けようと努力するだろう。何かの光景を両目で見るときに脳がいつもやるように。

中心にあるひとみと虹彩（眼球のうち、ひとみを取り囲む色の付いている部分）の外側では、あなたの２つの目にはまったく異なる光景が見えるだろう。一方の目には、まぶた、頭、そしてあなたがいる部屋の片側が見えるだろう。もう一方の目には、目玉、片手、そして１本の視神経と、部屋の反対側が見えるだろう。これらの２つの像は重なって見えているが、それを結び付けて１つの像ととらえることはあなたの脳には不可能だ。そのため、虹彩が見える中心の小さな領域の外側では、像は二重に見えるに違いない。

先にも断ったとおり、私は医療の専門家ではないので、この助言を鵜呑み（うの）にしないでいただきたいが、あなたは自分自身の目玉を取り出すべきではないと思います。

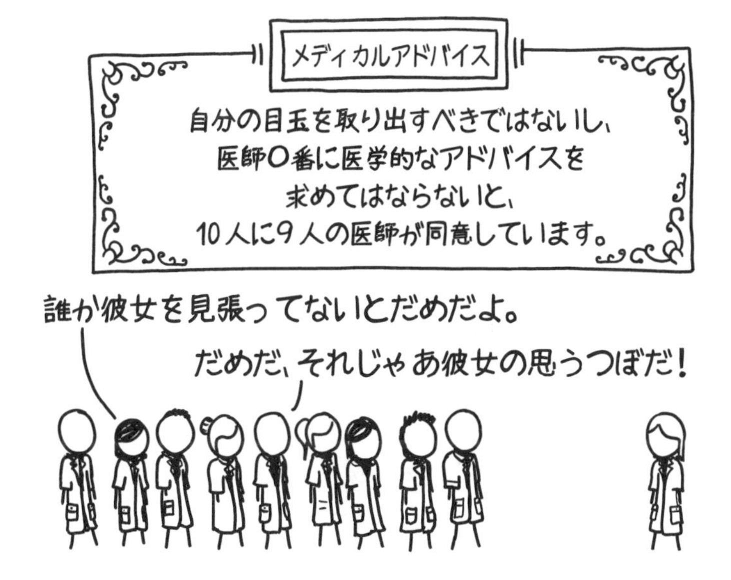

素手で眼科手術を行いたくない*なら、このシナリオで何が見えるかを鏡を使って知ることができる。普通の鏡を自分の顔に近づけ、前方を見つめると、それぞれの眼球は自分自身を見つめることになるだろうが、これはレンカの目玉取り外しシナリオで起こるのと同じことだ。もっとよく似た状況にするには、直角になるように合わせた２枚の鏡を使い、それぞれの目が反対側の目を見つめられるようにすれば、自分の片方の眼球を反対側の目の前に掲げたらどう見えるかを再現することができる。

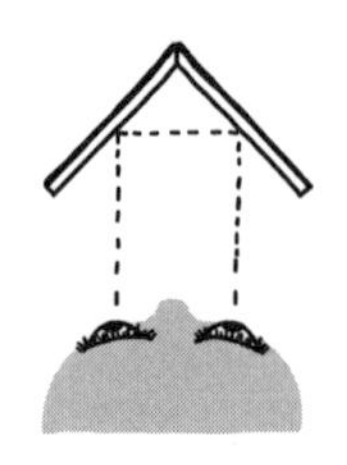

これを実際に試してみると、あなたの目は２、３インチ（約５から7.5センチ）より近くに焦点を合わせられないことがわかるだろう。この最短焦点距離は、年齢と共に長くなり、子どもなら２、３インチだが30から40歳では６インチ（約15センチ）、そして60から70歳では５、６フィート（約150から180センチ）になる。しかし、年齢によらず、自分の目を詳しく見るのに十分鏡を近づけるには、強力な拡大鏡が必要だろう。鏡は室内の照明光を遮るだろうから、補助光源があったほうがいいだろう。

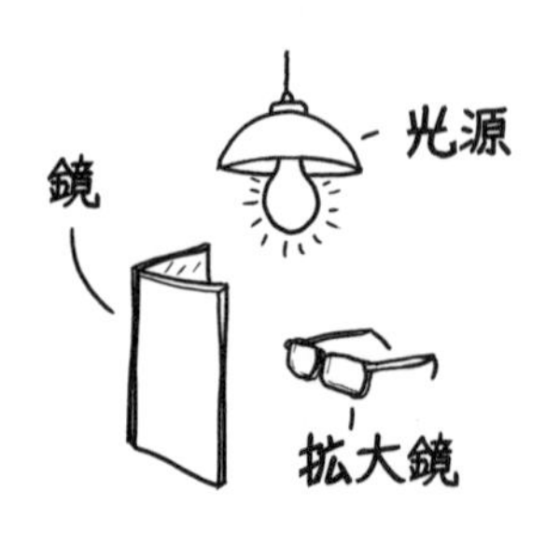

＊　何らかの理由で。

目の形は左右対称ではないので、あなたが見る2つの画像は完全に重なることはないだろう。直角に配置した2枚の鏡を使うと、あなたの右目には、像の左端に結膜半月ひだ――目頭にある小さなピンク色の膜*――が付いた1つの目玉が見えるだろう。あなたの左目にはその逆の像が見えるだろう。あなたの虹彩が完全に対称で、色の付いた斑点がまったくなかったとしても、視野の周辺部では像が二重に見えるだろう。

それはちょっと面白い光景だ――私は、この章を書きながら鏡でやってみた――が、そのために目玉を取り出す価値があるような経験ではないのは間違いない。目は心の窓かもしれないが、自分の目を覗き込みたいのなら、私は絶対に鏡でしかやらないだろう。

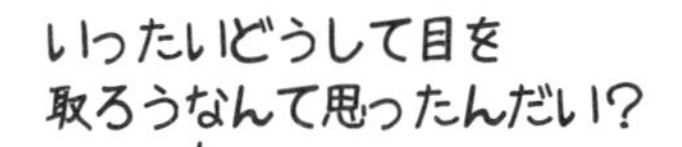

いったいどうして目を
取ろうなんて思ったんだい？
コンタクトレンズ外すのが大変で、
外してるときに手元が見えたほうが
やりやすいかも、って思ったの

＊　鳥類は、瞬膜という透明な膜（英語では「third eyelid〔第三のまぶた〕」と呼ぶ）をまぶたのほかに持っており、これが開閉することで、目を保護したり湿らせたりする。ほかにも多くの動物が瞬膜を持っているが、人間とその進化論的に近い種は瞬膜を失っている。結膜半月ひだは、瞬膜の名残である。

50章　日本がおつかいに行く

日本のすべての島が消えたら、地球の自然現象（プレート、海、台風、気候など）に影響は出ますか？

――ミユ・ウチダ、日本

日本列島は火山弧をなしており、その片側には日本海が、もう一方の側には太平洋がある。

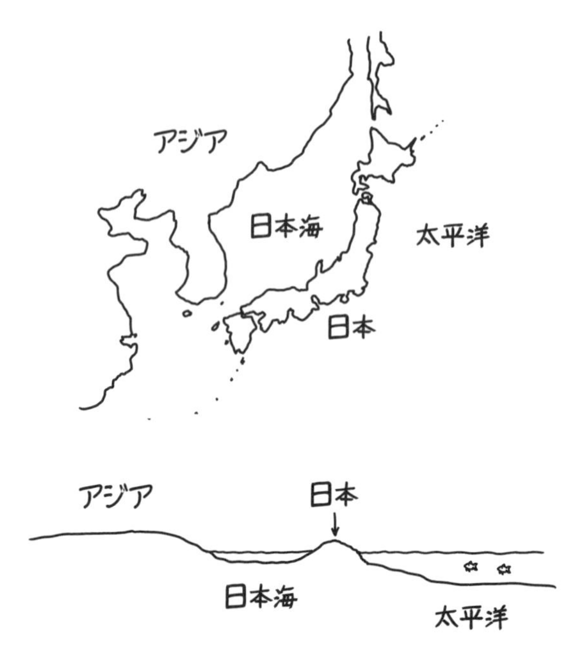

ミユがどんな消え方を考えているのか私にはよくわからないが、日本列島全体が瞬間的にどこかに飛んでいって、しばらくおつかいに出ていると仮定しよう。

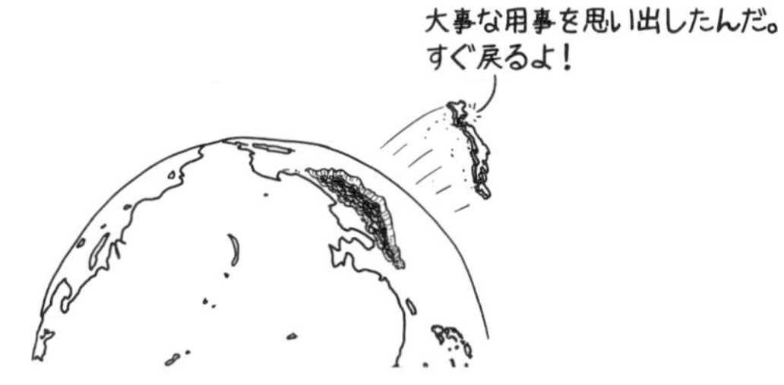

大事な用事を思い出したんだ。
すぐ戻るよ！

日本――の海面上に出ている部分――の重さは440兆トンだ。その部分だけが遠くへ瞬間移動したとすると……

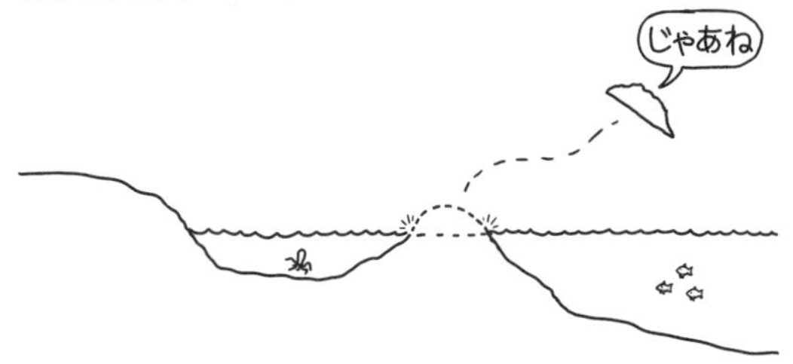

……地中の重心と地軸はウルグアイ――地球の反対側――の方向に約45センチ移動するだろう。

引力の変化で、海は少し波立つだろう。新しいジオイド（標高0メートルの点をつないでできた面で地球を覆ってできるでこぼこした面）の形に追随する新

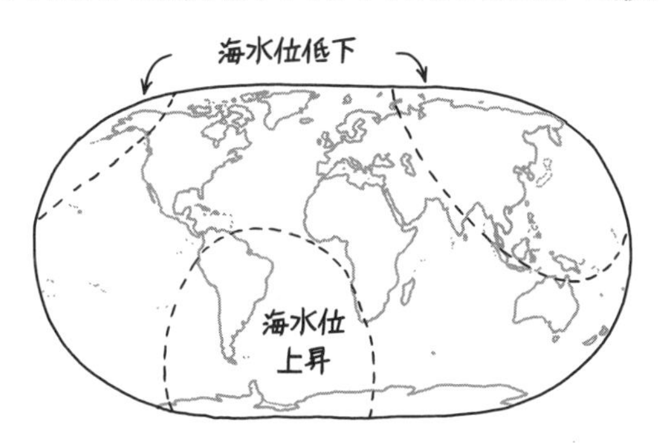

しい「海抜（標高）０メートル」の面に海面が落ち着こうとするためだ。日本の重力がなくなったので、海は地球の反対側へと少し移動するだろう。海水位は、東アジア周辺で約30から60センチ下がり、南米周辺で同じぐらい上昇するだろう*。

この約45センチの海水位上昇はウルグアイには非常に劇的な影響を及ぼし、海岸線の多くが海に沈むだろう。もちろん、これは架空のシナリオなどなくても起こり得る。人間が温室効果ガスを放出しているおかげで、今後50年かそこらで、海水位はこの程度上昇すると予想されているのだ。

さて、ここまでは、日本の海水位より上の部分がなくなることだけを考えていた。日本の残りの部分についてはどうだろう？　海面下の部分もなくなるとしたらどうだろう？

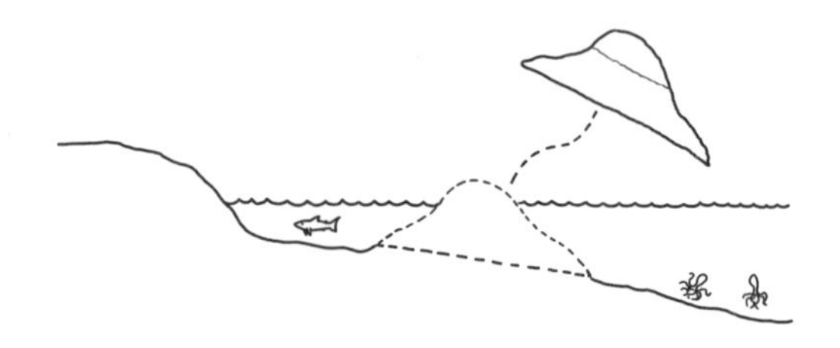

日本のこの部分は、海水位より上の部分よりも10倍以上重たい。

日本の10パーセントしか見えてないって知ってた？
残りの90パーセントは海面の下に隠れてるのよ！

＊　この効果は、地上の巨大な氷床が溶けるときにも起こる。氷床が溶けて生じた水は、海水位を全体的に上昇させるが、巨大氷床の重力が海を引き寄せる効果がなくなるので、氷床付近の海では海水位は実際には低下しうる。地球の反対側では、あなたが予想する以上に上昇するだろう。もしも、あるいはいつの日かグリーンランドの氷床が溶け去ったなら、洪水が最も深刻になるのはオーストラリアとニュージーランドだろう。これについての詳細は、『ハウ・トゥー　Ｑ１』第２章「プールパーティを開くには」を参照いただきたい。

日本の水面下の部分を取り除いたとすると、地軸の移動は一層大きくなり――約３から６メートル――海水位の変動も一層大きくなるだろう。

日本の消失は、海流にも大きな影響を及ぼすだろう。日本の西側の海は、数カ所の浅い海峡によって周囲の大海につながっているだけで、その領域の水は比較的孤立している。この日本海には、それ自体の水の循環があり、おかげでさまざまな海水層がよく混ざり合っている。それは、北大西洋などのもっと大きな海で起こっていることのミニチュア版のようなものだ。日本海の水を囲っていた日本列島が消えてしまったなら、日本海の水は太平洋に思う存分混じることができるだろう。

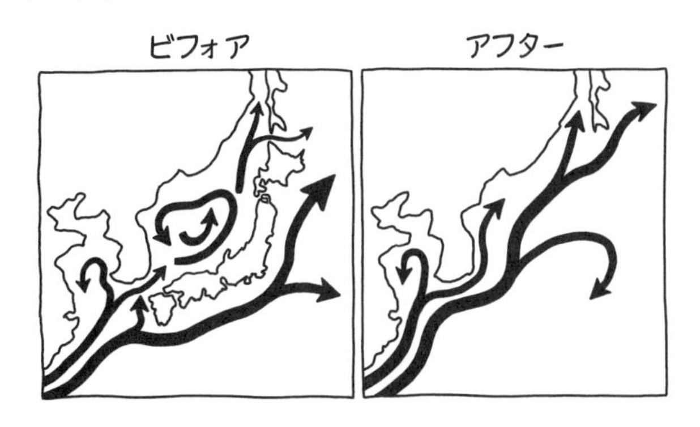

気候への影響は予測が難しい。日本は、太平洋の西端を北上して日本列島の東側を通る、暖かい海水を運ぶ黒潮によって暖められている。日本列島という障壁がなくなったなら、黒潮はおそらくアジアの海岸に沿って進み、ウラジオストク付近に暖かい海水が及ぶようになり、朝鮮半島とロシアの海岸沿いの台風のリスクが若干上昇する恐れがある。しかし、これらの地域の人々は、台風の急増を心配する必要はないだろう。なぜなら、海水位は下がっているだろうし、ウラジオストクのガラス・ビーチ[*]は海抜が高くなって海から遠ざかっているだろうからだ。

少なくとも、彼らは長期的な台風の増加を心配する必要はなさそうだ。

＊　ご存じなければ、「ウラジオストクのガラス・ビーチ」でさっと画像検索してみるようお勧めする――後悔しないこと請け合いです。

日本が海底の下へと消えてしまったなら、海には巨大な空洞が残ることになる。この空洞を埋めようと、海はそこに急激に流れ込み、最後の大規模隕石衝突*以降最大の津波が生じるだろう。その津波はアジアの東岸を壊滅状態にし、太平洋を横切ったうえに、南北アメリカ大陸の西岸を水浸しにし、アンデス山脈とシエラネバダ山脈に押し寄せるだろう。

その水が海盆に戻った時、太平洋西部には日本の形をした溝ができているので、海水位は以前より下がるだろう。日本がおつかいから帰ってくるとき、以前の場所におさまろうとしたら、同じ大洪水がまた起こってしまう危険がある。

だが、ミユは日本の行先については一切触れていない。

日本は永遠に移動してしまったということかもしれない。

＊　この規模の津波が最後に起こったのは、3500万年前に北米大陸東岸沖（現チェサピーク湾）に小惑星が衝突したときだ。私が学んだバージニア州のクリストファー・ニューポート大学は、この衝突でできたクレーター（その後埋もれて痕跡となっている）の、ちょうど縁の上に建っている。

51章　月光で火を付ける

拡大鏡と月光を使って火を付けることはできますか？

——ロジェ

この質問は、一見とても簡単である。

拡大鏡は光を小さな点に集中させる。いたずら好きの大勢の子どもたちが教えてくれるように、面積が１平方インチ（約6.5平方センチ）の小さなルーペでも、火を付けるのに十分な光を集めることができる。少しグーグルで検索すれば、太陽は月の40万倍も明るいことがわかるので、私たちに必要なのは40万平方インチ（約260平方メートル）の拡大鏡だけだ。そうですよね？

正しい答えはこうだ。「どんなに大きな拡大鏡を使っても、月光で火を付けることはできない*」。その理由は、ちょっとわかりにくい。そこには、

＊　これはほぼ間違いなくブルース・スプリングスティーンの歌だね。（訳注：彼の「ダンシン・イン・ザ・ダーク」という歌に「スパークがなければ火を付けることはできない」という歌詞がある）

一見間違っていそうで実は正しい議論がたくさん含まれており、理解しようとすると、『不思議の国のアリス』に出てくるウサギの穴のような光学の深い世界にはまってしまうかもしれない。

第一に、こういう一般的な経験則がある。「レンズと鏡を使って、何かを光源自体の表面よりも高温にすることはできない」。言い換えれば、日光を使って何かを太陽表面より高温にすることはできない。

これがなぜ正しいのかを光学を使って説明する方法はいろいろあるが、熱力学を使えば、もっと単純な——もしかすると、腑に落ちる感じは弱いかもしれないが——議論ができる。

レンズと鏡はタダ働きをする。つまり、一切エネルギーを取り込むことなく働く*。レンズと鏡を使って、太陽から地面の１点への熱流を作って、その点を太陽よりも高温にできたなら、あなたはエネルギーを消費することなく、冷たい場所から熱い場所へと熱を移動させていることになる。だが熱力学第二法則は、そんなことは不可能だと述べている。できたとしたら、永久機関を作ることができるはずだ。

＊　より具体的には、レンズと鏡が行うすべてのことは可逆的である……つまり、それらのものは系のエントロピーを増加させない。

熱力学第二法則は、ロボットは、
熱力学第一法則に抵触しない限り、
エントロピーを増加させてはならないと言ってるよ。
大体そんなとこね。

太陽は約5000℃なので、熱力学第二法則によれば、日光をレンズと鏡で収束させて何かを5000℃以上に温めることはできない。太陽に照らされた月の表面は100℃を少し上回る程度なので、月光を収束させて何かを約100℃以上に温めることはできない。これでは、低温すぎて大抵のものは燃やせない。

「でも、待って」とおっしゃるかもしれない。「月の光は太陽の光とは違うでしょ！　太陽は黒体で、それが高温であるからこそ光を放出する。月は反射した太陽光で輝いているけれど、その太陽光は数千℃の『温度』を持っているので、その主張はおかしいよ！」と。

じつは、おかしくないのである。その理由はあとで説明しよう。だが、まず聞いてほしい。「熱力学第二法則は太陽にも当てはまるの？」確かに、熱力学の議論はごく単純に思えるが、物理学の知識があってエネルギーの流れを考えることに慣れている人には、奇妙に聞こえるかもしれない。いったいどうして、大量の太陽光を１点に集中させて、高温にできないんだろう？　レンズは光を小さな点にまで収束できますよね？　同じ点の上に、より多くの太陽のエネルギーを収束し続けることがどうしてできないの？　10^{26}ワット以上のエネルギーが利用できるなら、１つの点を好きなだけ高温にできるはずじゃないか！

ところが、レンズは光を１点にまで収束することはできないのだ――光源も１つの点でないかぎり。レンズは光をある面にまで収束し、太陽の小さな像*を作る。この違いが決定的なのである。その理由を理解するために、1つの例を見てみよう。

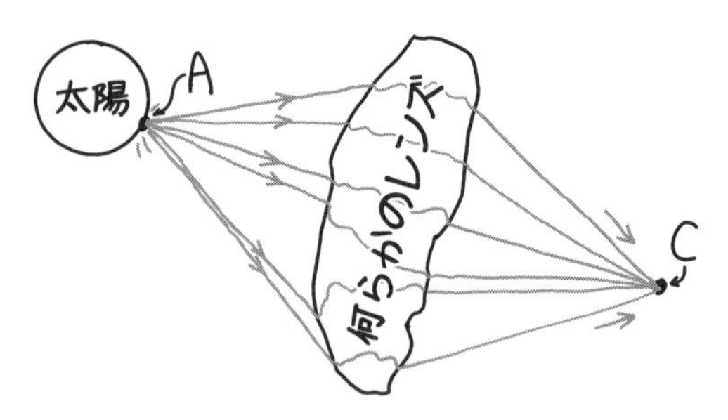

このレンズは、点Aからのすべての光を点Cに向かわせる。ここまでは問題ない。しかし、このレンズが太陽からのすべての光を1点にまで収束させるというのなら、このレンズは点Bからのすべての光も点Cに向かわせなければならない。

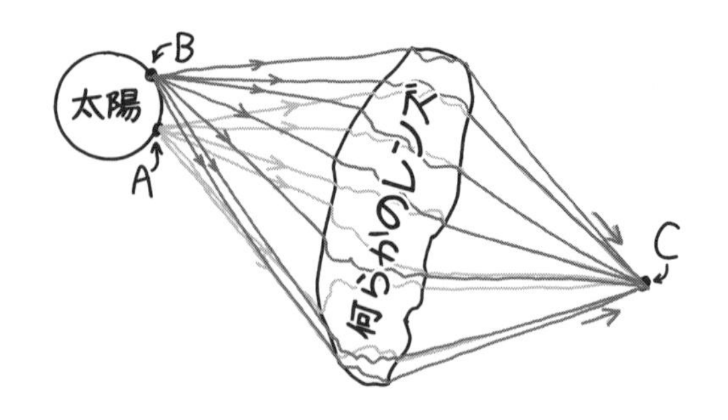

ここで問題が生じる。光線を点Cからレンズに向かって送ったらどうなるだろう？　光学系は可逆的なので、光は元のところへ戻れなければならない――だが、光がBから来たのかAから来たのかをどうやってレンズがわかるというのだろう？

＊　または大きな像。家庭用望遠鏡のなかには、たとえば木枠で支える構造のサンスポッター（Sunspotter）という太陽観察用望遠鏡のように、レンズを使って1枚の紙に太陽の詳細な像を投影するタイプのものがある。ピンホールカメラの高解像度版のようなものだ。この種のものは少し高価だが、太陽の黒点や日食を安全に観測するための優れたツールである。

一般的に、２本の光線を互いに重ね合わせることは不可能だ。なぜなら、それは光学系の可逆性に反するからだ。このルールのおかげで、同じ１つのターゲットに、すでに届いている光線と同じ光源から、さらに光線を送ることはできなくなる。

光線を重ねることはできないかもしれないが、いくつもの光線をできるだけ寄せて絞って、なるべく多くの光線が密に並んで進むようにすればどうだろう？　そうすれば、たくさんの密な光線を集めて、１つのターゲットに、ほんの少しずつ違う角度から送ることができるのではないか。

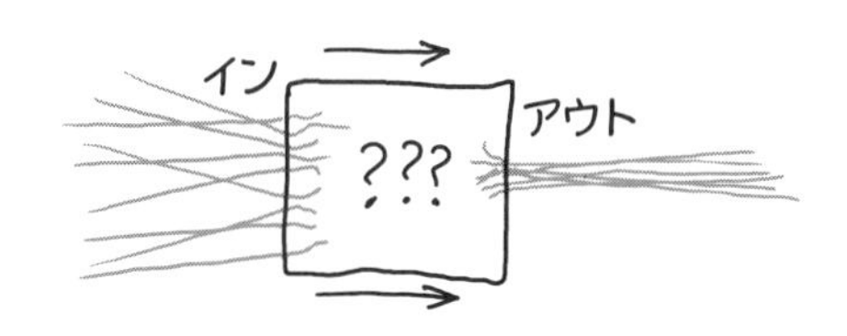

いや、それもできないのだ。[*]

任意の受動的な光学系は、「エタンデュ保存の法則」という法則に従うことが知られている。これは、広い「入力」面積にわたってさまざまな角度から光が系に入ってくるとき、入力面積と入力角[**]の積は、出力面積と出力角との積に等しいという法則だ。あなたの光が小さな出力面積に収束されているなら、それは大きな出力角にわたって「広がって」いなければならない。

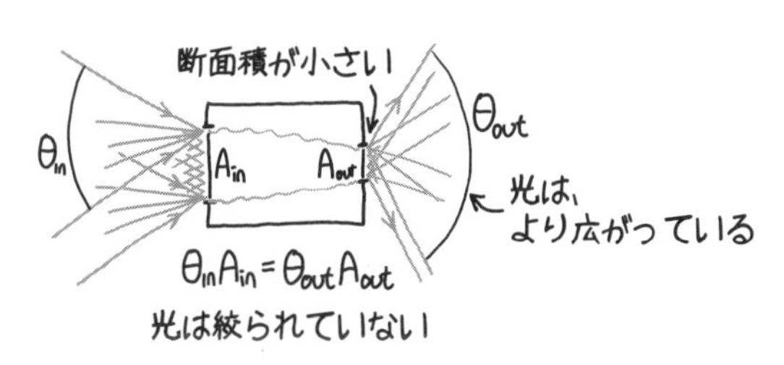

＊　私たちはもちろんこのことはすでに知っている。なぜなら、それは熱力学第二法則に反すると、先にお話したので。

＊＊　または、三次元の系なら立体角。

言い換えれば、何本もの光線を寄せて絞ると、光線たちは平行性がなくなって広がっていき、遠方の1点に向かわせることはできなくなるのだ。

レンズが持つこの性質は、こんなふうにも考えることができる。レンズは光源が視界を一層広く占めることができるようにするだけで、1点からの光を一層明るくすることはできない、と。これを実感するには、1枚のレンズを壁に向かって掲げ、そのレンズを覗くといい。どんな種類のレンズを使おうが、それで壁のどこかの部分の明るさが増して見えることはないとわかるだろう。その方向に壁のどの部分が見えるかが変わるだけだ。光源をより明るくするようなことは、エタンデュの保存則に反する。ということはすなわち、レンズ系にはそもそもそんなことはできないということだ。レンズ系にできるのは、すべての視線を光源の表面の上で結ばせることだけであり、それは光源でターゲットを包囲するのと同じことである。

もしもあなたが太陽の表面物質に「囲まれた」なら、あなたは実質的に太陽の内部で浮かんでいるのと同じであり、即座に周囲の温度に達するだろう*。

では、月の明るい面に取り囲まれたとしたら、あなたの体温はどのくらい上がるのだろう？　月面にある岩は、光源としての月面によって取り囲まれているようなもので、月面の温度に達する（なぜなら、それらの岩が月の表面なのだから）。したがって、月光に焦点を当てたレンズ系は、月面の小さなクレーターの中に留まっている岩の温度以上に、何かを高温にすることは実のところできないのだ。

＊　太陽を訪れることによってあなたが経験できるわくわくするような経験についての詳細は、61、62、63章と、「さくっと答えます　＃5」を参照ください。

これは、月光で火を付けることはできないという決定的な証拠を与えてくれる。アポロの宇宙飛行士たちは生き延びた、というのがそれだ。

52章　すべての法律を読む

自分を支配しているすべての法律や規制——合衆国憲法、州憲法に始まり、条約、省庁が制定した規則、連邦法及び州法、市町村の法規など——の文書を読みたいとしたら、何ページ読まなければなりませんか？

——キース・イアマン

法律はたくさんある。どういう内容かを知るためには、それらを読まなければならない。さもないと、罪を犯しながら、それに気づかないなんてことになる。ことによると、あなたの一見普通の趣味や活動が何らかの目立たない法律を破っているかもしれないのだ。

ぼくは、自宅の周りをぶらぶらしている普通の人間に過ぎないよ。
ぼくの趣味は、ガーデニング、ジョギング、
渡り鳥を捕まえて食べること、石油の採掘、レーザーの売買、
前回より大きな模型ロケットを打ち上げること、
そして町の広場で中傷的なコメントをすること。

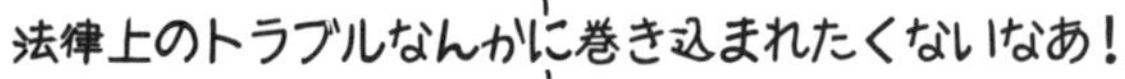

法律上のトラブルなんかに巻き込まれたくないなあ！

私はマサチューセッツ州の町に住んでいるので、次に挙げる法の下にある。

・アメリカ合衆国憲法（26ページ）
・連邦法（82000ページ[*]）
・マサチューセッツ州憲法（122ページ）
・マサチューセッツ州法（63000ページ）
・町の法規（450ページ）

これで合計約145000ページだ。毎分300ワードのペースで１日あたり16時間読んだとすると、全部読むには約６カ月かかる。

しかし、これらはすべて制定法、すなわち、議会によって可決され成文化された法律である。これらのほかに、権限を与えられた政府機関が公布したルールとしての規則がたくさんある。規則は、法律に付随して公布されることも多く、次のようなものが含まれる。

・連邦規則（295000ページ）
・マサチューセッツ州規則（31000ページ）
・町の土地区画規則（500ページ）

これらの規則[**]を含めることで、読むべきページは３倍以上になり、読むのに必要な時間は２年近くになる。

アメリカ合衆国憲法の第６章は、さらに別の法源として、条約を加えている。

＊　実際のページ数を挙げている場合と、語数を数えたものを、印刷された法律文書に典型的な１ページあたり350語で換算したページ数を挙げている場合とが混在している。

＊＊　電気工事規則などのように、「参照することによって援用される」法規制がある。法律には、「クレイジーストロー（訳注：曲がりくねったストロー）を販売する場合、それは米国クレイジーストロー製造業者協会が発行した『クレイジーストロー規格385-1.2』に適合しなければならない」などと記されているかもしれない。法律を解釈するにはこのようなものも読まなければならないかもしれないが、法律そのものの主要な資料とは考えられないので、ここでは数えないことにする。

この憲法、およびこれに準拠して制定される合衆国の法律、ならびに合衆国の権限にもとづいて締結された、または将来締結されるすべての条約は、国の最高法規である……

――アメリカ合衆国憲法　第６章（米国大使館アメリカン・センター・ウェブサイト掲載の高橋一修法政大学元教授訳より引用）

米国国務省はアメリカ合衆国で有効なすべての条約と協定のリストを毎年出版している。2020年のリストは570ページの長さだ。これは、条約のリストの長さに過ぎず、条約の長さではない。１ページあたり約14の条約が挙がっているので、全部で7700の条約があることになる。サンプルを抽出するためにランダムに選んで、例えば2005年１月を調べてみると、条約の平均的な長さは33ページだった。この平均値がすべての時期のすべての条約に当てはまるとすると、条約で25万ページが追加されることになり、私たちが読むべき法規制文書の総ページ数は約700000ページになり、読み尽くすには２年半かかることになる。

思ったほど大変じゃないな――
『シンプソンズ』シリーズ全部を連続60回見るのと
同じぐらいの長さだし、それなら一度やったもんね

最後になったが重要なのが判例法だ。最高裁判所がある法律を「無効にする」とき、その法律が文書として実際に削除されるわけではない。最高裁判所は、その法律はもはや施行できないと言うだけで、場合によってはさらに、人々あるいは法の執行機関にその法律とは異なる行動をするよう命じることもある*。しかし最高裁判所は、その法律の文章そのものを実際

に変更するわけではないので、元々の法律の字句を読んでも、それがすでに無効になっていたり変更されていたりしているかどうかはわからない。これらの「最新版」を知りたければ、判決を読まなければならないが、じつはそのような判決はたくさんあるのである。

マサチューセッツ州の判例法は合計約50万ページで、これによってあなたが法規を読むのに必要な時間はさらに2年延びるだろう。連邦判例法は、桁違いの1230万ページの分量があり、ここまでに挙げた法律の総量など微々たるものだったと思い知らされる。それをすべて読む――連邦区が全国に及ぶ強制命令を出す可能性もあるので、よその連邦区のものまで含めて――には41年かかり、総計は45年となるだろう**。

これらの法律をすべて読まなければなりませんか？

大部分の法律はあなたに当てはまらない。たとえば、合衆国法典（連邦法）第42編第2141条（b）はエネルギー省が核物質を分配する（法的）資格を制限している。あなたがエネルギー省の人間でないなら、これについて気にする必要はない***。

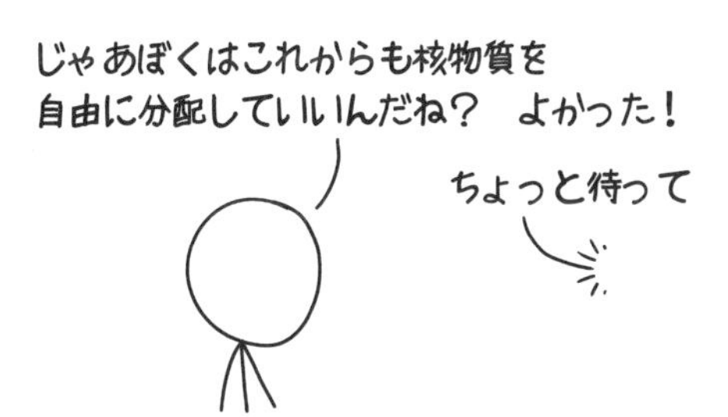

じゃあぼくはこれからも核物質を
自由に分配していいんだね？　よかった！
ちょっと待って

＊　これが、単純に「無効にする」という形を取る場合もあれば、その結果法律が拡張される場合もある。

＊＊　全国に及ぶ強制命令をあなたがどう見るかによっては、最高裁判所の判例法と、あなた自身の住む地域の判例法だけ読めば済むかもしれない。その場合、読むべき総ページ数はもっと取り組みやすい分量に減り、7年ですべて読めるだろう。

＊＊＊　エネルギー省に属する人々へ：こんにちは！　私は皆さんとエネルギー全般の仕事の大ファンです。

しかし、どの法律があなたに適用されるかは、実際にそれらの法律を読まなければ本当にはわからない。法律がどうなっているか知らなければ、面倒に巻き込まれるかもしれない活動はたくさんある。たとえば、カリフォルニアの食品及び農業条例27637条は、卵に関する誤った、あるいは、誤解を招くような主張をすることを禁じている。さいわい、私はカリフォルニア州には住んでおらず、おかげで私は自分の卵理論を自由にほかの人たちと共有することができる。

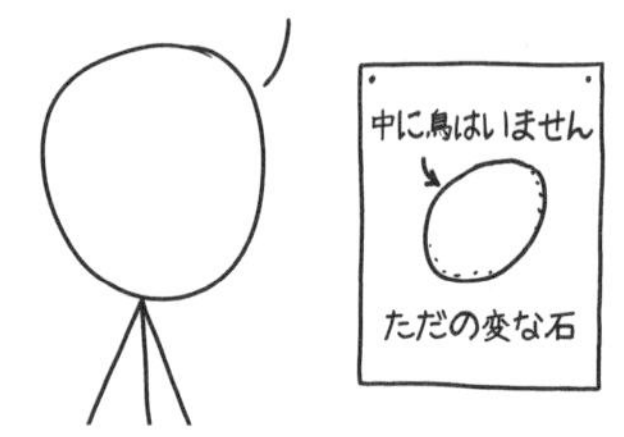

わかりました。でも、本当のところ、何が違法なのかをどうやって知ればいいんですか？

何らかの答えを得るために、ハーバード大学法律図書館に連絡し、調査図書館員のA・J・ブレッシュナーに、何が合法で何が違法かを私――ロケット工学や中傷などの普通の趣味を続けたいだけのしがない市民――が知るにはどうすればいいかを尋ねた。

「あなたの地域の公立法律図書館が物事をはっきりさせるのを助けてくれますよ」とブレッシュナーは話してくれた。さらに、第一審裁判所にはそれ自体の図書室があることが多く、一般に公開されていると教えてくれた。

「これらの図書館は、判事や弁護士を助けるために作られたのですが、あなたは市民の１人として、そのなかに入って、手伝ってもらうことができます。それは、素晴らしい、あまり知られていない情報源なのです」

こんにちは。法律について情報を探しているんですが
いいですよ、何についての法律ですか？
つまり、法律全般なんです。
法律
図書館

法律図書館は法律について学ぶための素晴らしい情報源だが、自分が法律上のトラブルに巻き込まれるかもしれないと心配なときにどうすべきかについて、ブレッシュナーはより実用的なアドバイスもしてくれた。「答えがよくわからない法律についての疑問があるなら、おそらく弁護士に相談するのが賢いやり方でしょう」

本当にこれだけの法律が全部必要なのですか？

法律は人々に力を与える。もしも法律が複雑ならば、それを解釈する弁護士に依頼する余裕のある人々が有利になる。「複雑で、恣意的で、直感に反する法律は国家に強い力を与えます。なぜなら、訴追裁量権（起訴するかどうか判断する権利）を持っているということは、誰に対して法律を適用するかを国が選択でき、それは時には差別的にもなりうるからです」と、国際法の教授でハーバード大学法律図書館の館長であるジョナサン・ジットレインは言う。

しかし、法律をより単純で曖昧なものにしても、その力を国家から市民に移すことには必ずしもならない。たくさんの法律を廃止して、代わりに「みんなが適切に行動すればいいだけだ」という文章で済ませることもできるかもしれない。しかし、それでは「適切に」の意味の判断を法の執行機関（行政や司法）に委ねることになってしまう。

ある意味、法律は無限に長い。なぜなら、そこには法律の文言だけでなく、それらの文言が何を意味するかへの社会全体の理解が含まれているからだ。カリフォルニア州は、私が卵に関する誤った、あるいは、誤解を招くような主張をしてはならないと言う。モンスターボールを温めてかえしたら、本物の生きたピカチュウが生まれるよと私が言ったとしたら、それは確かに誤った主張だが、卵についての主張と言えるだろうか？　モンスターボールは卵の一種なのだろうか？

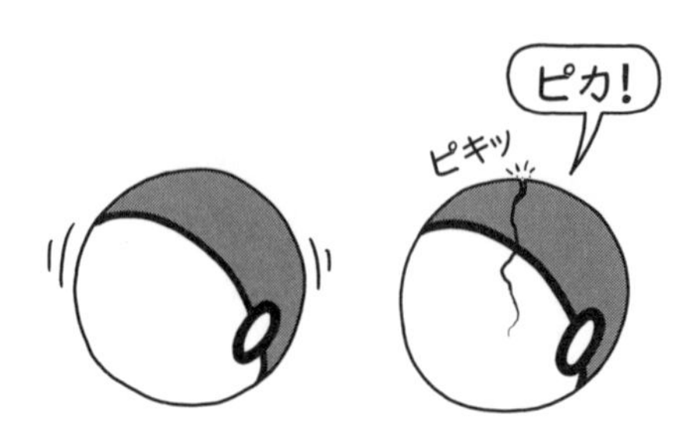

モンスターボールが卵だとは私は思わない。しかし、そう思う人も多いかもしれないし、私はそれほどポケモンに入れ込んでいないので、私にはよくわからない。モンスターボールが卵に含まれるかどうかは、何が合法か違法かを決める要因かもしれないが、法律の文言にそれは明記されていない。少なくとも、私がこれを書いている時点では。

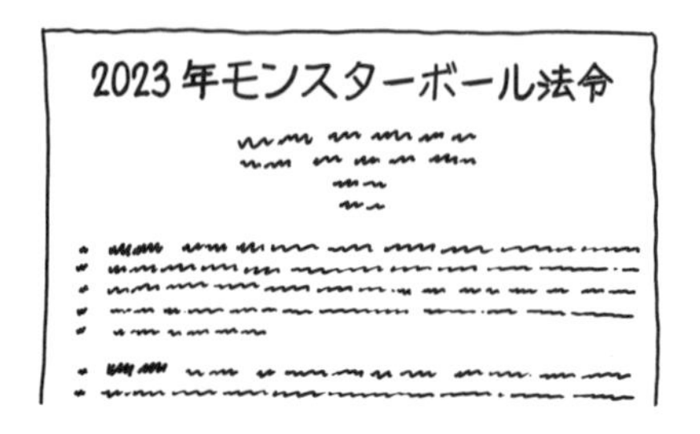

あなた独自の法律

すべての法律を読み終えたけれど、あまりに楽しかったので、終わりにしたくないと思ったとしたら、どうすればいいだろう？

ジットレインの話によれば、政府に説明を求めるだけで、あなたはちょっとした法律を新たに作り出すことができる場合があるそうだ。「税法では、あなたがやりたいと思っていることが法律を破らないかどうかを、IRS（アメリカ国税庁）に手紙を書いて尋ねることができます。IRSからの回答は、あなたにぴったりのちょっとした追加の法律ということになります！」

そのような次第で、もしもあなたが自分用にカスタマイズされたちょっとした法律がほしければ、IRSに連絡し、「プライベート・レター・ルーリング」を請求し、その回答として、拘束力のある裁決を得ることができる。IRSは、このサービスには総じて課金している——これは、回答にどの程度の仕事が必要かによっては、かなりの額になり得る——が、最後にはあなたは気になっていた疑問に答えてくれる自分だけの正式な法律を手に入れることができるだろう。

もしもし、IRSの長官ですか？　税務上、ポケモンのモンスターボールは家禽由来製品と考えられますか？
……電話番号はあなた方のウェブサイトで見つけたんですが。なぜです？
……ああ、たぶんあなたはビデオゲームをやるのにもっと時間をかけないといけないんですよ。今までにやったことあります……
ガチャッ
何だよ。失礼だなぁ

ちょっとヤバそうな質問集 #3

Q 液体窒素の容器に飛び込むとすると（あるいは、そうやって死体を処分する場合）、私もしくは死体が容器の底で砕け散り、凍った破片になるには、液体窒素はどれだけの深さが必要ですか？

——ステラ・ヴォーニッヒ

金曜日までに
知りたいの

Q アリの巣が突然あなたの血流のなかに出現したら、あなたはどうなりますか？

——マット、
8歳の息子デクランに代わって投稿

あなた、血液検査で
『噛まれやすい』
って出たわよ

Q ハリー・ポッターが９と４分の３番線への目に見えない入り口がどこだったか忘れてしまったら、それを見つけるまでに彼はどれくらいの時間当てずっぽうで壁にぶつかり続けなければなりませんか？

——マックス・プランカー

ドン

53章　唾液プール

１人の人間が、スイミングプールを自分の唾液でいっぱいにするには、どれだけの時間がかかりますか？

——メアリー・グリフィン、９年生

『５歳児が１日あたり出す総唾液量の推測』という論文によると、平均的な子どもは１日に約0.5リットルの唾液を出す。この論文は、ちょっとべとべとして雫が垂れている封筒に入れられて口腔生物学公文書館まで郵便で送られてきたんだな、と私は妄想を楽しむ。

５歳児はおそらく、大人よりも体が小さいぶん唾液を出す量も少ないだろう。その一方で、小さい子以上によだれをたくさん垂らす者が誰であれ存在すると主張したくはないので、安全な数値としてこの論文の数値を使うことにしよう。

あなたが自分の唾液を集めているとすると*、食べるときに唾液を使うことはできなくなる**。この問題を回避するには、ガムか何かを噛んで体に追加の唾液を出させるか、流動食を使ったり点滴をしたりして栄養を取ることができるだろう。

論文の１日あたり500ミリリットルというペースでは、典型的なバスタブを満たすのに約１年かかるだろう。

バスタブを唾液で満たす二次的影響の１つは、口が渇くこと。

バスタブいっぱいの唾液はかなり気持ち悪いが、あなたが質問したのはそのことではない。どういうわけか――理由など知りたくない――プールをいっぱいにすることについての質問だった。

25メートル×50メートルのオリンピックサイズのプールを思い浮かべよう。深さはいろいろあるが、ここでは、あなたが中で立てるように、深さは均一に４フィート（約1.2メートル）だとしよう***。

＊　ついでながら、この質問は気持ち悪いです。

＊＊　そうであってほしい。

＊＊＊　国際水泳連盟のウェブサイトは、スターティングブロック付きのプールは、両端付近に少し深い部分が必要だが、中央部は少し浅くてもかまわないとしている。最大深さに関することは規則には一切含まれていないようなので、地球の反対側の端まで続くプールを作ってもかまわないと思うが、そうすると施設規則2.1.15の、底にレーンを示すしるしを塗料で描く指示に従う際に困ったことになるだろう。

１日あたり500ミリリットルのペースでは、このプールをいっぱいにするのに8345年かかる。そんなに長いあいだ待っていられないので、あなたが遠い過去の世界に行って、大昔にこのプロジェクトを開始したと想像してみることにしよう。

8000年前、地球の北半分の大部分を覆っていた氷床のほとんどが後退してしまったが、その頃人類はようやく農業を発展させはじめたばかりだった。あなたはこの頃に唾液プロジェクトに着手したと考えてみよう。

現在のイラクに当たる肥沃な三日月地帯が栄え始めた紀元前4000年ごろまでには、唾液は深さ１フィート（約30センチ）に達して、あなたの足と足首を覆っているだろう。

文字による筆記が始まった紀元前3200年ごろまでには、唾液は膝の上に達しているだろう。

紀元前３世紀の半ば、ギザの大ピラミッドが建造され、古代メソアメリカ文明が出現しつつあった。この時点で唾液は、あなたが腕を下げている状態で指先に迫るところまで来ているだろう。

紀元前1600年ごろ、現在サントリーニと呼ばれるギリシアの島で巨大火山が噴火し、大規模な津波が発生して、ミノア文明を壊滅状態にし、やがてその完全な崩壊をもたらした。そのころ、唾液はおそらく腰の高さに迫っているだろう。

唾液はその後3000年の歴史を通して上昇しつづけ、ヨーロッパの産業革命期に入るころには胸の深さになっており、中で泳ぐのに十分な量となっているだろう。最後の200年でさらに3センチ深くなり、ついにプールは満たされるだろう。

長い時間がかかるのは間違いない。しかし、すべてが終わったあと、あなたはオリンピックサイズのプールを唾液でいっぱいにできるのだから、すべてはそれだけの価値があったのだ。それに、心の奥底では、私たちはみんなそういうものが本当に欲しいんじゃないかな*？

＊　いや、そんなことはない。

54章　雪玉

エベレスト山の頂上から雪玉を転がすとどうなりますか？　山のふもとに届くころにはどのくらいの大きさになっていますか？　また、山のふもとまで達するのにどれだけの時間がかかりますか？

——ミシェライン・イェーツ

雪玉は、湿ったべとべとする雪の上を転がると大きくなる。エベレスト山で見られるような乾いたサラサラの雪の上では、雪玉は大きくならないだろう。ほかの物体と同じように、ただ山を転げ落ちるだけだろう。

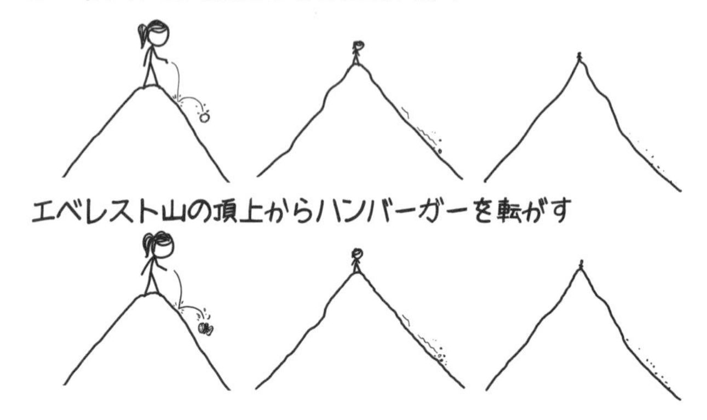

エベレスト山の頂上から雪玉を転がす
エベレスト山の頂上からハンバーガーを転がす

しかし、いい雪玉に最適な湿った雪でエベレスト山が覆われていたとしても、雪玉はそれほど大きくならないだろう。

雪玉は転がりながら雪を自らの周りにくっつけて大きくなっていき、大きな雪玉ほどたくさんの雪をくっつけていく。まさに雪玉の指数関数的な成長間違いなしの方法と思えるかもしれない。しかし、理想的なはずの湿った雪の上での雪玉の成長は、じつのところ時間が経つにつれてペースが落ちていく。雪玉は大きく太ってはいくものの、１メートル転げ落ちるたびに、直径の伸びは鈍っていく。成長のペースが下がるのは、雪玉の経路の幅――そして、その結果、雪玉が新たにくっつける雪の量も――はその半径に比例するが、新たにくっついた雪が覆うべき面積は半径の２乗に比例するので、新たにくっついた雪は、ますます広い面積に広がらなければならなくなるからだ。「雪だるま式に成長した」という言葉は、「ますます速いペースで成長した」という意味で使われるが、ある意味真実はその逆である。

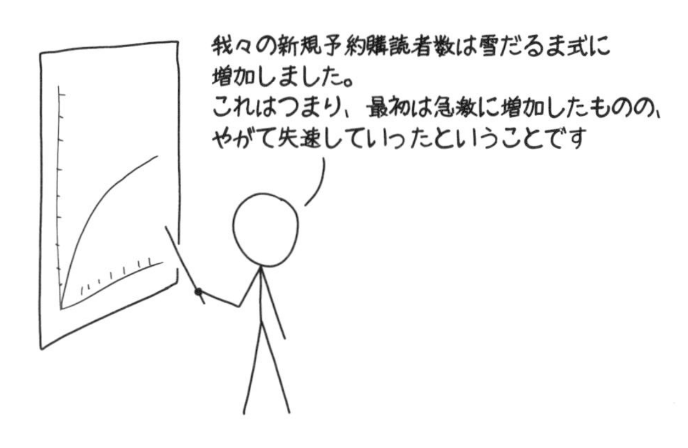

エベレスト山は非常に高い［要出典］ので、成長率が低下していったとしても、雪玉が新たに雪をくっつけていくための余地はたっぷりある。エベレスト山の３つの主要な面（サウスウエスト・フェイス、カンシュン〔イースト〕・フェイス、ノース・フェイス）は、約５キロメートル下るとやがて傾斜がゆるやかになって氷河渓谷に至る。理屈の上では、５キロメートルの斜面を転げ落ちる理想化された雪玉はどれも、山のふもとに達するまでに直径10から20メートルに成長するのに十分な雪を通過すると考えられる。

実際には、２、３メートル以上になることは、完璧な湿った雪の上でもあり得ない。雪玉には、自らの重さで崩壊しないで成長できる限界があるのだ。重力は雪玉の端を下へと引っ張るので、内部には張力がかかる。大きくなりすぎた雪玉は崩壊する。

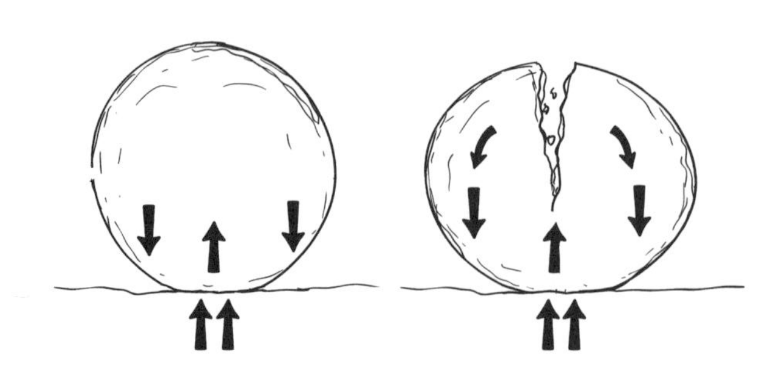

雪には引張強度がある。つまり、引き裂かれるのに抵抗する。雪の引張強度はそれほど高くない——雪で作ったロープをあまり見かけないのはこのためだ——が、０ではない。よく固まった雪の典型的な引張張力は２、３キロパスカルほどで、湿った砂より強く、大抵の種類のチーズより弱く、大半の金属の約１万分の１である。

工学分野には、ある物質を細長くしてぶら下げるときに、どれだけ長くなると自重で切れるかという値がある。それが「自重吊り下げ長さ」と呼ばれるもので、物質の引張強度、密度と、重力との比である。

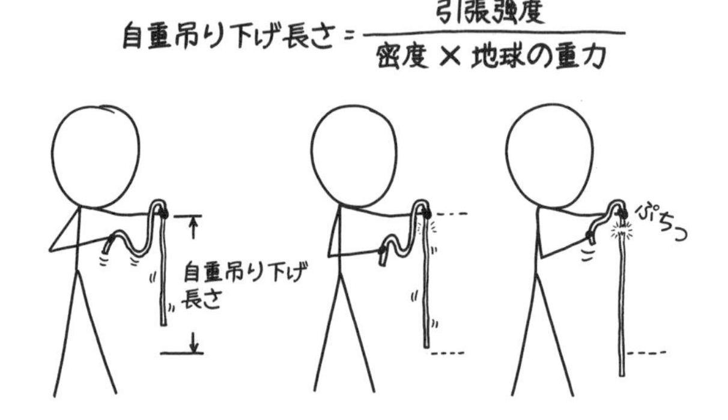

物質の自重吊り下げ長さは、その物質でできたボールがどこまで大きくなれるかを示す、かなりよい近似値——少なくとも１桁——を提供してくれる。雪の場合、その値はふわふわした雪なら１メートル以下、重たい圧縮された雪なら１、２メートルとばらつきがある。

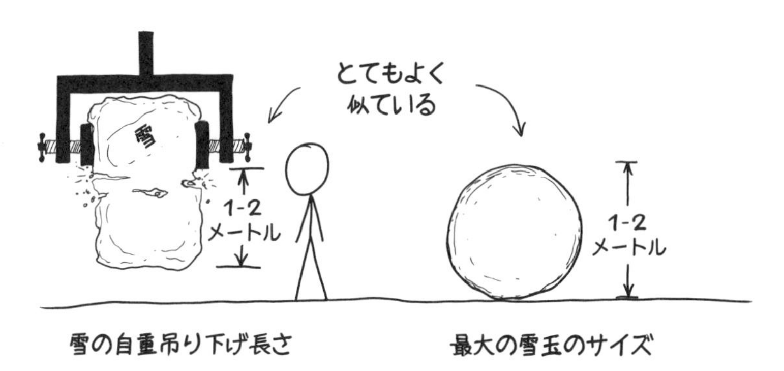

これを使えば、さまざまな物質を比較することができる。最大の雪玉は最大の砂の玉よりも大きい——砂は雪よりも結びつきが弱く、はるかに密度が高い——が、硬いチーズの最大の玉よりは小さく、最大の鉄の玉とは比べ物にならないくらい小さいことがわかる。

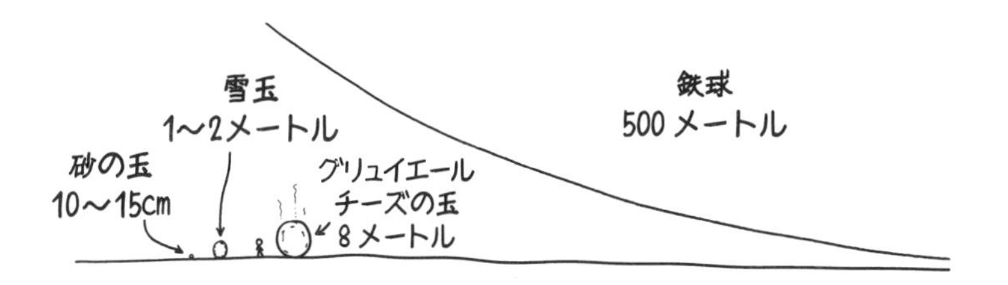

大きな雪玉を丘の斜面で転がしている人たちの動画を検索すれば、雪玉は２メートルを超えるほどの大きさになるとばらばらになることがわかるだろう。自重吊り下げ長さの式が示すとおりだ。

しかし、自己成長する雪玉を受け止めることができる斜面は稀で、**その理由**は、そのようなことのできる斜面はまずないからだ。雪玉が斜面を転げ落ちながら成長しているなら、それはやがて崩壊する。崩壊した雪玉は多数の小さな雪玉になり、それらも成長し始めるだろう、最初の雪玉と同じように。

おめでとう、あなたは雪崩を発明したのだ。

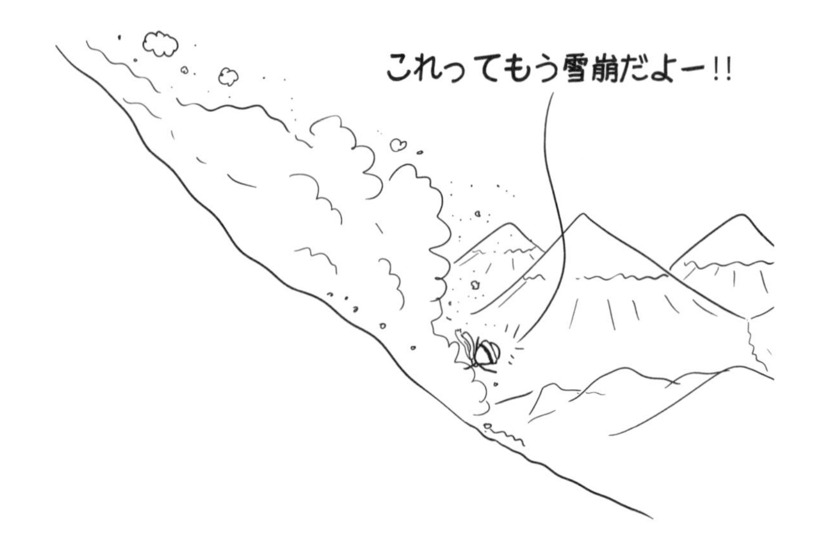

55章　ナイアガラ・ストロー

ナイアガラの滝を１本のストローを通して流そうとしたらどうなりますか？

――デイヴィッド・グウィズダーラ

国際ナイアガラ委員会、国際ナイアガラ管理委員会、そしておそらく五大湖 - セントローレンス川適応管理委員会*とトラブルになるだろう。さらに、地球が破壊されるだろう。

これは答えになっていない。当たり前のことを言うようだが、本当の答えは、「ナイアガラの滝は１本のストローでは流せない」だ。

管や開口部に流体を通すとき、流体の通過速度には限界がある。狭い開

*　この組織の組織図を私が正しく理解しているとしたら、これは個々の水系を管轄する３つの委員会からなるスーパーグループである。

口部に流体を送り込むと、流体の速度は上がる。その流体が気体なら*、開口部を通過する気体の速度が音速に達すると、「詰まって」しまう。これをチョーク流れ、または閉塞流と呼ぶ。詰まると、開口部を通過する気体はそれ以上速くは動けなくなる——圧力をあげれば、さらに多くの気体を送ることは可能だが、そうすると気体はますます圧縮されていく。

水の場合、別の効果のせいで詰まる。流体が開口部を十分速く通過するなら、ベルヌーイの定理により、流体内部の圧力は低下する。水は常に沸騰「したいと思っている」が、大気圧のおかげで他の水分子とくっついている。圧力が突然低下すると、水中に水蒸気の泡が発生する。これがいわゆる「キャビテーション」だ。

水が開口部を高速で強制的に通過させられるとき、キャビテーションの泡のせいで、水全体としては密度が低くなる。水を一層強く押そうとして圧力を上げても、それは水を一層速く沸騰させるだけだ**。おかげで、たとえ水と水蒸気の混合物の速度が上昇しても、開口部を通過する水の総量が増えることはない。

水の流量にはもう1つ、音速からくる制約がある。いくら圧力をかけても、開口部を流れる水の速度を音速(水中の)以上に加速することはできない***。しかし、そもそも水がこの状況に達することはめったにない。というのも、「音速(水中)」は非常に速いからだ。水は重いので、それを無理

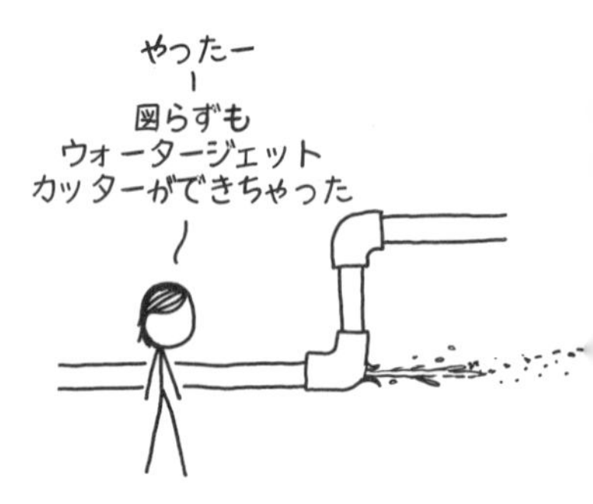
やったー
図らずも
ウォータージェット
カッターができちゃった

* 物理学では、気体は一種の流体だと考える。

** 流路のバルブを設計する人々は、このような水蒸気の泡が生じるのを避けようとする。なぜなら、生じた泡はバルブを超えた側で圧力が上がって元通りになるとすぐに崩壊してしまい、その崩壊の際の力が配管を徐々に浸食するからである。

*** それは道路の渋滞と少し似ている——渋滞している後ろにさらに多くの車を無理やり送っても、先頭近くに並んでいる車が速く渋滞から抜けるわけではない。交通渋滞と閉塞流は完全に類似しているわけではないが、それでも私は渋滞を閉塞流の比喩として使うのが好きだ。というのも、誰かがブルドーザーで車を渋滞した道路に次々と押し込んで解決しようとしているところを想像するのが面白いからだ。

にそこまで速く流そうとすると、水は配管の屈曲部を無視し始める。

では、ナイアガラの滝を1本のストローに通すには、流速はどれくらいでなければならないだろう？　そしてそれは、音速を超えているだろうか？　これを突きとめるのはそれほど難しくない。滝全体の流量と、それが通り抜けるのに必要な面積を明らかにし、前者を後者で割れば、流速が得られる。

ナイアガラの滝全体の流量は、少なくとも毎秒10万立方フィート（約2800立方メートル）で、じつはこれは法律によって規定されている。ナイアガラ川は、平均で毎秒292000立方フィートの水を滝に提供しているが、その大部分は電力を生み出すために多数のトンネルへと迂回させられている。しかし、世界で最も有名な滝を止めてしまったら、人々は憤慨するだろうから、発電所は少なくとも毎秒10万立方フィート（夜間と観光客が少ない季節は5万立方フィート）を滝に流して、人々が見ることができるようにするよう義務付けられている。保守のため、そして保守作業中におもしろいものが落ちていないかを確かめるために、滝を止めることを巡って議論が繰り返されている。

オーケー、ぼくは崖の下で
口を開けて待ってるよ――
滝の流れを再開してくれ

重要な注意を1つ。滝の水を1本のストローに流し込んだら、あなたは「毎秒10万立方フィート」の下限を規定した1950年の取り決め*に違反することになる。これは、アメリカ人1人とカナダ人1人を共同議長とする国

＊　52章を読んだのがきっかけで、アメリカ合衆国の法律や規則をすべて読んだ人は、もちろんとっくにご存じですね。

際ナイアガラ管理委員会によって監視されている*。彼らも、先に述べたほかの団体も、きっとあなたに立腹するだろうから、実行するなら自己責任でお願いします。

典型的なストローは直径が約7ミリだ。その中を水が通るときの流速を知るには、流量を断面積で割ればいい。その結果が音速よりも速ければ、流れは閉塞してしまい、困ったことになる。

$$\frac{100000\frac{\text{立方フィート}}{\text{秒}}}{\pi\left(\frac{7\text{mm}}{2}\right)^{2}}=73600000\text{メートル毎秒}=0.25c$$

どうやら、ストローの中で水は光速の4分の1の速度で流れるようだ。

水の流速（c/4の何倍かで表示）	問題が生じるかどうか
0	もしかすると
1	イエス
2	イエス
3	イエス
4	深刻な問題が生じる
5	どうかやめてください

メリットとしては、キャビテーションの心配がなくなる。なぜなら、水の分子は猛スピードで運動しているので、ストローの壁にぶつかったときにありとあらゆるワクワクするような核反応を十分起こすことができるからだ。このような高エネルギーでは、すべてはどのみちプラズマなので、沸騰やキャビテーションなどの概念は当てはまりすらしない。

だが、事態はそれよりひどい！　この相対論的ジェット水流からの反動は猛烈に強いだろう。北アメリカプレートを南に押すには足りないだろう

＊　2021年時点で、国際ナイアガラ管理委員会の共同議長は、カナダのアーロン・トンプソンとアメリカのスティーヴン・デュレットだ。彼らの執行手順は何らかの形の「報告書の提出」だけだろうと私は推測しているのだが、必要ないかなる手段を使っても盗まれた水を物理的に滝に戻す権限を与えられていると想像するのは楽しい。

が、そのジェット水流を生み出すためにあなたが使っている装置を、それがどんなものであれ破壊するのに十分だろう。

それだけの量の水を相対論的な速度に実際に加速できる装置は存在しないだろう。粒子加速器ならそこまで加速できるだろうが、粒子加速器に通すのは、普通は小さなボトルに入った気体だ。加速器の入力にナイアガラの滝をつなぐわけにはいかない。あるいは、少なくとも、あなたがほんとうにこれを実行しようとしたなら、科学者たちは猛烈に怒り狂うに違いない。

それはじつは、かえって良いのだ。というのも、このシナリオで生じる粒子ジェットのエネルギーは地球に届くすべての日光のエネルギーよりも大きいからだ。このナイアガラの滝の水を加速器にかけてできた粒子ジェット「滝」のエネルギー出力は小さな恒星のそれに相当するだろうから、その熱と光は地球の温度を急激に上昇させ、すべての海を沸騰させて蒸発させ、地球全体を居住不可能にするだろう。

とはいうものの、それでも誰かが樽に入ってナイアガラの水の相対論的なジェット滝に乗って生還しようとするんじゃないかな（ナイアガラの滝では、樽に入って滝下りをして生還しようとする命知らずが、罰金を科されるようになった今もなおあとを絶たない）。

56章　時間を遡って歩く

テキサス州オースティンからニューヨークまで歩くことにします。ただし、一歩進むたびに30日を遡ってしまうものとします。この条件で歩くとどうなるでしょうか？

――ジョジョ・ヨーソン

最初の『ホワット・イフ？』の本では、ニューヨークのタイムズ・スクエアに立って、どんどん時間を遡ったらどうなるかを想像してみた。今回のこの質問は、また違った形のタイムトラベルでニューヨークまで行くなら何が起こるかを考えるものだ。

最初の一歩を進むためにあなたが片足を上げたところから時間は逆向きに進み始め、太陽は地平線の２点を結ぶ、空の光のアーチになるだろう。人間の活動はぼやけて見えなくなり、車も歩行者も周囲から消えてしまうだろう。

太陽は空で高速点滅するストロボライトになるだろう。あなたが普通のペースで歩いたとすると、毎秒50日後戻りすることになり、世界は50Hzの周波数で明滅するだろう。この周波数は、光のフラッシュが速すぎて人間の目では分離できなくなり、融合して連続的な光に見えてしまうようになる境界である、「フリッカー融合閾値」のまさに寸前である。この閾値を超えると、明滅している光が融合して、少し不自然だとしても、一定の明るさで輝いているように見えてしまう。さらに、天気の変化によって、それとは別の不規則な明暗のゆらぎが加わるだろう。なぜなら、曇り空の時間と青空の時間とが代わる代わるやって来るため、空の明暗が交互に変化するからだ。そのうち目が慣れてくれるといいのだが。

うわっ、今日は外のフレームレートが猛烈だなぁ

太陽は空に描かれた光の帯のように見える。まるで１本の蛍光管だ。そして、夏と冬に季節が移り変わるのに応じて、７、８秒ごとにゆっくり上下に動くだろう。あなたが歩くにつれ、周囲の木という木はすべて、徐々に地面のなかへと引っ込んでいく。地面から果実が突然飛び上がって果樹の枝にくっつき、その重みで枝がしなって下がり、続いて果実が若くなっていき、ついには枝のなかに引っ込んでいくうちに、枝が元の高さに戻っていくという変化が、１年の周期で起こるだろう。

あなたは、テキサスの州都オースティンの真ん中から出発するとしよう。オースティンからニューヨークは北東の方角なので、おそらくテキサス州の行政複合施設の北口を目指すのがいいだろう。あなたがウエスト15丁目の緑地帯の端に着くころには、2000年になっているだろう。

通りをはさんで、あなたの右側でロバート・E・ジョンソン議員事務所ビルが突然姿を消すだろう。あなたが通りを渡ってコングレス・アヴェニューに沿って歩くあいだ、5から10秒ごとに高層ビルが1つずつ、巣穴に身を隠すプレーリードッグのように視界から消えていくだろう。

10分歩くと、1940年代中ごろのテキサス大学オースティン校のキャンパスに到着するだろう。大学の建物をどんどん通り過ぎていくにつれ、建物はばらばらになって地面のなかに消えていくだろう。キャンパスの半分を過ぎるころには、大学そのもの——1883年創立——がなくなっているだろう。

大学が消えたころ、街の外側を走る鉄道が消え、この鉄道が支えていた耕作地も同時に消えるだろう。1、2分のあいだに、広々とした農地が広大な草原に取って代わられるだろう。だが、それは現代の牧草地の起源となるような草原——主にギョウギシバとバヒアグラスが生えているはず——ではない。ここに見えてきたのは、それとはまったく違う生態系だ。さまざまな雑草が入り混じって生え、ところどころに低い木がある——今はもう失われてしまった、アメリカの大草原（プレーリー）だ。

ヨーロッパ人たちによる先住民の暴力的な排除が、あなたの周囲に見分けのつかないぼやけた像となって、逆順で展開するだろう。30分歩いたあとは、ヨーロッパ人たちは消え失せて、あなたはリパン・アパッチ族に囲まれているだろう。

歩くうちに、炎が辺りを包んでは消えるが、その多くは、バイソンの群れが生息する草原の保守のために人々が意図的に付けたものだ。カドという部族の国の農地や街が、前方の北東の方角にあるはずだが、あなたがそこにたどり着くころには、もはや存在していないだろう。

オースティンから30キロメートルほどの地点に到達するころには、あなたは4000年も時間を遡っているだろう。農業の発展が逆戻りしていくにつれて、トウモロコシとカボチャの畑はますます少なくなっていくに違いない。

12時間歩くと、不気味なことが起こるだろう。大陸の反対側、ケベック北部で、パンケーキ型の氷床が成長し始め、徐々に広がって大陸を覆っていくのだ。あなたの南側のテキサス沿岸では、海——あなたが歩き始めてからそれまでに、水位が徐々に2、3メートルまで下がっていたはずだ——が突然海岸線から遠ざかりはじめ、数百キロメートルの草原と森が出現するだろう。

丸１日歩いて、現在のテキサス州ソーンデールのあたりに到着するころ、あなたの周りには大型動物が急増するだろう。しばらく歩みを止めると、ラクダ、マストドン（11000年前ごろに絶滅したゾウ類）、ダイアウルフ（12000年前ごろに絶滅した大型のオオカミ）、あるいはサーベルタイガー（剣歯虎）の姿が見えるだろう。ソーンデールを少し過ぎると、人間たちは風景から完全に消え去るだろう。こういった大型でカッコいい動物たちが、人間たちが登場したころに一斉に絶滅してしまった理由ははっきりしないが、ただの偶然ではないだろうと考える人が多い。

北のほうでは、成長する氷床が大陸の大部分を覆うだろうが、あなたがいるところまでは南進しないはずだ。そのためあなたは、周囲の気候の変化を通じて間接的な影響を感じるだけだろう。

１週間歩くと、あなたはアーカンソー州に到達しているだろう。先に突如大陸に侵入を始めた氷床は、今度は突然後退し始め、海は水位が上昇して、荒涼としていた沿岸の土地を覆うだろう。これと同じころ、インドネシアのスマトラで超巨大火山（スーパーボルケーノ）が噴火し、現在のトバ火山が形成された。一部の科学者たちは、このときの噴火で地球全体に10年に及ぶ冬が訪れ、その結果人間の人口は激減したのではないかと推測したが、この仮説についてはまだ議論が続いている。あなたがほんのしばらく立ち止まって、目にしたものを記録すれば、大勢の研究者たちが心から感謝すること請け合いだ。

親愛なる未来の考古学者のみなさん、
トバ火山の大噴火は地球の寒冷化をもたらしましたが、
人口が激減することはありませんでした。
それはさておき、過去の解明の成功をお祈りします！
ハグ＆キッスをお贈りします。

追伸：この間氷期のムササビは
超音速でした。
それが何を意味するかは
まったくわかりません
ブーン

10日間歩いたら、あなたは思っていたより少し早くミシシッピ川に到達するだろう。この川は古い――何らかの形でこの場所に数百万年存在している――が、川筋はかなり変化しているので、あなたが到達するときは、現在の位置よりも少し西にある可能性が高い。近づいてみると、川が氾濫原をあちらへ、こちらへとのたうち回り、弧を描きながら、ほとんど歩く速さで向きを変えているのが見えるだろう。その周囲には、今あなたを取り巻いている平原の全体を水浸しにした周期的な洪水が、明滅するぼやけた像としてまとわりついているだろう。低速でしか機能していないあなたの肺を、常に空気に満たされているよう保っている何らかのプロセスが、あなたから見れば光速の1、2パーセントの速さで流れている川を渡ろうとするときに、溺れないように守ってくれることを願う。

あがきながらもなんとか川を渡ったという仮定の下で、あなたは向こう側で前よりもずっと北極めいた光景が広がっているのに気づくだろう。何とびっくり——また別の氷河期にぶつかって、氷河が現れたのだ！

再び氷河が！

これがイリノイ氷期、北アメリカ大陸における最も過酷な氷河期の１つだ。あなたが進む道は、氷河そのものに襲われるには南に寄りすぎているが、氷河が拡張する前には、氷河融解による洪水があなたの周囲で逆回しで起こるだろう。融氷水が繰り返し海から現れ、激流となって北へと移動し、あなたを通り過ぎて氷の壁を登り、元の場所に戻って凍るだろう。

あなたがテネシー州とケンタッキー州のトウヒとバンクスマツの森を通り抜けるのにかかる１週間ほどのあいだ、気温は徐々に上昇するだろう。

3週間が経過したころ、あなたはオハイオ川とアパラチア山脈のあたりに到達しているだろうが、気候は非常に温暖になっているだろう。あなたは、気温がほぼ今日と同じくらい高い24万年前の間氷期の只中にいるのだ＊。

あなたがアパラチア山脈を越えるころ、25万から30万年前のMIS-8寒冷期（MISは海洋酸素同位体ステージの略。海水の酸素同位体比から温暖期か寒冷期かが判別でき、その方法で特定した8回目の寒冷期のこと）と呼ばれる時代になり、氷床が最後にもう一度あなたを襲おうとするだろう。あなたの進んでいる道は、十分南寄りで、氷河を避けることができるだろうが、たまたまもっと北寄りに進んでいたなら、季節毎に拡大したり縮小したりを繰り返す氷壁に出くわす可能性がある。近寄りすぎると、ときどき小規模な氷床が、貨物列車並みのスピードと、貨物列車よりもずっと猛烈な勢いで（質量がはるかに大きいため）、突進してくるかもしれない。絶対に近づきすぎないように。

ニュージャージー州北部の丘陵を通過してニューヨークに近づくにつれ、あなたには最初草原が見えるはずだが、そこには何本もの川が南東へと走っているだろう。しかし、あなたが近づいていくと、遠くの海が視界に入ってくるだろう。それは、地面の上をのらりくらりと進む、ゆったりと長い川のように見えるかもしれないが、時折歩く速さほどに加速することもあるだろう。今から30万年前ごろまで時間をさかのぼったら、あなたはニューヨークに到着するはずだ。そこでは現在の海岸線とそれほど変わらな

＊ 私がこれを執筆しているのは21世紀の初期である。

い形の浜辺ができていて、あなたを迎えてくれるだろう。

海はほぼ同じ場所にあるだろうが、あたりの風景は、とてもニューヨークの姿とは思えないだろう。あなたがタイムトラベルで到達したこの浜辺は、30万年という歳月が過ぎるなかで、氷河に削られては川によって土砂を運ばれて、というサイクルが繰り返された結果、私たちみんなが見慣れている21世紀の風景へと変貌するのだ。

最初の『ホワット・イフ?』では、読者のみなさんはニューヨークに立って10万年前から100万年前へとジャンプし、時間を遡る旅をした。30万年の時間をさかのぼりながら歩いて今ニューヨークに到達したあなたは、ちょうどいい場所に立って、ちょうどいいタイミングで大声で呼びかけたなら、ずっとニューヨークに立って時間をさかのぼっていた人々に気づいてもらえるんじゃないかな……

きみは誰?
ぼくに何か用?
私は『もっとホワット・イフ?』からやってきたタイムトラベラーだよ。ようこそ、30万年前へ!
一緒にランチどうかなって思ってたんだけど、レストランの営業時間調べたら、まだオープン前だったみたい

……一緒におやつが食べられるかもしれない。

57章　アンモニア・チューブ

アンモニアをチューブで胃の中に送ったらどうなりますか？　放出される熱で胃を焼くには、アンモニアガスをどれだけ速く流せばいいでしょうか？　できたての塩素ガスは胃にどんな作用を及ぼしますか？

——ベッカ

あなたが受けた化学の授業がどんな内容だったのか、ちょっと気になります。

これは間違いなく、私が受け取った質問のなかでも特に気がかりなものの１つだが、正直なところ、私自身答えを知りたくてしょうがない。

手を溶岩に浸けるとどうなるでしょうか？
いい質問だわ！
いざ、科学の火山へ！
SCIENCE

化学者のデレク・ロウは、『イン・ザ・パイプライン』というブログの著者だが、気持ちが悪くなりそうな化学をあれこれたくさん身をもって経験している。そこで私は、アンモニアが胃にどんな影響を及ぼすかについて、彼の考えを訊いてみた。彼によれば、ありがたいことに、アンモニアの反応で胃のなかで塩素ガスが生じることはないそうだ。アンモニアは塩基なので、胃の中の酸と直接反応して、中和が起こり、塩（えん）が生じる。この塩は塩化アンモニウムで、消化器官に多少の刺激は与えるが、それ自体が特に危険というわけではない。しかし、この反応では熱もかなり生じるので、酸とアンモニアが中和するとき胃は火傷するだろう。

すべてのアンモニアが中和されるのではない。「おそらく酸が制限要素となるでしょう」とロウは私に言った。胃の中の酸の量はそれほど多くはないので、アンモニアが胃酸を中和するには長い時間がかかるはずだ。「そして」と彼は言った。「そのあとすぐに直接的な組織損傷が起こります」

どんな種類の直接的な組織損傷か？
いい質問をありがとう！
誰も質問してないと
思いますけど

医学文献を紹介するレファレンスライブラリーのStatPearlsでは、アンモニアの毒性の一覧に次のような言葉が挙がっている。

- 「炎症反応」
- 「修復不能な傷痕」
- 「重篤な熱傷」
- 「液化壊死」
- 「消化管の傷痕」
- 「タンパク質の変性」
- 「管腔臓器の穿孔」
- 「鹼化」

『鹼化』って何ですか？
いい質問だわ！
誰も質問なんて
してません

あなたが首をかしげておられるといけないので、鹼化について説明すると、これは脂質――この場合、細胞を一体に保っている膜――を分解して石鹼を作ることだ。体内で鹼化が起こると、細胞の内容物が漏れ出すが、それが良くない理由は説明しなくてもおわかりのはずだと、私は切に願う。

結論はこうだ。

1. 胃にアンモニアを詰め込んではならない。
2. 誰かがベッカの化学の授業をチェックすべきだ。

58章　地球と月を結ぶ滑り棒

私の息子（５歳）に今日質問されたのですが、月と地球のあいだに、消防署の滑り棒のようなものがあって、月から地球に降りられるとしたら、月から地球まで降りるのにどれだけの時間がかかりますか？

――ラモン・シェーンボルン、ドイツ

まず、問題を整理しよう。

実際には、地球と月のあいだに金属の棒を設置することはできない*。棒の月の側の端は月の重力によって月のほうへと引き寄せられ、それ以外の部分は地球の重力で地球のほうへと引き寄せられる。そのため棒は２つに引きちぎられるだろう。

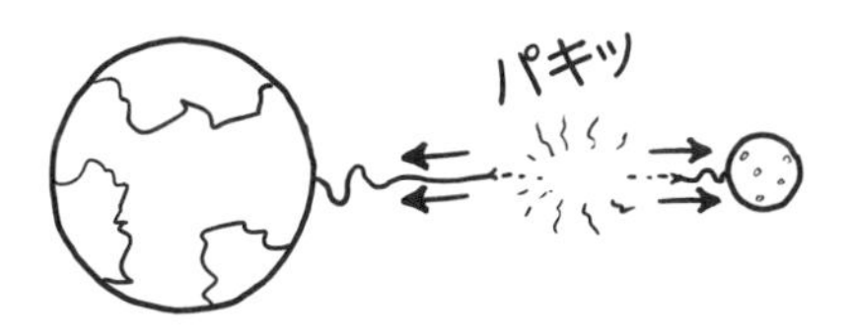

この計画にはもう１つ問題がある。地球の表面は月よりも速く回転するので、地球に下がっている側を地面に固定しようとすると、こちら側の端が折れてしまうのだ。

＊　１つには、NASAの誰かが怒鳴り込んでくるだろう。

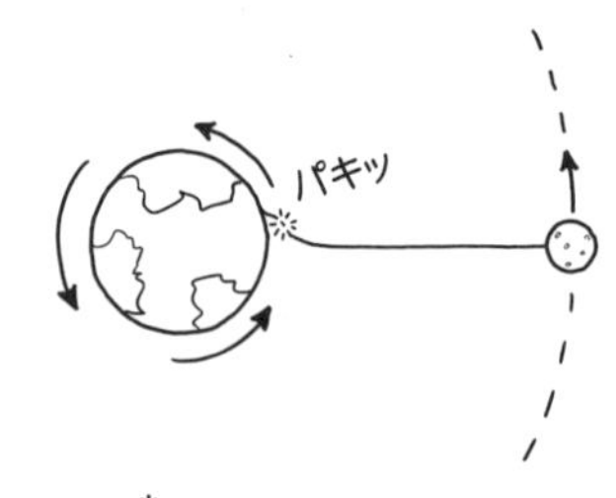

さらにもう１つ問題がある*。月は地球から常に同じ距離にあるわけではないのだ。軌道に沿って進むにつれ、近づいたり遠ざかったりする。大きな違いではないが、長さ数十万キロメートルの長さの滑り棒が、毎月１回地球に押し付けられてつぶれるのに十分な違いだ。

だが、こういった問題は無視してしまおう！　月から垂れ下がってきて、地球の表面の少し上まで届く魔法の棒があって、それが伸び縮みして、決して地面に接触しないとしたらどうだろう？　この棒で月から滑り降りるにはどれだけの時間がかかるだろう？

あなたが月面で、この棒の隣に立ったなら、１つ問題があることがすぐにわかる。あなたは、棒を滑って登っていかなければならないのだ。とても滑り棒と呼べるような使い方ではない。

滑るのではなく、あなたは登らなければならない。

人間は、結構速く棒を登ることができるものだ。棒登りの世界記録保持

* はい、これは嘘です——さらに数百個の問題がある。

者たち*は、選手権大会**で毎秒1メートル以上のペースで登っている。月面では重力ははるかに小さいので、おそらく地球上でよりも登りやすいだろう。一方、宇宙服を着る必要があるので、そのためにペースは少し落ちる。

十分な距離を登ったなら、地球の重力が優勢になり、あなたを引っ張って下ろしてくれるだろう。棒にしがみついているとき、あなたには3つの力が働いている。地球に向かってあなたを引っ張る地球の重力、あなたを地球から遠ざける向きに引っ張る月の重力、そして、月と共に回っている棒の遠心力***——あなたを地球から引き離す方向に働く——だ。初めは、月の重力と遠心力の和のほうが大きいので、あなたは月のほうに引かれるが、地球に近づくにつれ、地球の重力が優勢になる。地球のほうが月よりも重いので、まだ月に結構近いうちに、あなたはそのような点——L1ラグランジュ点と呼ばれるもの——に到達するだろう。

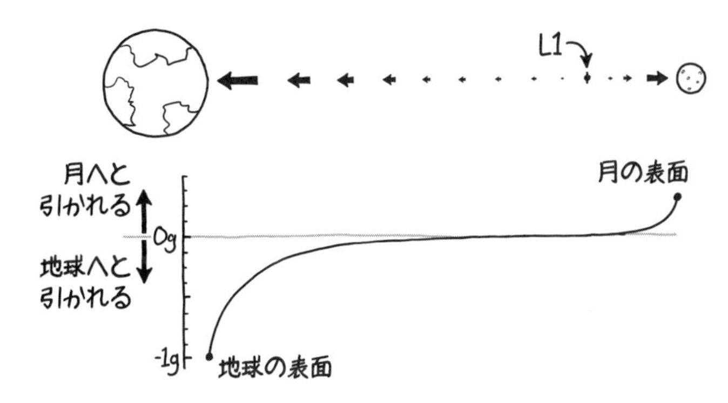

あなたにとっては困ったことに、宇宙は広大なので[要出典]、「結構近い」と言ってもまだまだ遠い。たとえあなたが世界記録を超えるスピードで登ったとしても、月と地球の重力の均衡点であるL1に到達するには数年かかるだろう。

＊　もちろん、棒登りには世界記録がある。
＊＊　もちろん、選手権大会がある。
＊＊＊　月の軌道の距離で、月と同じスピードで運動していたなら、それにかかる外向きの遠心力は、地球の重力ときっちり釣り合っている——だからこそ月はそこを軌道として周回しているのだ。

L1に近づくうちに、あなたは登る態勢から蹴伸（けの）びの態勢に切り替えることができるだろう。一度蹴ったら、長い距離を一気に滑って、棒を登ることができるようになる。それに、止まるまで待つ必要もない――棒にもう一度しがみつき、自分の体に勢いをつけて、進むペースを上げることができる。スピードスケートの選手が、数回繰返し蹴ってスピードを上げるのと同じだ。

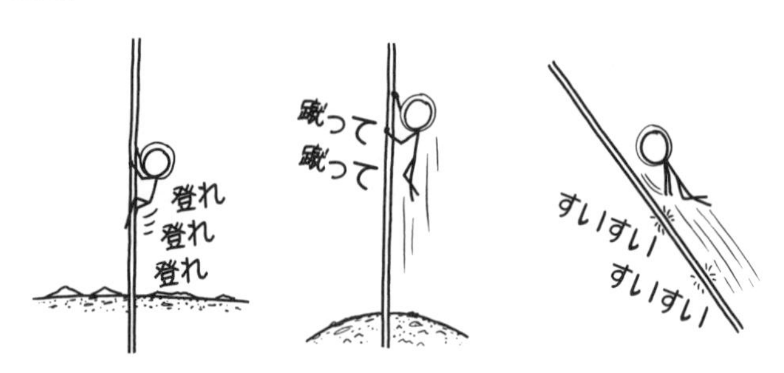

やがて、L1の間近に迫り、もはや重力と闘う必要がなくなると、スピードを制約するものは、あなたが棒をどれだけ速く掴んで、自分の後ろへと「投げる」ことができるかだけになるだろう。野球の最速ピッチャーは、自分の手を時速約100マイル（時速約160km）で動かしながら物体を手から投げることができる。おそらくそれがあなたが期待できる棒を進む速さのおおよその上限だろう。

注意：自分の体を棒に沿って投げ出すときは、棒に手が届かないところまで離れないように注意する必要がある。万一そのようなことが起こったときのために、命綱のようなものを持っておき、棒の傍に戻れるようにするのが望ましい。

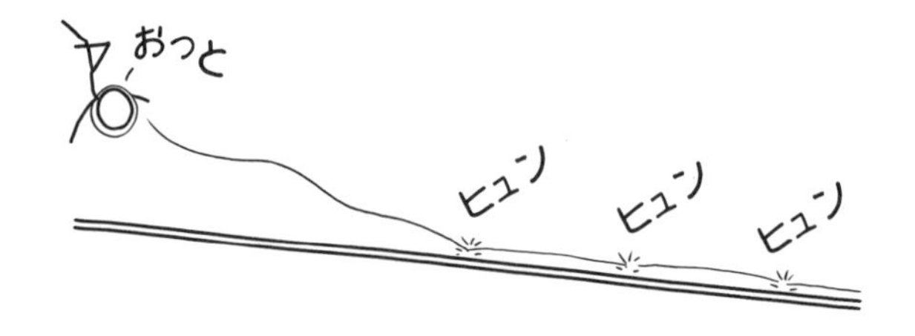

その後さらに2、3週間棒に沿って滑って進むと、重力が利いてきて、自分で棒を押して体を進めていたときよりも、ずっと速く進んでいると感じるだろう。こうなったら、気を付けないといけない——すぐに、速くなりすぎないかが心配になってくるからだ。

地球に接近し、その重力で次第に強く引かれるようになると、あなたはかなり加速し始める。自分で自分を止めないと、ほぼ脱出速度——秒速11キロメートル——で大気圏の最上部に達することになり、大気と衝突する衝撃で大量の熱が発生し、燃え上がってしまう恐れがある。宇宙船では、ヒートシールドを使ってこの問題に対処している。ヒートシールドが熱を吸収して拡散してくれるので、その下で守られている宇宙船は燃えずに済む。だがあなたには、この金属棒が手元にあるのだから、棒にしっかりしがみついて、摩擦を利用して降りるペースをコントロールすればいい。

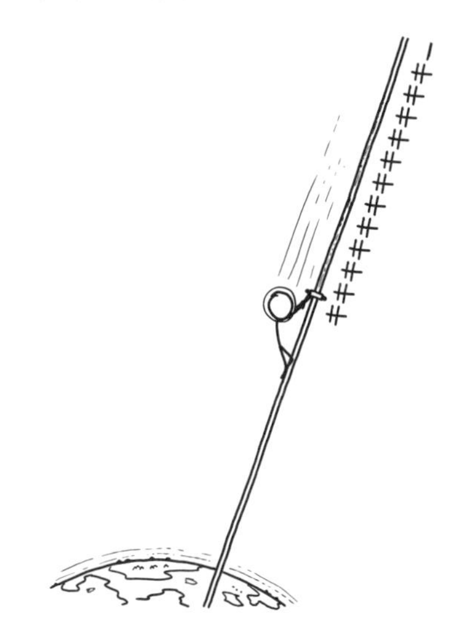

地球に接近し、降下するあいだじゅう、絶対にスピードが上がらないようにすること——そして、必要に応じて、手やブレーキパッドを冷ますために止まるようにしよう。ヤバくなってから減速しようとしてもだめだ。脱出速度に近づいてきたら、減速しないとだめだということを土壇場で思

い出してほしい。さもないと、棒にしがみつこうとしてギョッとすることになるだろう。最善の場合でも、あなたは投げ出され、墜落して絶命するだろう。最悪の場合には、手と棒の表面とが励起した新しい形の物質に変貌し、その後あなたは投げ出され、墜落して絶命するだろう。

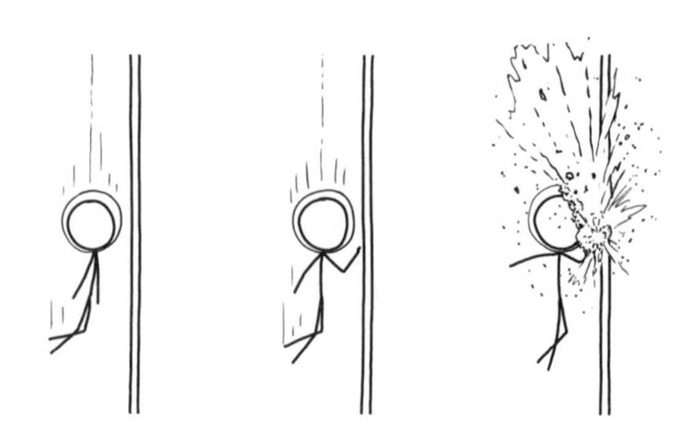

ゆっくり降下し、制御された形で大気圏に入ったとしても、すぐに次の問題に直面するだろう。滑り棒は、地球と同じ速度では動いていないのだ。近い速度ですらない。下にある陸と大気は、あなたに対して猛烈なスピードで動いているだろう。あなたは、強烈な風のなかに落ちようとしているのだ。

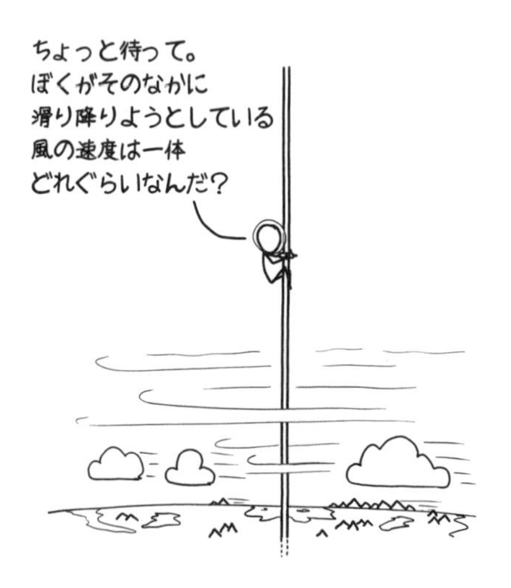

ちょっと待って。
ぼくがそのなかに
滑り降りようとしている
風の速度は一体
どれぐらいなんだ？

月は、だいたい秒速1キロメートルぐらいの速度で地球の周りを公転しており、29日間で1周している。私たちが考えている架空の滑り棒の上端も、この速度で運動していることになる。棒の下端は、同じ長さの時間に、それよりもっと小さな円を描いて運動しており、その平均速度は、月の軌道の中心に対して時速約35マイル（時速56キロメートル）だ。

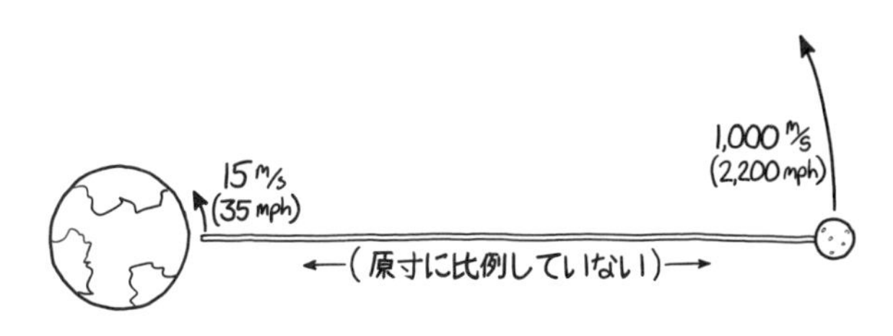

さて、時速35マイルならそれほど悪くないと思える。だが、あなたにはあいにくだが、地球も自転しており*、地表は時速35マイルよりもずっと速く動いている。赤道では、時速1000マイル（時速約1600キロメートル）を超えている**。

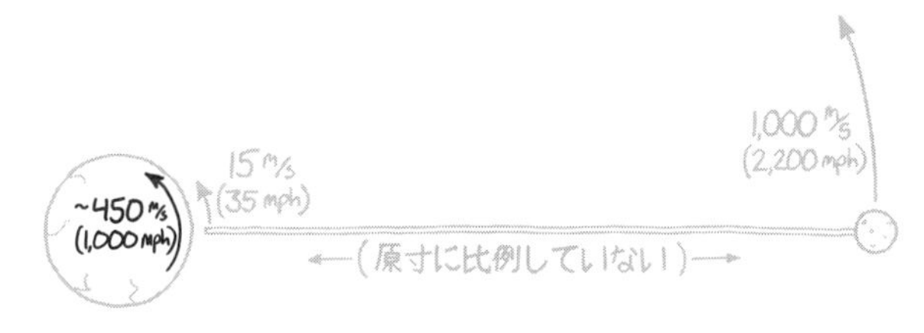

＊「あいにく」だと申し上げているのは、この特殊な状況においてのことだ。一般的には、地球が自転しているという事実は、あなたにとって、また、地球全体の居住可能性にとっても非常に良いことである。

＊＊　海水面から測って、エベレスト山が地球で最も高い山だということは広く知られている。それに比べてあまり知られていないトリビアが、地球の中心から最も遠い地表の点はエクアドルのチンボラソ山の頂上だという事実だ。これは、地球が赤道の部分で外に膨れているからである。それよりもさらに知られていないのが、地球の自転で最も速く動いている地表の点はどこかという問題で、それは、地軸から最も遠い点はどこかというのと同じである。その答えは、チンボラソ山でもエベレスト山でもない。最速地点は、チンボラソ山の北にある、カヤンベ山という火山の頂上である（＊＊＊）。これであなたも1つ物知りになりましたね。

＊＊＊　カヤンベ山はさらにその南斜面が、赤道が通る地表の最も高い地点でもある。山にまつわるトリビアを、私は結構たくさん知っている。

棒の端は、地球全体に対してゆっくり動いていたとしても、地表に対しては猛スピードで動いている。

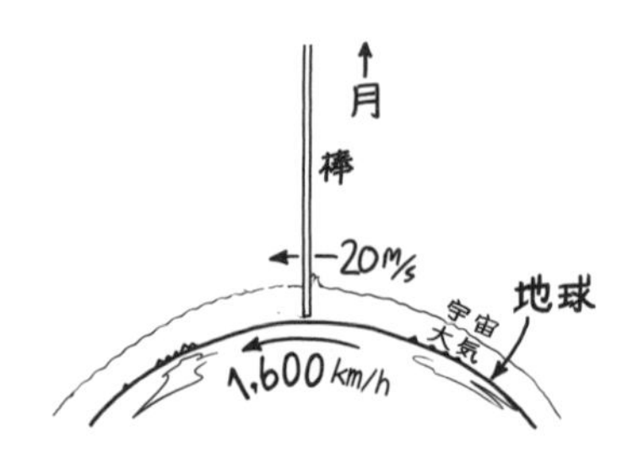

棒が地表に対してどれだけの速さで運動しているかという質問は、実質的に、月の対地速度がいくらかと尋ねているのと同じだ。これを計算するのは厄介だ。というのも、月の対地速度は時間が経過するにつれて複雑に変化するからである。私たちにとってはありがたいことに、それほどは変化しない——普通は秒速390から450メートル、またはマッハ１強である——ので、正確な値を突きとめる必要はない。

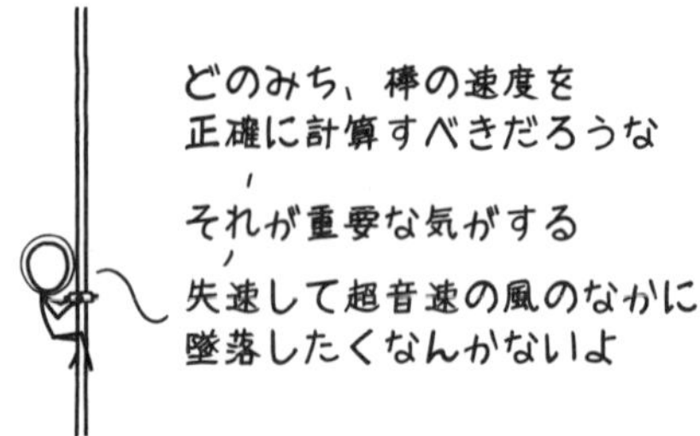

どのみち、棒の速度を
正確に計算すべきだろうな
それが重要な気がする
失速して超音速の風のなかに
墜落したくなんかないよ

ともかく、それを突きとめることで、少し時間をかせごう。

月の対地速度は、かなり規則的に、正弦波のような形で変化する。１カ月に２回ずつ、高速で動いている赤道を通過する際に、ピークに達する。その後、動きが遅い回帰線の上を通過する際に最低になる。月の軌道（公転）速度も、軌道上の近点（地球に最接近する点）と遠点（地球から最も遠ざかる点）のどちらにあるかによって変化する。このような次第で、月の対地速度はおおよそ正弦波の形で変化する。

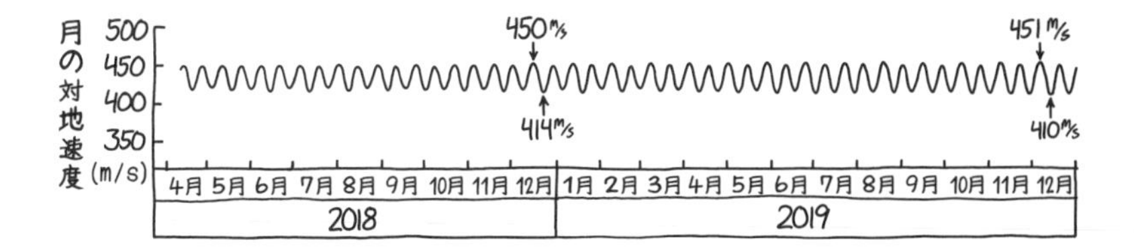

さて、ジャンプする用意はいいかな？

ほかに計算できること
何かないかな？
忘れてない!?

わかりました、ありますよ。月の対地速度をとことん正確に特定するために考慮すべきサイクルがもう１つある。月の軌道は地球と太陽がなす面に対して、約５度傾いている。一方、地軸の傾きは23.4度だ。したがって、月の赤緯（ある天体が天球上の赤道から北または南にどれだけずれているかを表す角度。その天体が地球上のどの緯度の真上にあるかを表す）は太陽のそれと同様に変化し、北回帰線から南回帰線へと１年に２回移動する。

しかし、月の軌道面も傾斜しており、この傾斜を保ったまま18.6年周期で軌道面が回転している。月の傾斜が地球のそれと同じ方向のとき、月は太陽よりも５度赤道に近く、反対向きのときは、月はそれより高い緯度に達する。月が赤道から大きく離れるほど、月の対地速度は低下し、その結果正弦波の極小部は一層低くなる。これが、今後数十年間にわたる月の対地速度の変化のグラフだ。

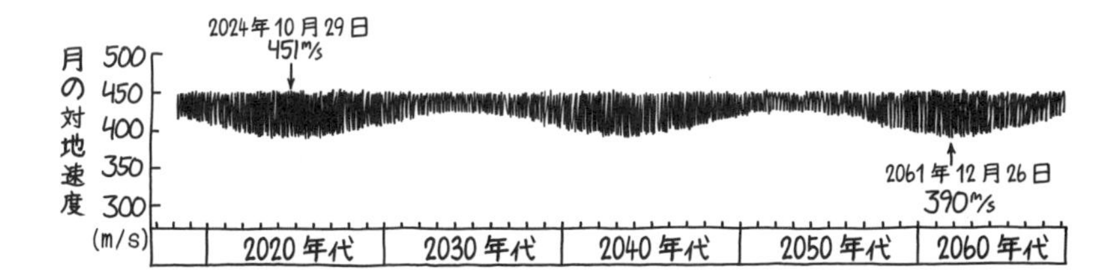

月の最高速度はほぼ一定だが、最低速度は18.6年周期で上下する。次の周期の最低速度は2025年５月１日なので、あなたが2025年まで待てるなら、棒が地表に対してたったの秒速390メートルで運動しているときに大気圏に突入することができる。

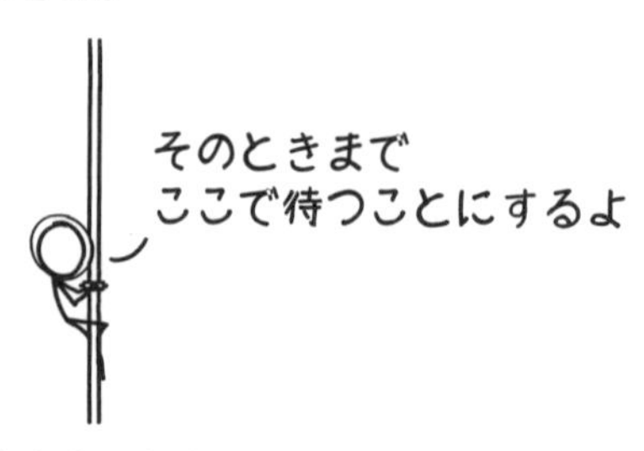
そのときまで
ここで待つことにするよ

ついに大気圏に突入するとき、あなたは熱帯地方の端、つまり回帰線に近いあたりに降りてくることになるだろう（月の対地速度が極小の時をねらったので、滑り棒は回帰線付近に来ているはずだから）。地球の自転と同じ方向に吹いている上層大気の気流である熱帯ジェット気流を避けるようにしよう。滑り棒がたまたまそのジェット気流に入ってしまったなら、風速がさらに秒速50から100メートル速くなるだろう。

あなたは、どこに降り立つかにはかかわらず、超音速の風を相手に苦闘しなければならないので、体を保護するものをたくさん身に付けておこう。くれぐれも、棒から絶対に離れないようにしっかりしがみつくように。なにしろ、風とさまざまな衝撃波が激しく打ち付け、あなたの体をあらゆる方向に揺さぶるだろうから。「落下そのもので死ぬのではない。最後の急停止で死ぬのだ」とよく言われるが、この場合はおそらくその両方だろう。

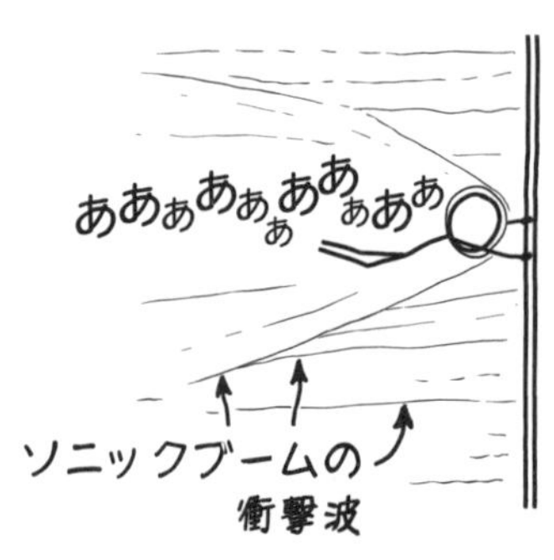
あああぁあぁぁあぁぁあぁあぁ
ソニックブームの
衝撃波

どこかの時点で、地面に降りるために、あなたは棒から手を離さなければならないだろう。当然ながら、マッハ１で動いているときに、直接地面に飛び降りないほうがいい。おそらく、航空会社の旅客機が飛んでいるあたりの高度に近づくまで待ったほうがいい。そこでは空気がまだ薄いので、空気抵抗はそれほどでもないだろうから。そうして初めて、棒から手を離すのだ。その後、あなたは気流で運ばれながら、地球に向かって落下するが、そこでパラシュートを開けばいい。

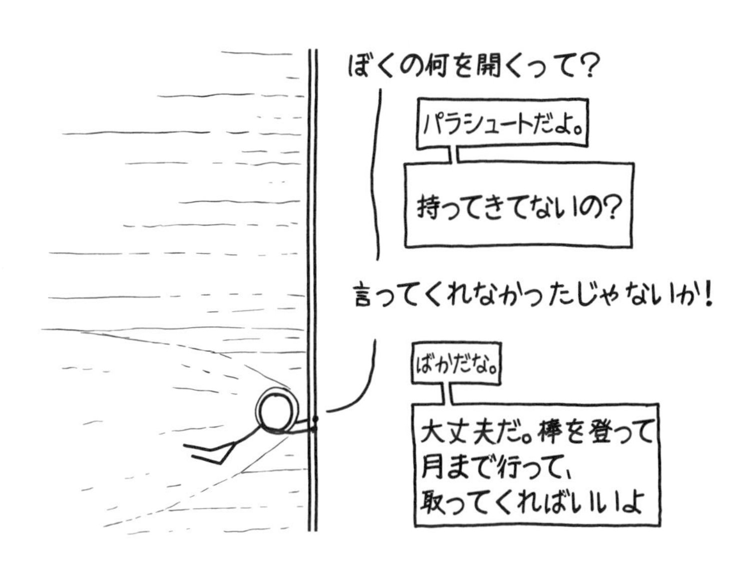

そうすれば、月から地球まで完全に自分の筋力だけで旅してきたあなたは、ついにめでたく地面に降りることができる。棒の下端でジャンプするタイミングを見計らって延々待ち過ぎなかったとすれば、旅の全行程は２、３年にわたるだろう――その大半を月面付近で棒を相手にシミーダンス（1920年代にアメリカで流行した、ジャズに合わせて体自体は直立のまま肩を前後に揺さぶるダンス。ここでは棒を支えに蹴伸びのような動作を繰り返すことを指している）を踊っているかのような動作で懸命に登るのに費やして。

地球に降りたとき、滑り棒を外すのを忘れないように。これは間違いなく安全上の問題を引き起こす。

さくっと答えます #5

Q 常に稼働している電子レンジのなかで生物は進化しますか？

——**アビー・ダス**

実際の答え ＼ あなたが期待する答え	イエス	ノー
イエス	MITに教室はありますか?	アマースト大学に核シェルターはありますか?
ノー	稲妻はなぜ発生するのか、科学者たちは知っていますか?	狂犬病に罹った動物を安心して食べられますか? 稼働している電子レンジのなかで生物は進化しますか?

Q 私は緊急治療室の看護師ですが、今夜勤務中にある患者（メタンフェタミンでハイになっていた）がコップ１杯の水をくれと言いました。私が紙コップに水を入れて戻ってくると、その患者はいきなりそのコップを私の頭めがけて投げました。私には命中せず、壁にぶつかったのですが、それがあり得ないようなぶつかり方だったのです。コップの開いた口が壁にぶつかり、そのときのしぶきの大半がコップの中に入ったままで、外にはほとんど広がらなかったのです。それで私はふと思いました。水が入ったコップを十分強く投げれば、水が入ったコップがそのまま壁を通り抜けてしまうってこともあるんじゃないかと。本当にそんなことはあり得ますか？

――ピート、正看護師

ええ、もちろん、十分強く投げれば何でも壁を通り抜けますよ。それともう１つ、この質問はHIPAA（医療情報のプライバシー保護とセキュリティー確保に関するアメリカの法律）に違反してるのではないでしょうか。

Q スティックパンを無限に食べ続けるためには、どのぐらいゆっくりと噛まなければなりませんか？

――ミラー・ブロートン

オリーブ・ガーデン（イタリア料理のチェーン店）のガーリックのせスティックパンは140キロカロリーなので、あなたの通常の安静時代謝を維持するためには、１時間に１本弱を食べる必要がある。

１本のスティックパンを20口に分けることにして……

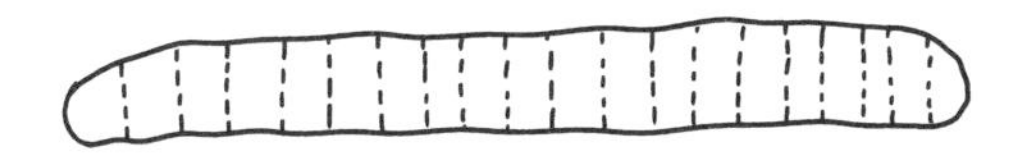

……それを１秒ひと噛みのペースで食べるとして……

……ひと口を、咀嚼（そしゃく）が強迫観念化したかのような変わり者で医者ではなかったホーレス・フレッチャーが20世紀初頭に提唱した、ひと口ぶんにつき100回の２倍にあたる200回咀嚼することにすると……

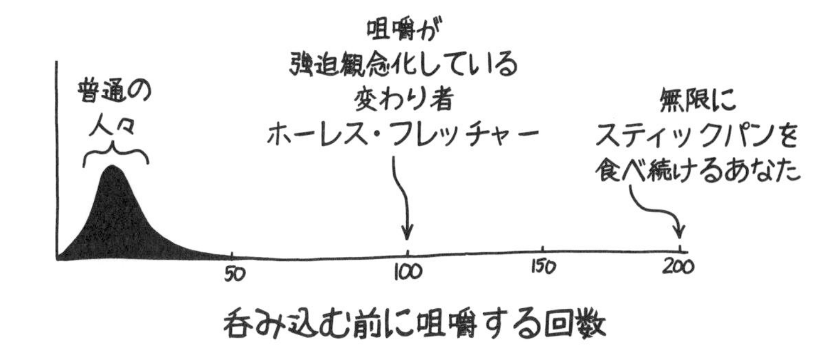

……あなたは無限にスティックパンを食べ続けることができるだろう。

Q 卵（ニワトリの）の殻のなかから何らかの手段で白身と黄身を抜き取って、代わりにヘリウムを入れるとすると、その卵の殻は空中に浮きますか*？

——エリザベス

あり得ません！　標準的な卵は約50グラムだ。しかし、卵の殻が押しのける空気はたったの約50ミリグラムなので、殻のなかを真空にしたとしても、重さが50ミリグラム以上のものを浮かすことはできない。

卵の殻は２、３グラムなので、それは地面に留まるだろう。

やだなぁ、ヘリウムを詰めた卵、浮かばないよ
ああ、そうだよ、それができるのは春分の日だけだって聞いたよ

「これは浮きますか？」という質問に対して、それほど複雑な計算はせずに答えるうまい方法がある。水は空気よりも約1000倍密度が高い**ので、何かにヘリウムを詰めたらそれが浮くかどうかを知りたければ、それに水を詰めたときの重さを見積もって、その値の小数点を３桁ずらせばいい。そ

*　この質問はイギリスでテレビ放映されているゲーム番組『タスクマスター（Taskmaster)』のある放映回の内容に刺激されたものである。ゲーム参加者のマワン・リズワンがまさにこれを実施しようとして失敗した。

**　その違いはじつは約830倍なのだが、これを1000に切り上げれば、計算しやすいし、しかもここまで無視してきたヘリウムの重さを完全に補うことができ、あなたは正しい答えを得ることができる。計算では、間違いが２つ重なると正しい答えになることがある！

れがその物体が空気中で受ける浮力で、浮くためにはその物体の本体の重さがそれ以下でなければならない。

たとえば、水を張った水槽の重さが150キログラムだったとする。その場合、水槽が押しのける空気の重さは約0.150キログラム、つまり150グラムで、大型のスマートフォンと同じぐらいだ。空っぽの水槽は間違いなくスマートフォンより重いので、ヘリウムを満たした水槽は浮かない。

Q　恒星のにおいを嗅ぐことができたなら、どんなにおいがしますか？

――フィン・エリス

漂白剤のような、あるいはゴムが焼けるときのような刺激臭がするだろう。

恒星はイオン化したプラズマ――電荷を帯びた粒子がたくさん、猛スピードで飛び回っているもの――でできている。火傷せずにそのにおいを嗅ぐことはできない。しかし、恒星のプラズマのサンプルを取って、その化学組成を変えることなく、粒子のスピードを十分落として、においをちょっと嗅げるようにできたとしよう。

そのプラズマはすぐにあなたの鼻の内側の表面に付着するだろう。イオン化した粒子は化学的活性が極めて高く、イオンはあなたの鼻の粘膜と電子を交換しあい、嗅覚受容体を覆っている粘液のなかで化学的反応性が高い分子――遊離基――を形成するだろう。これらの受容体は通常は選択性が高いのだが、この場合のような緩くて不安定な分子は何にでも結合するので、たくさんの受容体が一斉に活性化される。

恒星がどんなにおいかについては、がんの治療の一環として鼻腔に放射線の照射を受けた人々についての1991年の調査が参考になる。彼らは、放射線の装置が作動しているとき、不快なにおいがしたと報告したが、そのにおいは具体的に「塩素のようだ」、「アンモニアが燃えているようだ」、「ブレーキが焼けるにおい」、そして「セロリまたは漂白剤のようだ」と、さまざまに説明された。放射線治療の際の不快なにおいは、ガンマ線が鼻の粘膜の粘液をイオン化するときにオゾンと遊離基が形成されて、それらが嗅覚受容体を刺激して生じた可能性が高いが、恒星のプラズマも同様な刺激をもたらすと推測される。

別の言い方をすると、恒星はおそらくあまりいいにおいはしないだろう。

このにおいを実際に経験することは可能だ。あなたはオゾンのにおいを嗅いだことがあるかもしれない。それは、放電で火花が生じるときにするにおいなのだ。高電圧装置、電気モーター、落雷などで生じる。しかし、そのにおいはあまり嗅ぎすぎないよう注意しよう。なぜなら、それほど刺激が強く、腐食性が高いものを吸い込むのは、鼻、喉、あるいは肺にとってよくないからだ。

恒星の味を推測するのはずっと簡単だ。酸っぱいというのが答えだ。舌にある酸味受容体は遊離した水素イオンによって刺激される。普段私たちは、食品のなかに含まれる酸性の液体として水素イオンに出会う。恒星の大気の大部分は水素イオンでできているので、酸味受容体を非常に直接的に刺激するだろう。したがって恒星は耐えられないほど酸っぱいだろう。

Q 地球上に存在するすべての人工物の平均的な大きさはどれぐらいですか？

——マックス・カーヴァー

大きすぎず、小さすぎずです。ほぼ平均的な大きさ。

平均的な大きさの物体
（実物大ではない）

Q EEEEEEEEEEEEEEEEEEEEEEEEEEEEEEEEEEEEE
EEEEEEEEEEEEEEEEEEEEEEEEEEEEEEEEEEEEE
EEEEEEEEEEEEEEEEEEEEEEEEEEEEEEEEEEEEE
EEEEEEEEEEEEEEEEEEEEEEEEEEEEEEEEEEEEE
EEEEEEEEEEEEEEEEEEEEEEEEEEEEEEEEEEEEE
EEEEEEEEEEEEEEEEEEEEEEEEEEEEEEEEEEEEE
EEEEEEEEEEEEEEEEEEEEEEEEEEEEEEEEEEEEE
EEEEEEEEEEEEEEEEEEEEEEEEEEEEEEEEEEEEE
EEEEEEEEEEEEEEEEEEEEEEEEEEEEEEEEEEEEE
EEEEEEEEEEEEEEEEEEEEEEEEEEEEEEEEEEEEE
EEEEEEEEEEEEEEEEEEEEEEEEEEEEEEEEEEEEE
EEEEEEEEEEEEEEEEEEEEEEEEEEEEEEEEEEEEE
EEEEEEEEEEEEEEEEEEEEEEEEEEEEEEEEEEEEE
EEEEEEEEEEEEEEEEEEEEEEEEEEEEEEEEEEEEE
EEEEEEEEEEEEEEEEEEEEEEEEEEEEEEEEEEEEE
EEEEEEEEEEEEEEE

——ネイト・ユー

59章　世界を雪で包む

私の７歳の息子、オーウェンからの質問です。世界全体を深さ６フィート（約1.8メートル）の雪で覆うには、雪のかけらがいくつ必要でしょうか？（なぜ６フィートなのかはわかりません……が、息子の質問はこうなので）

――ジェド・スコット

雪は大量の空気を含んでいるので、ふっくらしている。１インチ（2.54センチメートル）の雨となる水は、普通は約１フィート（30センチメートル）の積雪に相当するが、どのような雪なのかによって異なる。軽くてフワフワした雪なら、１インチの雨が20インチ（約50センチメートル）以上の雪をもたらすこともあり得る！

世界中のすべての雲を合計すると、約13兆トンの水が含まれている。この水がすべて均一に広がって、一斉に降ってくるとすると、地球は１インチの雨——あるいは、１フィートの雪——で覆われるだろう。

地球の大部分は海だ。雲の水を陸だけに降らすことにすれば、３から４インチの雨を降らすのに十分だろう。非常に激しい暴風雨では、それくらいの雨が降る。

そして、３から４インチの雨になる水は３から４フィートの雪をもたらすだろう。そうですよね？

だいたいそうなのだが、じつは、１つ問題がある。雪が積もるとき、底にある雪は押しつぶされる。１フィートの雪が降って、その後さらに１フィート降ると、底にある雪は押しつぶされるということは、この２回分の積雪を合わせた雪の山の高さは２フィートよりも低いということだ。

降り積もった雪を放置しておくと、雪が少しずつ沈下して密になるにつれ、高さは徐々に低くなるだろう。つまり、６フィートの雪が至るところに降ったとしても、６フィートなのは最初のうちだけなのだ。やがて、高さは５フィート（約1.5メートル）になるだろう（これと同じことは人間にも起こる。１日が過ぎるあいだに体は少し圧縮されるので、身長は低くなる！）。

このため、どれだけの雪が降ったかを正確に記録するのは難しくなり、ときには天気の専門家でさえ苦労する！　吹雪が止むまで待ってから雪を測るとすると、そのころには雪はすっかり押しつぶされているか、あるいは、一部の雪は溶けてしまっている可能性があり、そうなると測定値は実際より小さくなるだろう。

吹雪が止むまで待つ代わりに、雪を少しずつ測定することもできる。雪をしばらく降らせておき、一旦積雪の深さを測定し、測定した雪はすべて取り去り、その後しばらくまた雪が降るのを待つのだ。

あなたは、どれだけの時間間隔で雪を取り去るかを決めなければならない。長く待ちすぎると、雪が押しつぶされすぎてしまう恐れがあるが、あまりにも頻繁に測定すると、雪はすべて軽くてフワフワだろうから、積雪量の測定値は大きくなりすぎるだろう。

信じられないかもしれないが、アメリカの国立気象局は、誰もが同じ方法で測定できるように、降雪量測定時にどれだけ頻繁に雪を取り除くかについて、特別なガイドラインを作成している。彼らが推奨する方法では、特殊な雪測定用ボード——おそらくありきたりの木片だろう——を使うのだが、私はついつい、彼らがそれを精密機器のように取り扱って、必要なときになるまで鍵のかかる特別な入れ物に保管しているところを想像してしまう。

公式ガイドラインでは、6時間ごとに雪測定用ボードの雪を除去しなければならないとしている。2、3年前、大吹雪があって、ボルチモア空港で28.6インチ（約73センチメートル）の積雪が記録された。新記録になる可能性があった。しかし、その後国立気象局は、雪を測定した人は6時間ごとではなく1時間ごとにボードの雪を除去していたことを知った。そのため、これを記録にしていいのかどうか判断に迷ったという。

彼らがどう決定したのか、私にはわからなかった。というのも、4日後、別の吹雪がボルチモアを襲い、みんなそれどころではなくなってしまったからだ（その吹雪のあとも、次々と大雪が降った。その冬は雪が多かったのだ）。

しかし、世界中で6フィートの雪が降る冬というのは、まだ前例がない*。そもそもの質問にお答えすると、そのような雪になるには合計約10^{23}片——誤差はゼロを2、3個付けたり取ったりする範囲だ——の雪片が必要だろう。それだけの雪があれば、アメリカ合衆国の7千万人の子どもたちの一人ひとりが、ほかのすべての子どもに雪玉を1個ずつぶつけるのを3回繰り返すのに十分な雪玉が作れるだろう。

あるいは、世界を雪が覆ったときに、あなたが住んでいるところでは夏の盛りだったなら、雪玉を投げずに自分のために取っておいてもいい。

＊　56章で触れたトバ・カタストロフ理論が正しかったことが明らかにならない限り。

60章　多すぎる犬

４人に１人が５歳の犬を飼っており、その犬が１年に１度繁殖し、５匹の子犬を産むとします。さらにその子犬たちは５歳になると繁殖を始め、15歳になると繁殖をやめて20歳で死ぬとすると、地球が子犬であふれるまでにどれくらいの時間がかかりますか？　ただし、この犬たちを支えるための餌、水、そして酸素はすべてあるものとします。

——**グリフィン**

地球にいる80億の人間の４分の１が犬を飼っていたとすると、犬の数は20億匹になり、これだけでもあまりにも多い。現在世界に何匹犬がいるのか、正確なところは誰にもわからないが、たいていの推定値は20億匹よりも少ない。

さて、質問の前提を受け入れると、翌年、この20億匹の犬には100億匹の子犬が生まれており[*]、犬の総数は120億匹に膨れ上がっているだろう。これは、世界人口の残りの４分の３のすべての人が自分自身の子犬を１匹手に入れるのに十分な数だ。

最初の５年間で、これらの20億匹の犬は毎年100億匹の子犬を産み続けるだろう。５年目が終わるまでに、地球上のすべての人間が平均６、７匹の犬を所有しているだろう。

６年目になると、１年目に生まれた子犬が自分の子犬を産み始めるので、いよいよ指数関数的な増加が始まる。その年、犬の数は520億匹から1120億匹へと倍以上に増える。その翌年、犬の数は再び倍以上になる。11年目には、私たちは、１人あたり101匹の犬を所有している101匹わんちゃん段階に達しており、それらの犬の約85パーセントが５歳以下だろう。

＊　私は、１匹の犬が５匹の子犬を産むと仮定している。犬どうしが番（つがい）になって10匹の子犬を生む（親犬１匹あたり５匹）か、犬はすべて雌でクローン技術により単為生殖で子犬を手に入れるかのいずれかである。

101匹わんちゃん段階では、犬たちのバイオマスの総計が、地球上の他のすべての動物のバイオマス総計の和に匹敵するようになるだろう。さらに2、3年経つと、1人あたり1001匹の犬がいることになり、陸地が込み合いはじめるだろう。地球の表面に犬を均等に置いたとすると、犬どうしの間隔は5メートルになるだろう。

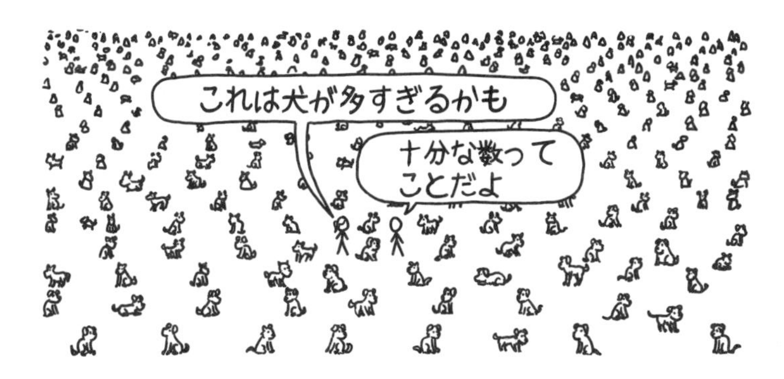

15年後、最初の犬たちは20歳――あるいは、ヒトの年齢では140歳――になり老齢に屈するが、彼らの数は世界中の約10兆匹という総個体数に比べればごくわずかで、彼らがいなくなったことは四捨五入の誤差の範囲内だろう。

20年後、地球の陸地のすべてで、犬たちがかろうじて１メートル離れているという状況になり、私たち人間には、犬たちのあいだに無理やり割り込むほどの余地しかないだろう。しかし、あなたはどこにいようが、手を伸ばせば犬を撫でることができるので、その点は素晴らしい。

25から30年が経つと、犬たちは肩が触れ合うくらい密になり、重なり始めるだろう。ありがたいことに、このシナリオでは犬の餌と水と長寿は保証されているので*、この犬たちは重なるのを楽しんで、気にせず過ごしていると仮定することができるだろう。40年経つと、ワンワン吠えている上機嫌のフワフワの動物たちの海に超高層ビルが埋もれ始めるだろう。

その後10年間で、積み重なった犬たちは山々を包み込み、海にこぼれるようになるだろう。この時点になると、犬の数は毎年約1.6578倍増加し、

＊　『ホワット・イフ？　Ｑ１』を読んだ人は誰も「１モルのモグラ」の状況を繰り返したくはないだろう。

増加率は安定しているだろう。ある年の犬の総数は単純な指数関数で推定できることになる。

55年経つと、犬たちは大気のあった場所を占め、月よりも重くなっているだろう。65年後、犬の総数が１モル（6.022×10^{23}）に達するころ、犬たちは地球よりも重くなっているはずだ。地球はもはや犬が生息する惑星ではなく、地球をおもちゃにしている犬の超巨大集団になっているだろう。

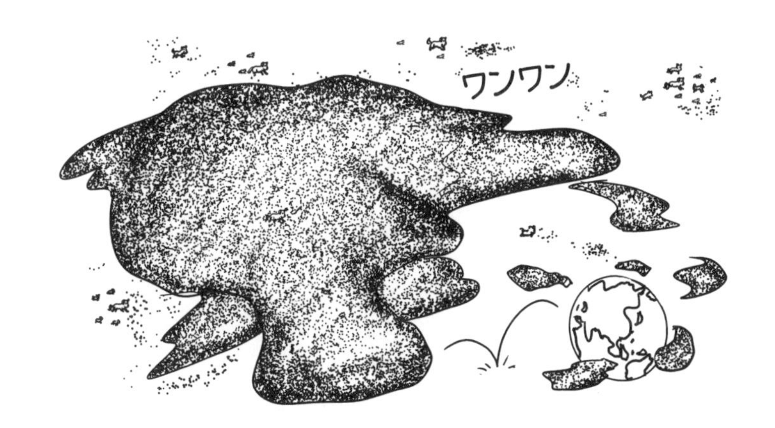

この状況は永遠には続かない。120年後、膨張する犬の球の外縁部が太陽を呑み込むだろう。犬たちが一種のダイソン球を形成してこれを回避すると仮定しても……

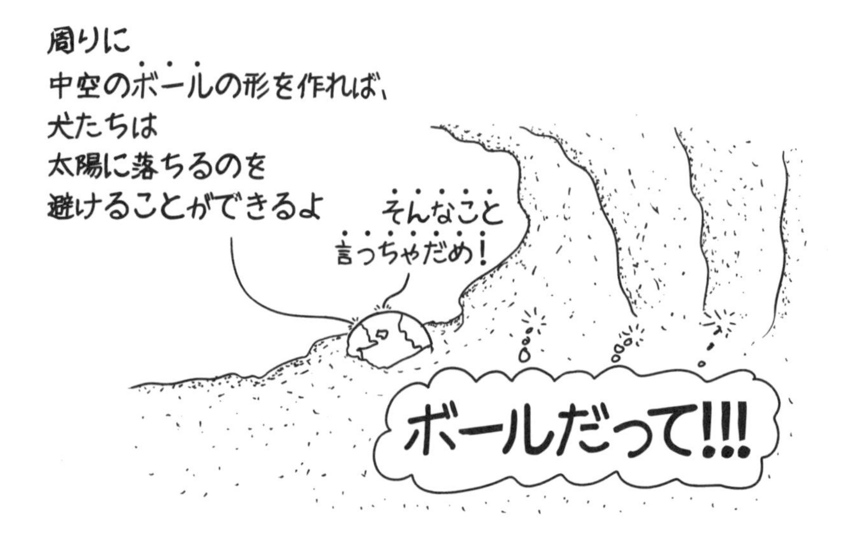

……110年ほどが経つと、犬の総数は10^{30}を超え、その重力は一般相対論的重力崩壊を起こすのに十分になるだろう。

犬たちを元気に生かしている正体不明の力が、彼らが崩壊するのを防いでもいるとすれば、それは物理学の領域の完全に外の話になるので、その後どうなるかを語ってもまったく意味がないだろう。しかし、念のための記録として、その後あなたが到達するであろう転換点を以下に挙げておこう。

- 150年後：犬たちがカイパーベルトを含む太陽系を呑み込む
- 197年後：犬の球の外縁部が光速を超えたスピードで膨張し始める
- 200年後：犬たちがシリウスに到達する
- 250年後：犬たちが天の川銀河を包み込む

・330年後：犬の球が観測可能な宇宙を包含する
・417年後：ディズニーが本シリーズ最後の映画を公開する

61章　太陽のなかへ

かつて８歳ぐらいだったころ、コロラド州の凍てつくような日に雪かきをしながら思いました。瞬時に太陽の表面まで移動して、ほんの１ナノ秒滞在し、その後また瞬時に戻ってこれたらいいのになと。このくらいの時間なら、体を温めるのには十分だけど、害が及ぶほどの長さではないだろうと考えたのです。実際にはどうなるでしょうか？

――AJ、カンザス・シティー

信じられないかもしれないが、これはあなたを温めすらしないだろう。

太陽表面の温度は約5800K*だ。そこにしばらく留まったなら、あなたは焼かれて灰になるだろうが、１ナノ秒はあまり長くない――それは、光がほぼきっかり１フィート（約30センチメートル）進むのに十分な時間だ**。

＊　Kまたは℃。温度の桁数が多くなると、どちらの単位でもかまわなくなる。

＊＊　１光ナノ秒は11.8インチ（0.29979メートル）で、これは１フィートに極めて近い。私としては、１フィートを厳密に１光ナノ秒と定義しなおすのがいいのではないかと考える。だがこれは、いくつか当然の疑問が生じる。たとえば、「１マイルは5280フィートという関係を維持したいがためにマイルを定義しなおすだろうか？」や「インチを定義しなおすべきか？」、そして「待って、なぜそんなことやってるの？」などだ。だが、この問題はほかの人たちが解決してくれるだろう。ここでの私の役割は、アイデアを出すことだけなので。

あなたは顔を太陽のほうに向けていると仮定することにしよう。一般論で言えば、太陽を直接見るのは避けるべきだが、太陽が視野の180度すべてを占めているときにそれは難しい。

その１ナノ秒間で、約１マイクロジュールのエネルギーがあなたの目に入るだろう。

１マイクロジュールのエネルギーというのは大した量ではない。両目を閉じたままコンピュータの画面を見つめ、素早く１度目を開いて瞬時に閉じると、あなたの片目はこの「逆瞬き」*のあいだに、太陽の表面に１ナノ秒滞在したときとほぼ同じ量の光を取り込むだろう。

太陽にいる１ナノ秒のあいだ、太陽からやってくる光子があなたの目に流れ込み、網膜細胞に入るだろう。やがて、１ナノ秒の最後になると、あなたは急いで地球に戻る。この時点では、網膜細胞はまだ光子への応答を始めてさえいない。続く１、２百万ナノ秒（数ミリ秒）のあいだに、網膜細胞は――先ほど大量の光エネルギーを吸収した――準備が完了し、何かが起こったという信号をあなたの脳に送り始めるだろう。

網膜細胞さん、それ何？
ティミーが井戸に落ちたの？

あなたが太陽にいたのは１ナノ秒だが、脳がそれに気づくには30000000ナノ秒かかる。あなたの視点から見えるのは、閃光だけだ。この閃光はあなたの太陽滞在時間よりもずっと長く続くように思えるだろう。網膜細胞が鎮まって初めて消えていく。

あなたの皮膚が吸収するエネルギーは微々たるものだ――曝された皮膚１平方センチメートルあたり約10^{-5}ジュールだろう。比較のために挙げておくと、IEEE（米国電気電子学会）の P1584規格の記述によると、ブタンガスを使ったライターの青い炎のなかに指を１秒間入れると皮膚１平方センチメートルあたり約５ジュールが加わる。これは第２度熱傷を負うかどうかのほぼ閾値に当たる熱だ。あなたが太陽に滞在するあいだに受ける熱はこの５桁ぶんも弱い。目でうっすらとした閃光を感じるほかは、気づきさえしないだろう。

だが、あなたが太陽に行くときに到着するところのＺ座標を間違ってしまったらどうなるだろう？

太陽の表面は比較的低温だ。たとえばフェニックス［要出典］などよりは高

＊　この目の動作を指す言葉は「逆瞬き」でいいのだろうか？　これを表す言葉があってもいいと思うのだが。

温だが、太陽の内部に比べれば、間違いなく冷たい。太陽表面は数千℃だが、内部は数百万℃（中心は約1600万℃と言われている）だ*。もしもあなたが（そこで）1ナノ秒過ごしたならどうなるだろう？

太陽内部の人間
（NASAのシミュレーション）

シュテファン‐ボルツマンの法則を使えば、太陽の内部にいるあいだにどれだけの熱に曝されるかを計算することができる。得られた値は芳しくない。太陽の内部に1フェムト（10^{-15}）秒滞在したら、IEEE P1584Bが記述する第2度熱傷に至る閾値を超えてしまうのだ。1ナノ秒——あなたがそこで過ごす時間——は100万フェムト秒なのである。あなたにとってハッピーエンドにはならないだろう。

いい知らせもないわけではない。太陽の奥深くでは、エネルギーを運んでいる光子は波長が非常に短く——大部分が硬X線、軟X線と呼ばれるものが混ざったものからなる（硬X線は比較的短波長で高エネルギー、軟X線は比較的長波長で低エネルギーのX線）。つまり、これらの光子はあなたの体のさまざまな深さまで届き、あなたの内臓を加熱し、さらにDNAをイオン化して、修復不能な損傷を与えるだろう。しかもそれは、あなたに熱傷を及ぼ

＊ 太陽の大気の最上層に当たる希薄なガスの層、コロナも百万℃を超えるが、その理由は誰も知らない。

し始める前から起こる。先に書いた部分を振り返ってみて、私はこの段落を「いい知らせもないわけではない」で始めていたことを思い出した。どうしてこんな書き出しにしたのか、思い出せない。

ギリシア神話のイカロスは太陽に接近しすぎ、その熱で蠟蜜（ろうみつ）で固めた翼が融けてしまい、墜落して絶命した。だが、「融ける」というのは温度の働きによる相転移だ。温度は内部エネルギーの尺度で、入射エネルギー流束の（時間）積分である。彼の翼は太陽に接近しすぎたから融けたのではなく、彼がそこで時間を費やしすぎたから融けたのだ。

ひょいっと跳ぶような感じで、ちょっとのあいだだけ訪れるようにすれば、どこにでも行けますよ。

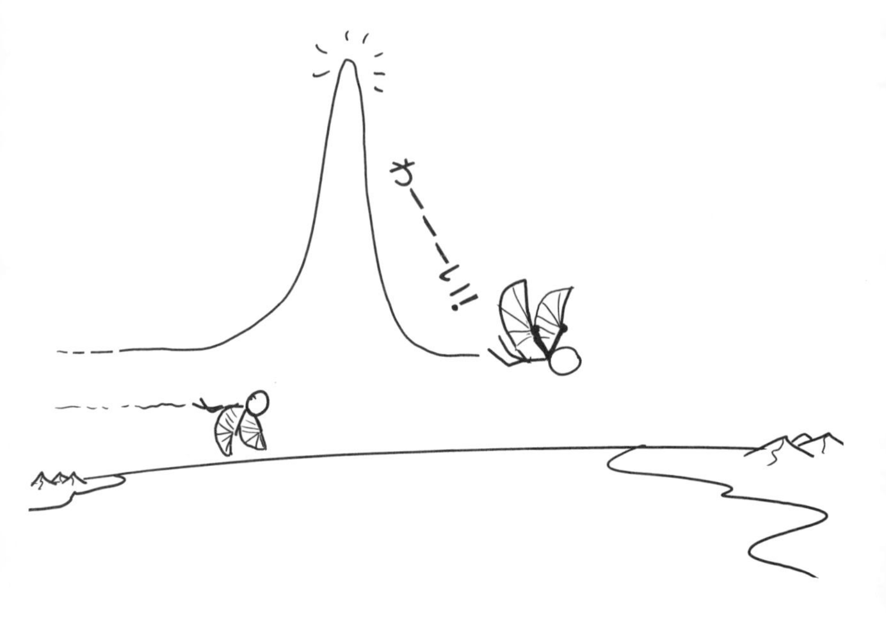

62章　日焼け止め

SPF（紫外線防御効果）がその定義通りに働くと仮定して、太陽表面を１時間旅するにはどれくらいのSPF値が必要ですか？

——ブライアン＆マックス・パーカー

日焼け止めにSPF20と書いてあるとき、それは太陽の紫外線の20分の１しか通さないという意味なので、あなたは日焼けするまでに20倍長く日差しを浴びることができる。

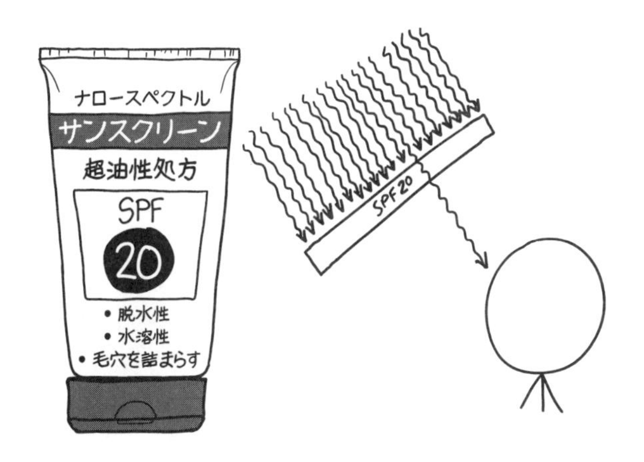

太陽の近くは非常に高温だ*。太陽表面付近では、熱と放射の強度は、地

＊　アメリカのロックバンド、サンタナ＆マッチボックストゥエンティのヒット曲「スムーズ」の歌詞より。

球が公転しているあたりよりも約45000倍高いので、それを相殺するためだけにもSPF45000が必要になるだろう。

さらに、一般に宇宙空間では紫外線がより多いが、それはあなたを保護してくれる地球の大気の恩恵が受けられないからだ。

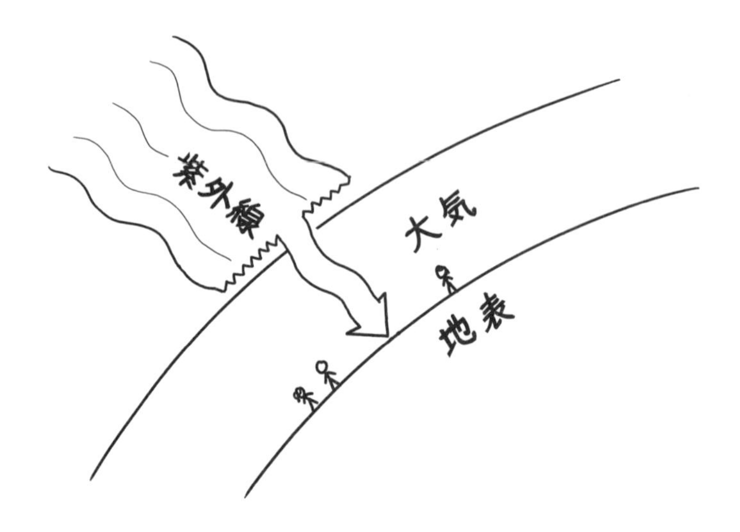

紫外線を遮断する宇宙服がなかったなら、宇宙飛行士は地球にいるときよりもはるかに早く日焼けするだろう（アポロ宇宙船の乗組員だったユージン・サーナンは、着用していた宇宙服が何層にもわたって裂けてしまったため、腰にひどい日焼けをした）。

宇宙空間での波長分布は、地表のそれとは少し異なるが、宇宙全体としてのUVインデックス（WHOが定めた紫外線の強さを示す指数）は地球上の晴れた日のそれの約30倍と推測される。したがって、あなたは紫外線を防ぐ効果を30倍にしなければならない。その結果必要なSPFは130万となる。

幸い、実際には日焼け止めは大していらないのだ！　SPFは積算されるので、何層か塗ったら、各層のSPFの数値をかけあわせたものが実際の指数となる。SPF20の日焼け止めを１層だけ塗ったとすると、太陽の放射の20分の１だけが皮膚に届くだろう。これと同じ日焼け止めを２層めとして重ね塗りすると、最初の20分の１をさらに20分の１にするはずなので、太陽放射は400分の１に弱められるはずだ。これが本当なら、２層のSPF20の日焼け止めはSPF400の日焼け止めと同じ効果だということになる！

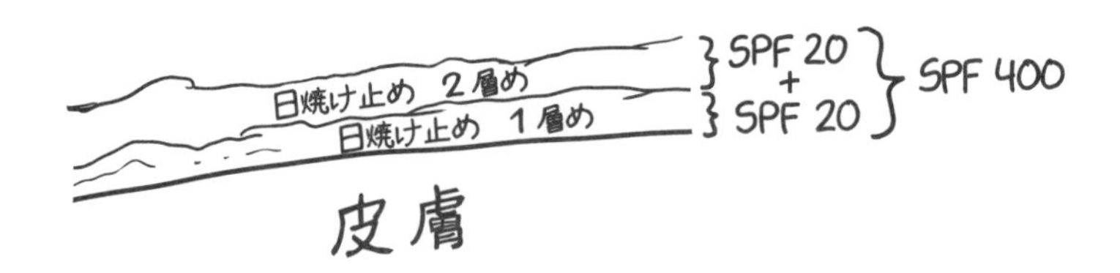

SPF20の日焼け止め5層は、SPF320万と同じで、太陽表面の紫外線をブロックするのに十分のはずだ。

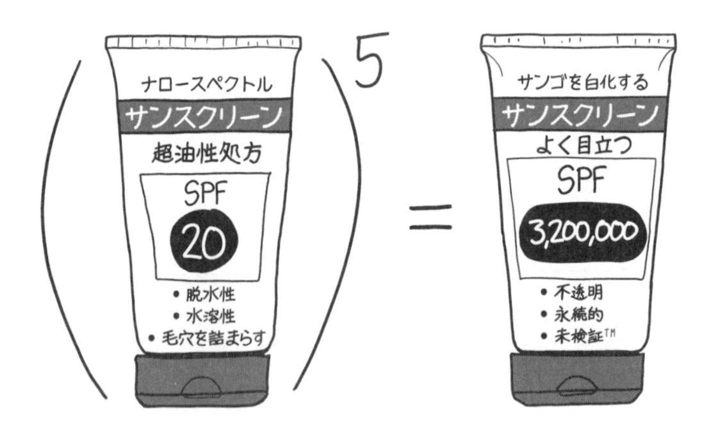

FDAの製品テストの規格では、日焼け止めは厚さ約20マイクロメートルの層として塗布しなければならないと規定している*。これはつまり、理屈の上では、太陽にどれだけ近づこうが、あなたを安全に保つためには、SPF20の日焼け止めを100マイクロメートル——人間の毛髪の太さとほぼ同じ——の厚さ塗ればいいだけだということになる。

* 実際には、日焼け止めは皮膚の溝や突起の上で不均一な層を形成し、「日焼け」の大半は層が薄くなっている「隙間」で起こる。層が不均一なことと、多くの人が日焼け止めを十分厚く塗らないという事実から、SPFの数値はおそらく、2倍以上高すぎると思われる。

と、ここまで書いてきたがこれは明らかに間違っており、その理由はたくさんあるが、最大の理由は、日焼け止めは太陽の紫外線を遮るだけで、太陽の熱は遮らないという事実にある。太陽の（熱）放射――すなわち可視光と赤外線――を確実に阻止するには、日焼け止めの層がもっと分厚くなければならないのだが、この層自体が暖まってやがて沸騰して消えてしまうだろう。厚さ10メートルの日焼け止めでさえ、あなたが料理されないよう守ってはくれないだろう。

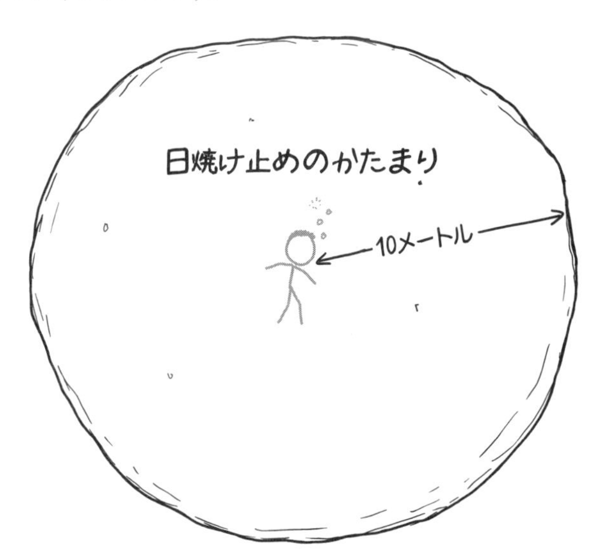

太陽表面の近くで十分大きな日焼け止めの球に包まれて浮かんでいるとすると、理論上、その球は内部のあなたを日焼けから守るのに十分長く持続し得るが、もう１つ別の問題がある。あなたが蒸発してしまうのを防ぐためには、全身を隙間なく日焼け止めで覆わなければならないのだが、日焼け止めのボトルにははっきりと、「目に入れないでください」と記されているのだ。

これも私たちのリストに加えたほうがいいようだ。

やってはならないことリスト
（第？？？？条　第3649項）

#156824 狂犬病に罹った動物の肉を食べる

#156825 自分で自分の目のレーザー眼科手術をする

#156826 カリフォルニア州養鶏業規制当局に自分の養鶏場ではポケモンの卵を販売していると通知する

#156827 ナイアガラの滝のすべての流れを物理学研究所の開け放した窓に送り込む

#156828 自分の腹部にアンモニアを送り込む

#156829（新着！）直径10メートルの日焼け止めの球の内部に浮かんだ状態で太陽の内部に落下する

63章　太陽の上を歩く

太陽は燃料が尽きてしまったら白色矮星になってだんだん冷えていきますよね。さわれるぐらい冷えるのはいつ頃ですか？

——ジャバリ・ガーランド

太陽が室温まで冷めるには約200億年かかります。

現在*、太陽は徐々に温度が上がっているが、それはコアがますます重くなっており、その結果太陽の重力が水素をより強く引き寄せて、ますます速いペースで燃やしているからだ。約50億年のうちに、太陽が燃やすことのできる水素が底を突きそうになるだろう。コアが自重で崩壊し始めると、その崩壊の熱で断末魔のような核融合が数回引き起こされ、外層が膨張する**が、その外層はやがて爆発して吹き飛ぶだろう。その後、残った太陽の残骸が崩壊し、自ら光ることのない、地球より少し大きめの高速自転する球状の天体になるだろう——これが白色矮星だ。

最初、太陽の残骸は崩壊の激しさのために白熱しているだろうが、その熱を宇宙空間に放射しながら徐々に冷えていく。数十億年後には、現在よりも低温になるだろう。50億から100億年が経つと、熱のほとんどすべてを赤外線として放射してしまい、キャンプファイヤー程度の温度になるだ

＊　2022年。

＊＊　そしておそらく地球を呑み込むだろう（＊＊＊）。

＊＊＊　地球の破壊が本文ではなく脚注で扱われているという事実に、この章がどの方向に進もうとしているかがよく表れている。

ろう。その後さらに100億から200億年経つと、室温に至るはずだ。*

さわってみることはできるが、やらないほうがいい。その理由をわかっていただくために、自分が宇宙船に飛び乗って、そこに向かって飛んでいくと想像してみてほしい。

太陽の残骸の白色矮星は、元の太陽よりもはるかに小さい。あなたの宇宙船がかつての太陽表面の位置に到達したとき、太陽の残骸は空に浮かぶ満月より少し大きいぐらいにしか見えないだろう。**

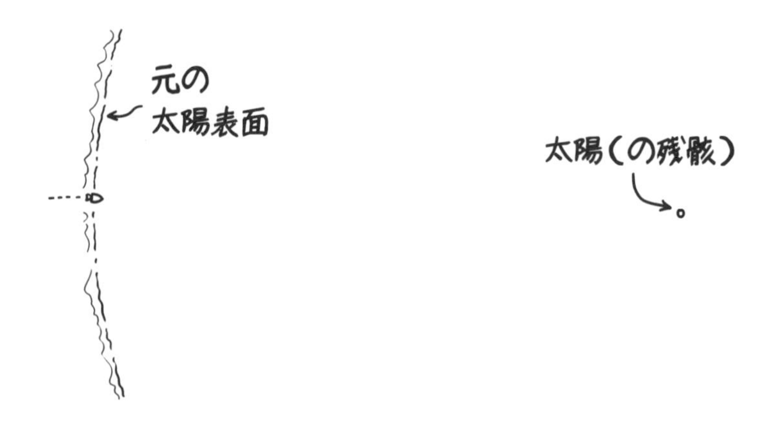

現在宇宙に存在するすべての白色矮星とは異なり、太陽の残骸は光をまったく生み出さない。それを見るためには、宇宙船にヘッドライトが必要だ。

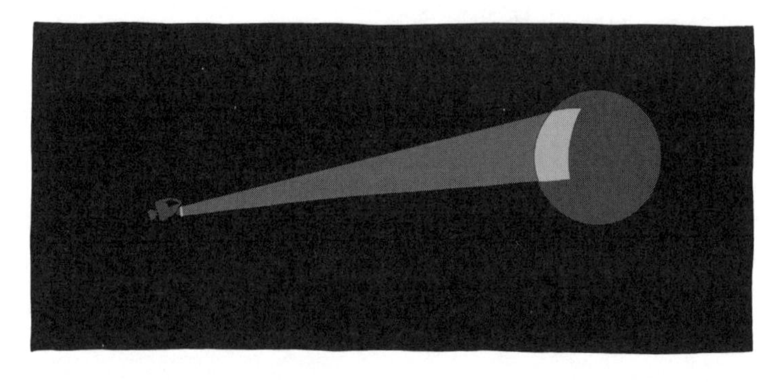

その表面は、おそらく鈍い灰色に見えるだろう。ほとんどの大気は途方もない圧力のせいで表面に沈んでいるだろうが、もしも水素が残っていたなら、青みがかった霧のようなものが見えるかもしれない。

この白色矮星に向かって慣性で接近しているあいだは快適だろうが、ちょっと宇宙船を停めて眺めを楽しもうとすると、問題にぶつかるだろう。この太陽の残骸は、太陽の元々の質量の約半分をまだ持っているので、この距離での重力はすでに地球の重力の約10倍で、この強さで引っ張ってくるのだ。１カ所で停止しようとしたり、方向転換しようとしたりすると、耐Gスーツ（高い加速度がかかることにより血液が下肢に集中して失神するのを防ぐために戦闘機パイロットが着用する衣類で、下半身を圧迫することで血液が降下しすぎるのを防ぐもの）を着用していない限り、あなたは失神してしまうだろう。

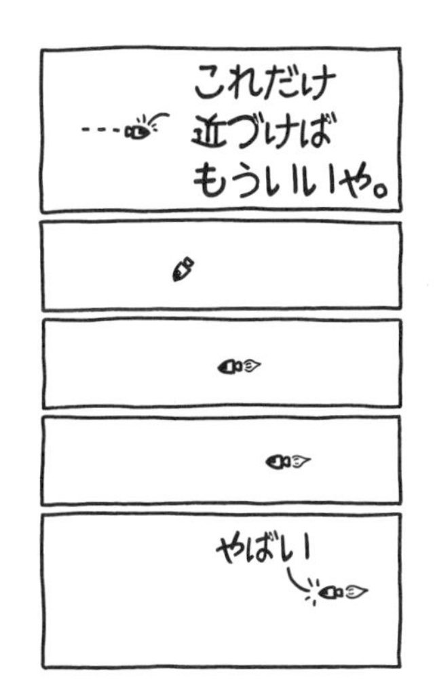

＊　現在、温度が室温程度の恒星は天空には存在しない。それは、宇宙がまだ十分年を取っていないからである。第一世代の白色矮星たちは、自らの崩壊の熱でまだ高温なのだ。これらの天体が冷却するまでには何十億年もかかるだろう。宇宙はまだ若いのである。

＊＊　かつて私たちに月があったころ（＊＊＊）。

＊＊＊　月と、そして空とが。

しかし、引き返すのが間違いなら、進み続けるのはそれ以上にまずい。なぜなら、冷えた矮星の表面に制御された着陸を行う方法は存在しないからだ。落下が問題なのではない。最後の停止が問題なのだ。重力に引かれるままこの白色矮星に向かって落下するなら、あなたは表面に達するまでに光速の約1パーセントのスピードに達しているはずで、落下の衝撃で粉々に砕け散るだろう。

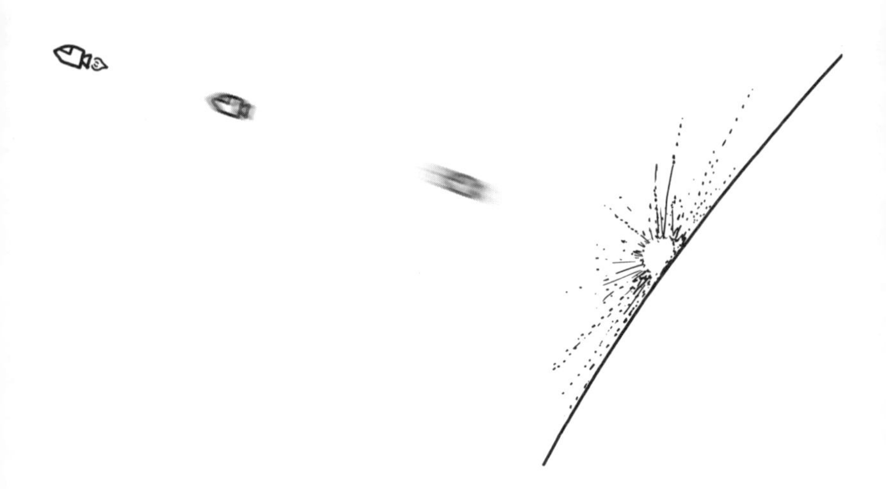

あなたがほんとうに宇宙船を白色矮星に着陸させたいのなら、サーフィンの要領でやってみるのがいいかもしれない。大気がほぼ完全に表面に沈んでしまうまで待ってから、表面をかすめる軌道に宇宙船を入れて、矮星表面に沿って滑るように飛行して、徐々に減速するのだ。アブレータ（宇宙船が大気圏に再突入する際に船体が高温に加熱するのを緩和するために最外層に用いる耐熱素材）でできた巨大なサーフボードが必要だろう。その上で、あなたは核融合が起こっている層の上を進むことになる。これはまずい計画で、成功しないことほぼ間違いなしだが、私にはこれ以外に試せるようなことが思い浮かばない。

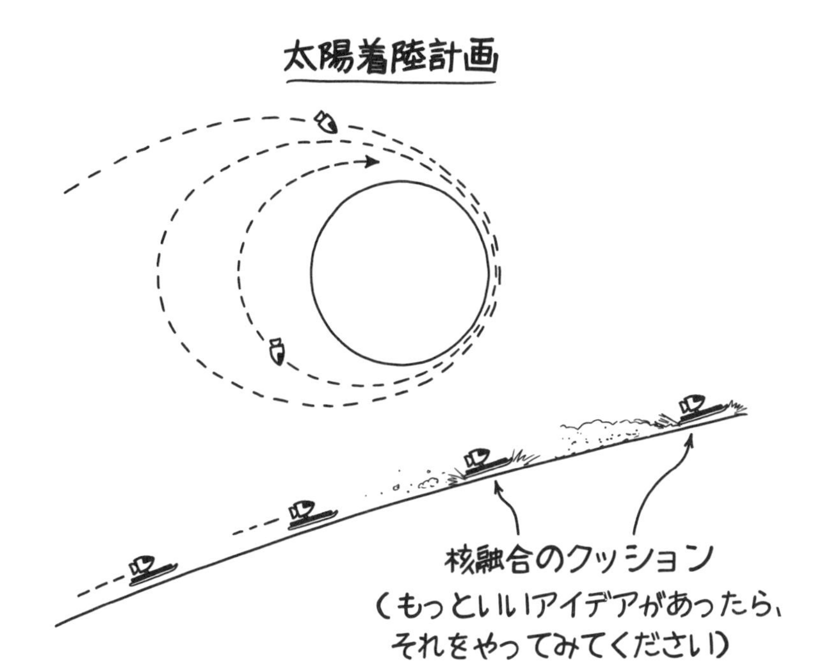
太陽着陸計画
核融合のクッション
（もっといいアイデアがあったら、
それをやってみてください）

ロボット探査機を送ったほうがいい。なにしろ、白色矮星の表面で人間が生き延びることはできないのだから。どんな与圧服も支持構造もあなたを守ることはできないだろう。

ゆっくりと白色矮星に下ろすことができたロボット探査機は、強大な重力に耐えられる可能性がある。人間が生き延びるのは不可能だが、理論的にはある種のコンピュータは生き残るかもしれない。白色矮星よりもさらに小さく高密度な中性子星の上では、分子でできた物体はすべてぺちゃんこにつぶされて原子の薄層になるだろうが、地球サイズの白色矮星の上なら、持ちこたえる構造もあるだろう。

地球上では、氷を彫刻して小さな像を作ることができるが、氷で高さ１マイル（約1.5キロメートル）以上の山を作ろうとしても、像はそれ自体の重さで崩れ、氷河のように流れてしまうだろう。白色矮星の上では、氷の構造は高さ約1インチ(約2.5センチメートル)が限界だろう。他の物質にはもっと大きな構造も支えられるだろうが、ダイヤモンド――知られている最も硬く非圧縮性の物質――でさえ、超高層ビルのサイズのピラミッドにすれば崩れてしまうだろう。

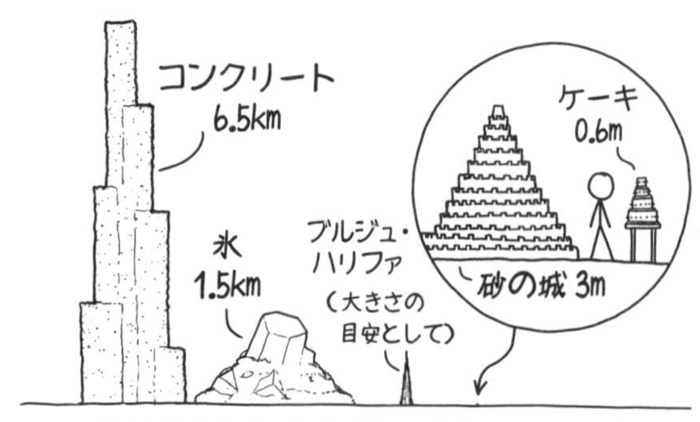

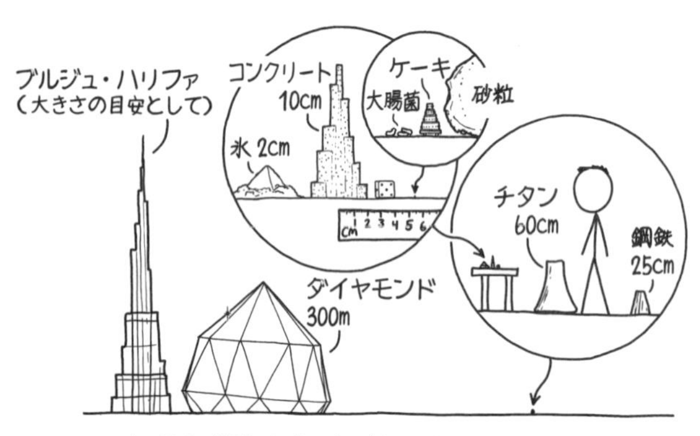

(訳注:ブルジュ・ハリファは現存する最も高い建造物)

地球上では、片方の端からぶら下がっている鋼鉄のケーブルは、長さが4マイル(約6.4キロメートル)を超えると自重で切れてしまう。白色矮星の上では、ケーブルはわずか3インチ(約7.6センチメートル)までしか自重を支えられない。矮星の上の最大の吊り橋は1インチ（約2.5センチメートル）以上の幅の谷に架けることはできないだろう。それより大きな吊り橋が欲しければ、クモの糸のような重量比強度（重さあたりの強度）が高い材料が必要だ。

ここまでの話から考えると、あなたの着陸船は人間サイズではなくアリのサイズでなければならないだろうし、可動部がたくさんあるものなどは無理そうだ。だが、内部に何らかの電子機器を入れた小さな立方体という、シンプルな着陸船はひょっとしたら作れるかもしれないし、その電子機器に観測データを電波で送信してもらえる可能性もなきにしもあらずだ。

ロボット探査機を着地させることがこの矮星にさわることに当たるのだろうか？　私にはわからない。これはどちらかといえば哲学的問題だろう。しかし、あなたがこの矮星に手で触れたいのなら、その答えは「決してできない」だ。この矮星が室温まで冷えたとしても、それに自分の手で触れて、生き延びる方法は存在しない。

もしも「生き延びる」ことなどどうでもいいなら……

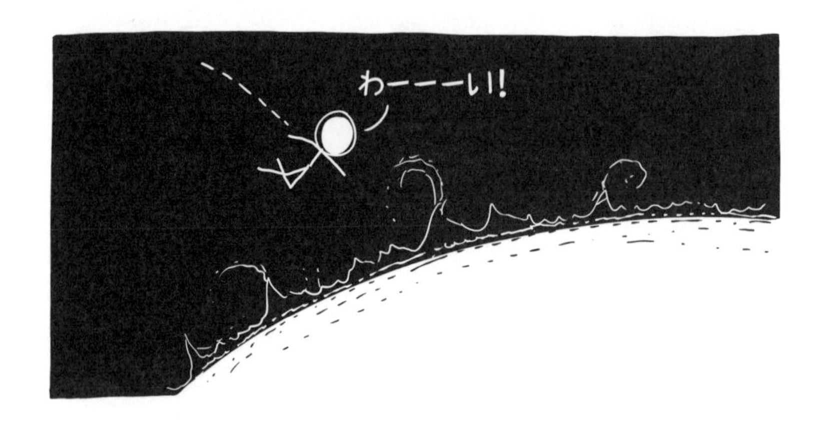

……理屈から言えば、あなたは（今だって）、太陽に触れることができる。

64章　レモンドロップとガムドロップ

雨粒がすべてレモンドロップとガムドロップだったらどうなりますか？

――シュオ・ペスケ・ヤン

雨粒がすべてレモンドロップとガムドロップだったら
ああ、なんて素敵な雨になるでしょう！
私は外で、口を大きく開けて立っていよう……

――童謡

（訳注：レモンドロップはレモン味のキャンディー、ガムドロップはカラフルなグミに砂糖をまぶした菓子）

このシナリオは、『ホワット・イフ？』の基準からしても大災害だ。

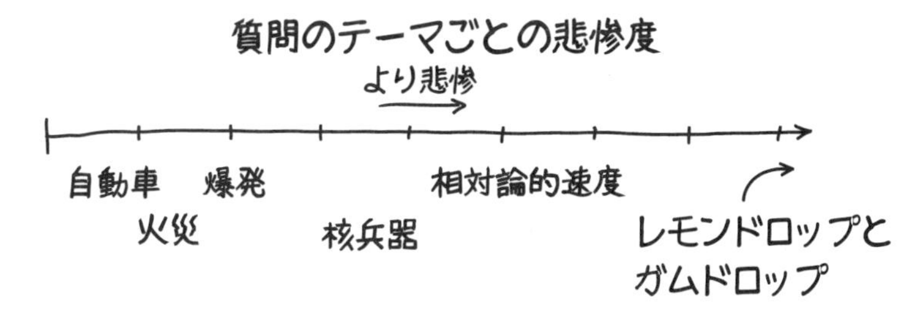

1粒のレモンドロップの終端速度は毎秒約10メートルだ。これはけがをするほどの速さではないだろうが、歯に当たって跳ね返ったなら間違いなく痛いだろう。

ガムドロップはレモンドロップより柔らかいので、それほど痛くないだろうが、口で受ければ確実に窒息死するだろう。嵐が収まるのを待って、それから、地面に落ちたドロップを拾ったほうがいい。

最初のレモンドロップとガムドロップの雨はおいしいはずだ。雨が止んだら、あなたは野原を駆け回って、地面からキャンディーを拾い、お腹いっぱい食べることができるだろう。映画『チャーリーとチョコレート工場』でウィリー・ウォンカの工場を見学して大喜びの子どもたちのように――１つ違うのは、ウォンカの工場の見学では（すべての）見学者が死んだわけではないという点だ。

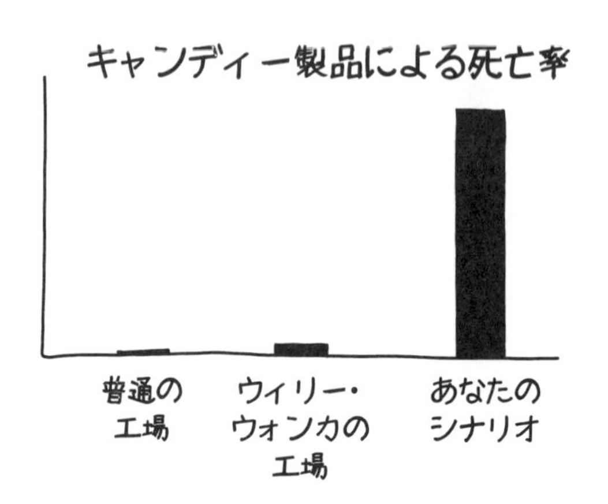

この雨では、通常なら降るはずの水が同じ質量のレモンドロップとガムドロップに置き換えられていると仮定しよう。すると、典型的な豪雨がドロップの雨になると、地面が足首までの深さのキャンディーで覆われると考えられる。雨水とは違い、キャンディーは地面にしみ込んだり、低いところへと流れたりせず、落ちた地面に留まり続けるだろう。子どもと動物が、積み重なったキャンディーの小山に小さな窪みを作り、また別の場所では、糖分を栄養分とするバクテリアが繁殖するものの、キャンディーの大部分はただその場に留まって日差しのなかで融けていくはずだ。

レモンドロップとガムドロップの雨が2、3週間続いたあと、屋根が崩壊し始めるだろう。

豪雪地帯の家屋の屋根は普通0.1平方メートルあたり10から30キログラムの重さを支えられなければならない。これは、深さ約30センチメートルの水と同じくらいの重さだ。アメリカ合衆国の東部では年間約1メートルの雨が降る。したがって、2、3カ月のうちに、平らな屋根のほとんどが重さで崩壊してしまうことになる。

私たち全員がすぐに脱水症状で死ぬわけではない。帯水層（地下水が豊富に蓄えられている地層）や湖には大量の水があり、かなりのあいだ私たちを支えてくれるだろう。ただし、表層水はますます高カロリーになっていくだろうが。

農業は崩壊するに違いない。雨による降水が突然停止してしまったことで、即座に地球規模の渇水が起こるだろう。多くの穀物が、湖や帯水層に依存した灌漑システムによって水を供給されているが、それらもすぐにキャンディーの山に埋もれてしまう。穀物が何とか存続できたとしても、刈り取るのは悪夢のような作業になる——膝までの深さのレモンキャンディーとガムキャンディーの層を掻き分けてトラクターで進むのは大変だと思うが、頑張ってください。

2、3年のうちに、人間の都市のほとんどが分厚い砂糖に覆われ、地球全体がキャンディーランド版ポンペイになってしまうだろう。

農業が最も長く存続する地域は、穀物がほぼ完全に灌漑によって給水されている砂漠地帯だけだ。具体的には、エジプトのナイル川流域、カリフォルニア州のインペリアルバレー、あるいは、トルクメニスタンの砂漠などだ。カイロやリマなどの都市は、事実上年間の降水量がゼロなので、比較的キャンディーに侵害されない農業を数年にわたり継続できる可能性が高い。しかし、自分がいるところ以外の全世界が破壊されるのなら、何らかの問題が生じないわけがない。

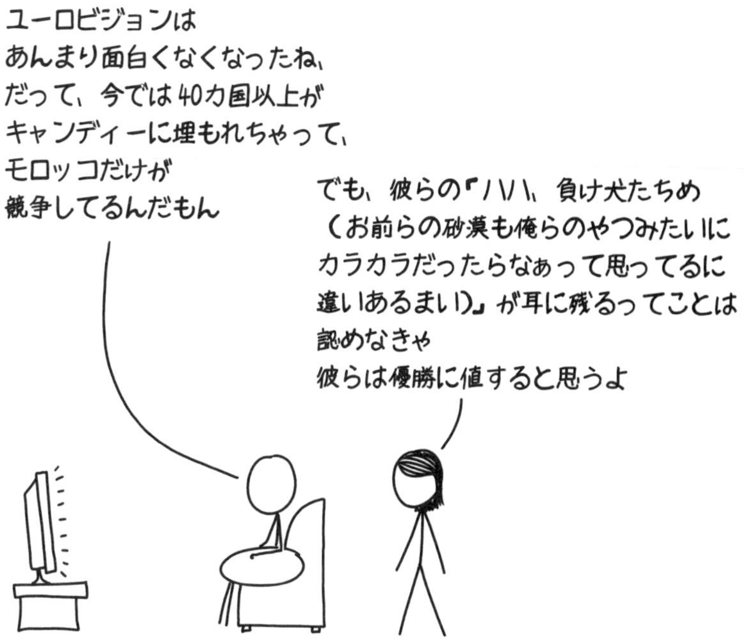

ユーロビジョンは
あんまり面白くなくなったね、
だって、今では40カ国以上が
キャンディーに埋もれちゃって、
モロッコだけが
競争してるんだもん
でも、彼らの「ハハ、負け犬たちめ
（お前らの砂漠も俺らのやつみたいに
カラカラだったらなぁって思ってるに
違いあるまい）」が耳に残るってことは
認めなきゃ
彼らは優勝に値すると思うよ

（訳注：ユーロビジョン・ソング・コンテストは欧州放送連合が主催する欧州の国別対抗歌唱コンテスト）

最終的には、ホモサピエンスはあまり長くは生き延びられないだろうが、レモンドロップとガムドロップのシナリオの影響は、ただヒトが絶滅するということに留まらず、はるかに深刻なことになるだろう。ほんの2、3日のうちに、降ったキャンディーは地球に存在するすべての生き物の重さを凌駕するはずだ。これほど重たい砂糖の層で地球が覆われれば、地球のありさまは根本から変わってしまうだろう。

砂糖は炭水化物で、CO_2と水に分解される。このときエネルギーが放出されるが、子ども、ハチドリ、そしてバクテリアなどの活動的な生き物が砂糖が大好きなのはこのためだ。土壌に砂糖を加えると、その大半はバクテリアによって消化され、CO_2と水の形で環境に戻される。

砂糖だけで生きていけるものはみな、自分たちが無制限の環境にいることに突然気づくだろう。キャンディーの多くが消化されずに埋もれていくはずだが、一部は火災などの他のプロセスによって分解されたり酸化されたりするだろう。そのようなことが起こったとき、CO_2レベルは急速に上昇し、地球の温度の急上昇は不可避に違いない。

レモンドロップとガムドロップは水より密度が高い*ので、海に落ちたものは溶ける前に沈むが、海面は大気に曝されたままだ。地球の温度が上昇するにつれて、水は表面からますます素早く蒸発するようになり、温度上昇する海の砂糖の濃度は上昇の一途をたどるだろう。

海のある惑星で温度が上昇しすぎると、大気が水蒸気でいっぱいになる恐れがある。この水蒸気がさらに熱を閉じ込め、温暖化がひたすら進んでいくという制御不可能な悪循環をもたらし、それは海が沸騰して干上がるまで続くだろう。遠い昔、金星ではこのようなことが起こったのかもしれない。ありがたいことに、神経がすり減るような計算の末に科学者たちは、地球でそんな温室効果の暴走が起こる危険は当分ないという結論に達した。たとえ私たちが地球に存在する化石燃料をすべて使い果たしたとしても、大気中のCO_2濃度は海が沸騰するような温度上昇サイクルが起こるレベルには達しないということだそうだ。

* 出典:つい今しがた私はコップに水を注いで、そのなかにいろいろなキャンディーを落としてみた。れっきとした科学ですよ!

よーし、計算終わったよ。
それによると、
温室効果の暴走は
ここでは起こりっこないよ。
地球は存続するんだ！
よかった！

ただ……面積って『πR2乗』か
『2πR』のどっちだっけ？
まあいいか。きっと大丈夫だよ。
誰かほかの人、
この計算やって
くれませんか？

しかし、キャンディーにはそれができる。たとえキャンディーのごく一部だけが酸化したと仮定したにせよ、それによって大気のCO_2濃度は現在の*0.042パーセントから、２、３年のうちに５パーセントとか10パーセントにまで上昇するだろう。これは、地球がまだ若く、太陽がもっと低温で小さかったころ以来、達したことのない高濃度だ。さまざまな温暖化予測モデルによれば、このようなレベルの濃度になれば、温室効果の暴走が引き起こされる恐れがある。

地球の気温は溶鉱炉並みに上がり、地表を事実上不毛にしてしまい、生命の木を絶やしてしまうに違いない。おそらく、糖分を栄養源とする好熱性のバクテリアのほかは、地球の水が沸騰して干上がっていくなかで見るべき生き物は残らないだろう。やがて地球は乾ききった、生物の住めない岩となり、海の底は、糖分が異常に高濃度になった海水が蒸発したあとに残されたベトベトの滓（かす）で覆われると推測される。

＊　この統計値はだいたい2024年の12月ごろには正しくなくなると、私は踏んでいる。

最後に１つだけいい話がある。海が蒸発してしまうと、レモンドロップとガムドロップに変貌する雨粒がもはやなくなってしまうので、少なくともキャンディーの雨はもう降らないだろう。水蒸気がほとんどなくなり、あったとしても温度が高すぎるので凝縮して雨になることはなくなった地球は、金星にそっくりになる可能性が高い。

金星でも降水がまったくないわけではない。金星の山の頂上は、私たちが「雪」と呼ぶもので覆われているように見える――その姿はむしろ霜に近いが。低地にあった金属が蒸発して山の上で凝縮して積もったという説も出ている。温室効果の暴走が終わった地球でも、金星と同じように、からからに乾いた山の頂上に金属の雪がうっすら積もるのかもしれない。

この童謡の２番の歌詞は、たぶん歌わないほうがいいだろう。

謝　辞

多くの方々のお力添えがあって、本書を世に出すことができました。

寛大にも専門知識を私に教えてくださったみなさまに感謝申し上げます。高エネルギー粒子に関する私の質問に答えてくださったシンディ・キーラーにお礼を申します。デレク・ロウは、アンモニアと摩擦発光についての知識をご提供いただきました。ナタリー・マホーワルドは鉄の気化ガスを吸ってはならないと教えて下さいました。A・J・ブレッヒナー、ジョナサン・ジットレイン、ジャック・クシュマンをはじめとするハーバード大学の図書館ラボのみなさんには、法律に関する私の質問に答えていただき、感謝に堪えません。ケイティ・マックは空間と時間に関する疑問にお答えいただきました。ハーバード大学のマヤ・バーガマスコと国際連合委員会のデレク・スーピレイは、ナイアガラの滝を守る謎めいた極秘の国際滝警察について情報を下さいました。望遠鏡についての質問にお答え下さったフィル・プレイトと、ホイップクリームの重さを量って下さったトレイシー・ウィルソンにお礼申し上げます。そして、罪を犯すのは悪いことだと話して下さったが名前は公表しないでほしい、なぜなら「そのほうが面白いから」と言われた連邦検事の方に感謝いたします。

私の答えを読んでコメントを下さった、カット・ヘーガン、ジャネール・シェーン、ルーベン・ラザルス、ニック・マードックに感謝申し上げます。そして、本書のファクトチェックをするという驚異的なプロジェクトに取り組み、白色矮星上の構造物の大きさの限界から『マリオ』シリーズの各レベルにおけるスーパーキノコの個数に至るまで数値を確認して下さったクリストファー・ナイトに御礼申し上げます。誤りが残っていたとしたら、それはすべて私の責任です。

私を担当してくださった編集者のコートニー・ヤングは、最初から私を信頼して下さり、出版に至るまで本書を導いて下さった。そして、ローリー・ヤング、ジェニー・モールス、キム・デイリー、アシュリー・サットン、アシュリー・ガーランド、ジニー・マーティン、ジェフ・クロスケ、ガブリエル・レヴィンソン、メリッサ・ソリス、ケイトリン・ヌーナン、クレア・バッカーロ、ヘレン・イエントゥス、グレース・ハン、ティリク・ムーア、リンダ・フリードナー、アナ・シャイタウアーをはじめとするリバーヘッド社のみなさまに心から感謝申し上げます。

私の言葉を本の形にまとめあげて下さった、並外れた才能のあるデザイナーで親友のクリスティーナ・グリーソンにお礼申し上げます。このプロジェクト全体を監督して下さり、すべてを順調に進めるという英雄的な取り組みを遂行して下さったケーシー・ブレアに感謝いたします。組織的なご支援を下さったマリッサ・ガニングと、このすべてが実現するのを助けて下さったデレクと、私の代理人を務めて下さったセス・フィッシュマンと、ジャック・ガーナート、レベッカ・ガードナー、ウィル・ロバーツ、そしてノラ・ゴンザレスをはじめとするザ・ガーナート社のみなさまに感謝申し上げます。

質問を送って下さったすべての方に御礼申し上げます。それらの質問に答えることを可能にして下さった、すべての研究者の方々に感謝申し上げます。そして、すべてのことに関心を抱き、世界についてわくわくし、いつも冒険を探し求めている私の妻にありがとうの言葉を贈ります。

参考文献

1章　「スーピター」

・Lewis, Geraint F., and Juliana Kwan, "No Way Back: Maximizing Survival Time Below the Schwarzschild Event Horizon," *Publications of the Astronomical Society of Australia*, 2007, https://arxiv.org/abs/0705.1029.

2章　ヘリコプターに乗る

・Anthony, Julian, and Wagdi G. Habashi, "Helicopter Rotor Ice Shedding and Trajectory Analyses in Forward Flight," *Journal of Aircraft* 58, no. 5 (April 28, 2021), https://doi.org/10.2514/1.C036043.

・Liard, F. (ed.), *Helicopter Fatigue Design Guide*, Advisory Group for Aerospace Research and Development, November 1983, https://apps.dtic.mil/dtic/tr/fulltext/u2/a138963.pdf.

3章　危険なほどの冷たさ

・O'Connor, BS, Mackenzie, Jordan V. Wang, MD, MBE, MBA, and Anthony A. Gaspari, MD, "Cold Burn Injury After Treatment at Whole-Body Cryotherapy Facility," *JAAD Case Reports* 5, no. 1 (December 4, 2018): 29–30, https://www.ncbi.nlm.nih. gov/pmc/articles/PMC6280691/.

・Raman, Aaswath P., Marc Abou Anoma, Linxiao, Eden Raphaeli, and Shanhui Fan, "Passive Radiative Cooling Below Ambient Air Temperature Under Direct Sunlight," *Nature* 515 (2014): 540–544, https://doi.org/10.1038/nature13883.

・"Safe Handling of Cryogenic Liquids," Health & Safety Manual: Section 7: *Safety Guidelines & SOP's*, University of California, Berkeley: College of Chemistry, https://chemistry.berkeley.edu/research-safety/manual/section-7/cryogenic-liquids.

・"Safety Instructions: Cryogenics Liquid Safety," Oregon State University: Environmental Health & Safety, https://ehs.oregonstate.edu/sites/ehs.oregonstate.edu/files/pdf/si/cryogenics_si.pdf.

・Sun, Xingshu, Yubo Sun, Zhiguang Zhou, Muhammad Ashraful Alam, and Peter Bermel, "Radiative Sky Cooling: Fundamental Physics, Materials, Structures, and Applications," *Nanophotonics* 6, no. 5 (July 29, 2017): 997–1015, https://www.degruyter.com/document/doi/10.1515/nanoph-2017-0020/html.

4章　鉄の皮肉な気化

・"Iron (Fe) Pellets Evaporation Materials," Kurt J. Lesker Company, https://www.lesker.com/newweb/deposition_materials/depositionmaterials_evaporationmaterials_1.cfm?pgid=fe1.

・Mahowald, Natalie M., Sebastian Engelstaedter, Chao Luo, Andrea Sealy, Paulo Artaxo, Claudia Benitez-Nelson, Sophie Bonnet, Ying Chen, Patrick Y. Chuang, David D. Cohen, Francois Dulac, Barak Herut, Anne M. Johansen, Nilgun Kubilay, Remi Losno, Willy Maenhaut, Adina Paytan, Joseph M. Prospero, Lindsey M. Shank, and Ronald L. Siefert, "Atmospheric Iron Deposition: Global Distribution, Variability, and Human Perturbations," *Annual Review of Marine Science* 1 (January 2009): 245–278, https://www.annualreviews.org/doi/abs/10.1146/annurev.marine.010908.163727.

・Spalvins, T., and W. A. Brainard, "Ion Plating with an Induction Heating Source," NASA Lewis Research Center, January 1, 1976, https://ntrs.nasa.gov/citations/19760010307.

5章　宇宙の長距離ドライブ

・"Early Estimate of Motor Vehicle Traffic Fatalities for the First Quarter of 2021," *Traffic Safety Facts*, National Highway Traffic Safety Administration, U.S. Department of Transportation, August 2021, https://www.nhtsa.gov/sites/nhtsa.gov/files/2021-09/Early-Estimate-Motor-Vehicle-Traffic-Fatalities-Q1-2021.pdf.

・"NHTSA Releases Q1 2021 Fatality Estimates, New Edition of 'Countermeasures That Work,'" National Highway Traffic Safety Administration, U.S. Department of Transportation, September 2, 2021, https://www.nhtsa.gov/press-releases/q1-2021-fatality-estimates-10th-countermeasures-that-work.

6章　ハト式上昇椅子

・Abs, Michael, *Physiology and Behaviour of the Pigeon* (Cambridge, MA: Academic Press, 1983), 119.

・Berg, Angela M., and Andrew A. Biewener, "Wing and Body Kinematics of Takeoff and Landing Flight in the Pigeon (*Columba livia*)," *Journal of Experimental Biology* 213 (May 15, 2010): 1651–1658, https://journals.biologists.com/jeb/article/213/10/1651/9685/Wing-and-body-kinematics-of-takeoff-and-landing.

・Callaghan, Corey T., Shinichi Nakagawa, and William K. Cornwell, "Global Abundance Estimates for 9,700 Bird Species," *Proceedings of the National Academy of Sciences of the United States of America*, May 25, 2021, https://www.pnas.org/content/118/21/e2023170118/tab-figures-data.

・Liu, Ting Ting, Lei Cai, Hao Wang, Zhen Dong Dai, and Wen Bo Wang, "The Bearing Capacity and the Rational Loading Mode of Pigeon During Takeoff," *Applied Mechanics and Materials* 461 (November 2013): 122–127, https://www.scientific.net/AMM.461.122.
・Pennycuick, C. J., and G. A. Parker, "Structural Limitations on the Power Output of the Pigeon's Flight Muscles," *Journal of Experimental Biology* 45, (December 1, 1966): 489–498, https://journals.biologists.com/jeb/article/45/3/489/34321/Structural-Limitations-on-the-Power-Output-of-the.

さくっと答えます#1

・Bates, S. C., and T. L. Altshuler, "Shear Strength Testing of Solid Oxygen," *Cryogenics* 35, no. 9 (September 1995): 559–566, https://www.sciencedirect.com/science/article/abs/pii/001122759591254I.

7章　恐竜に必要なカロリー

・Barrick, Reese E., and William J. Showers, "Thermophysiology and Biology of Gigantosaurus: Comparison with Tyrannosaurus," *Palaeontologia Electronica*, no. 2 (1999), https://web.archive.org/web/20210612062144/https://palaeo-electronica.org/1999_2/gigan/issue2_99.htm.
・Hutchinson, John R., Karl T. Bates, Julia Molnar, Vivian Allen, and Peter J. Makovicky, "A Computational Analysis of Limb and Body Dimensions in Tyrannosaurus rex with Implications for Locomotion, Ontogeny, and Growth," *PLOS ONE* 9, no. 5 (2011), https://journals.plos.org/plosone/article?id=10.1371/journal.pone.0026037.
・McNab, Brian K., "Resources and Energetics Determined Dinosaur Maximal Size," *PNAS*106, no. 29 (2009): 12184–12188, https://www.pnas.org/content/106/29/12184.full.
・O'Connor, Michael P., and Peter Dodson, "Biophysical Constraints on the Thermal Ecology of Dinosaurs," *Paleobiology* 25, no. 3 (1999): 341–368, https://www.jstor.org/stable/2666002.

8章　間欠泉

・Hutchinson, Roderick A., James A. Westphal, and Susan W. Kieffer, "In Situ Observations of Old Faithful Geyser," *Geology* 25, no. 10 (1997): 875–878, https://doi.org/10.1130/0091-7613(1997)025<0875:ISOOOF>2.3.CO;2.
・Karlstrom, Leif, Shaul Hurwitz, Robert Sohn, Jean Vandemeulebrouck, Fred Murphy, Maxwell Ludolph, Malcolm J. S. Johnston, Michael Manga, and R. Blaine McCleskey, "Eruptions at Lone Star Geyser, Yellowstone National Park, USA: 1. Energetics and Eruption Dynamics," *Journal of Geophysical Research: Solid Earth* no. 8 (June 19, 2013): 4048–4062, https://agupubs.onlinelibrary.wiley.com/doi/abs/10.1002/jgrb.50251.
・Kieffer, Susan, "Geologic Nozzles," *Reviews of Geophysics* 27, no. 1 (February 1989): 3–38, http://seismo.berkeley.edu/~manga/kieffer1989.pdf.
・O'Hara, D. Kieran, and E. K. Esawi, "Model for the Eruption of the Old Faithful Geyser, Yellowstone National Park," *GSA Today* 23, no. 6 (June 2013): 4–9, https://www.geosociety.org/gsatoday/archive/23/6/article/i1052-5173-23-6-4.htm.
・"Superintendents of the Yellowstone National Parks Monthly Reports, June 1927," Yellowstone National Park, 1927, https://archive.org/details/superintendentso27june.
・Whittlesey, Lee H., *Death in Yellowstone: Accidents and Foolhardiness in the First National Park* (Plymouth, England: Roberts Rinehart Publishers, 1995).

10章　すべての本を読む

・Buringh, Eltjo, and Jan Luiten Van Zanden, "Charting the 'Rise of the West': Manuscripts and Printed Books in Europe, A Long-Term Perspective from theSixth through Eighteenth Centuries," *The Journal of Economic History* 69, no. 2 (2009): 409–445. doi:10.1017/S0022050709000837.
・Grout, James, "The Great Library of Alexandria," *Encyclopaedia Romana*, http://penelope.uchicago.edu/~grout/encyclopaedia_romana/greece/paganism/library.html.
・Pelli, Denis, and C. Bigelow, "A Writing Revolution," *Seed: Science Is Culture* (2009), https://web.archive.org/web/20120331052409/http://seedmagazine.com/supplementary/a_writing_revolution/pelli_bigelow_sources.pdf.

11章　バナナ教会

・Grant, Amy, "Banana Tree Harvesting: Learn How and When to Pick Bananas," *Gardening Know How*, https://www.gardeningknowhow.com/edible/fruits/banana/banana-tree-harvesting.htm.
・Pew Research Center, "How Religious Commitment Varies by Country Among People of All Ages," *The Age Gap in Religion Around the World*, June 13, 2018, https://www.pewforum.org/2018/06/13/how-religious-commitment-varies-by-country-among-people-of-all-ages/.
・Stark Bro's., "Harvesting Banana Plants," The Growing Guide: How to Grow Banana Plants, https://www.starkbros.com/growing-guide/how-

to-grow/fruit-trees/banana-plants/harvesting.

12章 弾丸を受け止める

·Centers for Disease Control and Prevention, "Morbidity and Mortality Weekly Report," *MMWR* 53, no. 50 (December 24, 2004), https://www.cdc.gov/mmwr/PDF/wk/mm5350.pdf.

·Close Focus Research, "Maximum Altitude for Bullets Fired Vertically," http://www.closefocusresearch.com/maximum-altitude-bullets-fired-vertically.

·"Model 1873 U.S. Springfield at Long Range," *Rifle Magazine* 35, no. 5 (2003), https://web.archive.org/web/20160409042559/https://www.riflemagazine.com/magazine/article.cfm?magid=78&tocid=1094.

13章 超難しくて時間もかかる減量法

·Blackwell, David, Maria Richards, Zachary Frone, Joe Batir, Andres Ruzo, Ryan Dingwall, and Mitchell Williams, "Temperature-at-Depth Maps for the Conterminous US and Geothermal Resource Estimates," SMU Geothermal Lab, October 24, 2011, https://www.smu.edu/Dedman/Academics/Departments/Earth-Sciences/Research/GeothermalLab/DataMaps/TemperatureMaps.

16章 星の砂

·Abuodha, J. O. Z., "Grain Size Distribution and Composition of Modern Dune and Beach Sediments, Malindi Bay Coast, Kenya," *Journal of African Earth Sciences* 36 (2003): 41–54, http://www.vliz.be/imisdocs/publications/37337.pdf.

·Stauble, Donald K., "A Review of the Role of Grain Size in Beach Nourishment Projects," U.S. Army Engineer Research and Development Center: Coastal and Hydraulics Laboratory, 2005, https://www.fsbpa.com/05Proceedings/02-Don%20Stauble.pdf.

17章 ブランコ

·Case, William B., and Mark A. Swanson, "The Pumping of a Swing from the Seated Position," *American Journal of Physics* 58, no. 463 (1990), https://aapt.scitation.org/doi/10.1119/1.16477.

·Curry, Stephen M., "How Children Swing," *American Journal of Physics* 44, no. 924 (1976), https://aapt.scitation.org/doi/10.1119/1.10230.

·Post, A. A., G. de Groot, A. Daffertshofer, and P. J. Beek, "Pumping a Playground Wing," *Motor Control* 11, no. 2 (2007): 136–150, https://research.vu.nl/en/publications/pumping-a-playground-swing.

·Roura, P., and J. A. González, "Towards a More Realistic Description of Swing Pumping Due to the Exchange of Angular Momentum," *European Journal of Physics* 31, no. 5 (August 3, 2010), https://iopscience.iop.org/article/10.1088/0143-0807/31/5/020.

·Wirkus, Stephen, Richard Rand, and Andy Ruina, "How to Pump a Swing," *The College Mathematics Journal* 29, no. 4 (2018): 266–275, https://www.tandfonline.com/doi/abs/10.1080/07468342.1998.11973953.

18章 民間航空会社用カタパルト

·"Eco-Climb," Airbus, https://web.archive.org/web/20170111010030/https://www.airbus.com/innovation/future-by-airbus/smarter-skies/aircraft-take-off-in-continuous-eco-climb/.

·Chati, Yashovardhan S., and Hamsa Balakrishnan, "Analysis of Aircraft Fuel Burn and Emissions in the Landing and Take Off Cycle Using Operational Data," 6th International Conference on Research in Air Transportation (ICRAT 2014), May 10, 2014, http://www.mit.edu/~hamsa/pubs/ICRAT_2014_YSC_HB_final.pdf.

19章 恐竜をゆっくり絶滅させる

·Crosta, G. B., P. Frattini, E. Valbuzzi, and F. V. De Blasio, "Introducing a New Inventory of Large Martian Landslides," *Earth and Space Science* 5, no. 4 (March 1, 2018): 89–119, https://agupubs.onlinelibrary.wiley.com/doi/full/10.1002/2017EA000324.

·DePalma, Robert A., Jan Smit, David A. Burnham, Klaudia Kuiper, Phillip L. Manning, Anton Oleinik, Peter Larson, Florentin J. Maurrasse, Johan Vellekoop, Mark A. Richards, Loren Gurche, and Walter Alvarez, "A Seismically Induced Onshore Surge Deposit at the KPg Boundary, North Dakota," *PNAS* 116, no. 7 (April 1, 2019): 8190–8199, https://doi.org/10.1073/pnas.1817407116.

·Korycansky, D. G., and Patrick J. Lynett, "Run-up from Impact Tsunami," *Geophysical Journal International* 170, no. 3 (September 1, 2007): 1076–1088, https://doi.org/10.1111/j.1365-246X.2007.03531.x.

·Massel, Stanisław R., "Tsunami in Coastal Zone Due to Meteorite Impact," *Coastal Engineering* 66, (2012): 40–49, https://doi.org/10.1016/j.coastaleng.2012.03.013.

·Schulte, Peter, Jan Smit, Alexander Deutsch, Tobias Salge, Andrea Friese, and Kilian Beichel, "Tsunami Backwash Deposits with Chicxulub Impact Ejecta and Dinosaur Remains from the Cretaceous–Palaeogene Boundary in the La Popa Basin, Mexico," *Sedimentology* 59, no. 3 (April 1, 2012):

737–765, doi:10.1111/j.1365-3091.2011.01274.x.
・Su, Xing, Wanhong Wei, Weilin Ye, Xingmin Meng, and Weijiang Wu, "Predicting Landslide Sliding Distance Based on Energy Dissipation and Mass Point Kinematics," *Natural Hazards* 96 (2019): 1367–1385, https://doi.org/10.1007/s11069-019-03618-z.
・Wünnemann, K., and R. Weiss, "The Meteorite Impact-Induced Tsunami Hazard," *The Royal Society* 373, no. 2053 (October 28, 2015), https://doi.org/10.1098/rsta.2014.0381.

23章　2潤ドルの訴訟

・Boston Consulting Group: Press Releases, "Despite COVID-19, Global Financial Wealth Soared to Record High of $250 Trillion in 2020," June 10, 2021, https://www.bcg.com/press/10june2021-despite-covid-19-global-financial-wealth-soared-record-high-250-trillion-2020.

24章　星の所有権

・White, Reid, "Plugging the Leaks in Outer Space Criminal Jurisdiction: Advocation for the Creation of a Universal Outer Space Criminal Statute," *Emory International Law Review* 35, no. 2 (2021), https://scholarlycommons.law.emory.edu/eilr/vol35/iss2/5/.

25章　タイヤのゴム

・Halle, Louise L., Annemette Palmqvist, Kristoffer Kampmann, and Farhan R. Khana, "Ecotoxicology of Micronized Tire Rubber: Past, Present and Future Considerations," *Science of the Total Environment* 706, no. 1, (March 2020), https://doi.org/10.1016/j.scitotenv.2019.135694.
・Parker-Jurd, Florence N. F., Imogen E. Napper, Geoffrey . Abbott, Simon Hann, Richard C. Thompson, "Quantifying the Release of Tyre Wear Particles to the Marine Environment Via Multiple Pathways," *Marine Pollution Bulletin* 172 (November 2021), https://www.sciencedirect.com/science/article/abs/pii/S0025326X21009310.
・Sieber, Ramona, Delphine Kawecki, and Bernd Nowack, "Dynamic Probabilistic Material Flow Analysis of Rubber Release from Tires into the Environment," *Environmental Pollution* 258 (March 2020), https://www.sciencedirect.com/science/article/abs/pii/S0269749119333998.
・Tian, Zhenyu, Haoqi Zhao, Katherine T. Peter, Melissa Gonzalez, Jill Wetzel, Christopher Wu, Ximin Hu, Jasmine Prat, Emma Mudrock, Rachel Hettinger, Allan E. Cortina, Rajshree Ghosh Biswas, Flávio Vinicius Crizóstomo Kock, Ronald Soong, Amy Jenne, Bowen Du, Fan Hou, Huan He, Rachel Lundeen, Alicia Gilbreath, Rebecca Sutton, Nathaniel L. Scholz, Jay W. Davis, Michael C. Dodd, Andre Simpson, Jenifer K. McIntyre, and Edward P. Kolodziej, "A Ubiquitous Tire Rubber–erived Chemical Induces Acute Mortality in Coho Salmon," *Science* 371, no. 6525 (January 8, 2021): 185–189, https://www.science.org/doi/abs/10.1126/science.abd6951.

26章　プラスチック恐竜

・Fuel Chemistry Division, "Petroleum," https://personal.ems.psu.edu/~pisupati/ACSOutreach/Petroleum_2.html.
・Goñi, Miguel A., Kathleen C. Ruttenberg, and Timothy I. Eglinton, "Sources and Contribution of Terrigenous Organic Carbon to Surface Sediments in the Gulf of Mexico," *Nature* 389 (1997): 275–278, https://www.whoi.edu/cms/files/goni_et_al_Nature_1997_35805.pdf.
・Libes, Susan, "The Origin of Petroleum in the Marine Environment," chap. 26 in *Introduction to Marine Biogeochemistry*(Cambridge, MA: Elsevier, 2009), https://booksite.elsevier.com/9780120885305/casestudies/01-Ch26-P088530web.pdf.
・Powell, T. G., "Developments in Concepts of Hydrocarbon Generation from Terrestrial Organic Matter," 1989, https://archives.datapages.com/data/circ_pac/0011/0807_f.htm.
・State of Louisiana: Department of Natural Resources, "Where Does Petroleum Come From? Why Is It Normally Found in Huge Pools Under Ground? Was It Formed in a Big Pool Where We Find It, or Did It Gather There Due to Outside Natural Forces?," http://www.dnr.louisiana.gov/assets/TAD/education/BGBB/3/origin.html.
・University of South Carolina, "School of the Earth, Ocean, and Environment," https://sc.edu/study/colleges_schools/artsandsciences/earth_ocean_and_environment/index.php.

27章　吸引水族館

・Bailey, Helen, and David H. Secor, "Coastal Evacuations by Fish During Extreme Weather Events," *Sci Rep* 6, no. 30280 (2016), https://doi.org/10.1038/srep30280.
・Brown, Frank A., Jr., "Responses of the Swimbladder of the Guppy, Lebistes reticulatus, to Sudden Pressure Decreases," *The Biological Bulletin* 76, no. 1 (1939): 48–58, https://www.jstor.org/stable/1537634.
・Heupel, M. R., C. A. Simpfendorfer, and R. E. Hueter, "Running Before the Storm: Blacktip Sharks

Respond to Falling Barometric Pressure Associated with Tropical Storm Gabrielle," *Journal of Fish Biology* 63(2003): 1357–1363, https://onlinelibrary.wiley.com/doi/abs/10.1046/j.1095-8649.2003.00250.x.
・Hogan, Joe, "The Effects of High Vacuum on Fish," *Transactions of the American Fisheries Society* 70, no. 1 : 469–474, https://afspubs.onlinelibrary.wiley.com/doi/abs/10.1577/1548-8659%281940%2970%5B469%3ATEOHVO%5D2.0.CO%3B2.
・Holbrook, R. I., and T. B. de Perera, "Fish Navigation in the Vertical Dimension: Can Fish Use Hydrostatic Pressure to Determine Depth?," *Fish and Fisheries* 12 (2011): 370–379, https://onlinelibrary.wiley.com/doi/10.1111/j.1467-2979.2010.00399.x.
・Sullivan, Dan M., Robert W. Smith, E. J. Kemnitz, Kevin Barton, Robert M. Graham, Raymond A. Guenther, and Larry Webber, "What Is Wrong with Water Barometers?," *The Physics Teacher* 48, no. 3 (2010): 191–193, https://aapt.scitation.org/doi/10.1119/1.3317456.

28章　地球目玉

・Mishima, S., A. Gasset, S. D. Klyce, and J. L. Baum, "Determination of Tear Volume and Tear Flow," *Invest. Ophthalmol. Vis. Sci.* 5, no. 3 (1966): 264–276, https://iovs.arvojournals.org/article.aspx?articleid=2203634.
・Steinbring, Eric, "Limits to Seeing High-Redshift Galaxies Due to Planck-Scale-Induced Blurring," *Proceedings of the International Astronomical Union* 11, no. S319, 54–54, 2015, doi:10.1017/S1743921315009850.

29章　ローマを1日にして作る

・The Civic Federation, "Estimated Full Value of Real Estate in Cook County Saw Six Straight Years of Growth Between 2012–018," October 30, 2020, https://www.civicfed.org/civic-federation/blog/estimated-full-value-real-estate-cook-county-saw-six-straight-years-growth.
・U.S. Bureau of Economic Analysis, "Gross Domestic Product: All Industries in Cook County, IL [GDPALL17031]," retrieved from FRED, Federal Reserve Bank of St. Louis, November 20, 2021, https://fred.stlouisfed.org/series/GDPALL17031.

30章　マリアナ海溝チューブ

・Stommel, Henry, Arnold B. Arons, and Duncan Blanchard, "An Oceanographical Curiosity: The Perpetual Salt Fountain," *Deep Sea Research* 3, no. 2 (1956): 152–153, https://www.sciencedirect.com/science/article/pii/0146631356900958.

31章　高価な靴箱

・"What is the volume of a kilogram of cocaine?," The Straight Dope Message Board, https://boards.straightdope.com/t/what-is-the-volume-of-a-kilogram-of-cocaine/286573

32章　MRIコンパス

・NOAA, "Maps of Magnetic Elements from the WMM2020," https://www.ngdc.noaa.gov/geomag/WMM/image.shtml.
・Tremblay, Charles, Sylvain Martel, binjamin conan, Dumitru Loghin, and alexandre bigot, "Fringe Field Navigation for Catheterization," *IFMBE Proceedings* 45 (2014), https://www.researchgate.net/publication/270759488_Fringe_Field_Navigation_for_Catheterization.

33章　祖先の割合

・Kaneda, Toshiko, and Carl Haub, "How Many People Have Ever Lived on Earth?," *Population Reference Bureau*, May 18, 2021, https://www.prb.org/articles/how-many-people-have-ever-lived-on-earth/.
・Rohde, Douglas L. T., Steve Olson, and Joseph T. Chang, "Modelling the Recent Common Ancestry of All Living Humans," *Nature* 431 (2004): 562–566, https://doi.org/10.1038/nature02842.
・Roser, Max, "Mortality in the Past—Around Half Died As Children," *Our World in Data*, June 11, 2019, https://ourworldindata.org/child-mortality-in-the-past.

34章　バードカー

Mosher, James A., and Paul F. Matray, "Size Dimorphism: A Factor in Energy Savings for Broad-Winged Hawks," *The Auk* 91, no. 2 (April 1974): 325–341, https://www.jstor.org/stable/4084511.
・Pennycuick, C. J., Holliday H. Obrecht III, and Mark R. Fuller, "Empirical Estimates of Body Drag of Large Waterfowl and Raptors," *J Exp Biol* 135, no. 1 (March 1988): 253–264, https://journals.biologists.com/jeb/article/135/1/253/5435/Empirical-Estimates-of-Body-Drag-of-Large.

35章　ルール無用のNASCAR

・Kumar, Vasantha K., and William T. Norfleet, "Issues on Human Acceleration Tolerance After Long-Duration Space Flights," NASA Technical Memorandum 104753, October 1, 1992, https://ntrs.nasa.gov/citations/19930020462.
・National Aeronautics and Space Administration, "Astronautics and its Applications," Environment of

Manned Systems: Internal Environment of Manned Space Vehicles, 105–26, https://history.nasa.gov/conghand/mannedev.htm.
·Spark, Nick T., "46.2 Gs!!!: The Story of John Paul Stapp, 'The Fastest Man on Earth,'" *Wings/Airpower Magazine*, http://www.ejectionsite.com/stapp.htm.

36章 真空管スマートフォン

·Shilov, Anton, "Apple's A14 SoC Under the Microscope: Die Size & Transistor Density Revealed," Tom's Hardware, October 29, 2020, https://www.tomshardware.com/news/apple-a14-bionic-revealed.
·Sylvania, "Engineering Data Service," http://www.nj7p.org/Tubes/PDFs/Frank/137-Sylvania/7AK7.pdf.
·War Department: Bureau of Public Relations, "Physical Aspects, Operation of ENIAC are Described," February 16, 1946, https://americanhistory.si.edu/comphist/pr4.pdf.

37章 レーザーの傘

·Hautière, Nicholas, Eric Dumont, Roland Brémond, and Vincent Ledoux, "Review of the Mechanisms of Visibility Reduction by Rain and Wet Road," ISAL Conference, 2009, https://www.researchgate.net/publication/258316669_Review_of_the_Mechanisms_of_Visibility_Reduction_by_Rain_and_Wet_Road.
·Pendleton, J. D., "Water Droplets Irradiated by a Pulsed CO2 Laser: Comparison of Computed Temperature Contours with Explosive Vaporization Patterns," *Applied Optics* 24, no. 11 (1985): 1631–1637, https://www.osapublishing.org/ao/abstract.cfm?uri=ao-24-11-1631.
·Sageev, Gideon, and John H. Seinfeld, "Laser Heating of an Aqueous Aerosol Particle," *Applied Optics* 23, no. 23 (December 1, 1984), http://authors.library.caltech.edu/10136/1/SAGao84.pdf.
·Takamizawa, Atsushi, Shinji Kajimoto, Jonathan Hobley, Koji Hatanaka, Koji Ohtab, and Hiroshi Fukumura, "Explosive Boiling of Water After Pulsed IR Laser Heating," *Physical Chemistry Chemical Physics* 5 (2003), https://pubs.rsc.org/en/content/articlelanding/2003/CP/b210609d.

40章 ラバライト

·UNEP Chemicals Branch, "The Global Atmospheric Mercury Assessment: Sources, Emissions and Transport," UNEP-Chemicals, Geneva, 2008, https://wedocs.unep.org/bitstream/handle/20.500.11822/13769/UNEP_GlobalAtmosphericMercuryAssessment_May2009.pdf ?sequence=1&isAllowed=y.

41章 シーシュポス的冷蔵庫

·Thurber, Caitlin, Lara R. Dugas, Cara Ocobock, Bryce Carlson, John R. Speakman, and Herman Pontzer, "Extreme Events Reveal an Alimentary Limit on Sustained Maximal Human Energy Expenditure," *Science Advances* 5, no. 6, https://www.science.org/doi/10.1126/sciadv.aaw0341.

42章 血中アルコール

·本章の最初の草稿にあった計算間違いを正してくださった、コナー・ブラマンを始めとするみなさんに感謝いたします。
·Brady, Ruth, Sara Suksiri, Stella Tan, John Dodds, and David Aine, "Current Health and Environmental Status of the Maasai People in Sub-Saharan Africa," *Cal Poly Student Research: Honors Journal* 2008, 17–32, https://digitalcommons.calpoly.edu/cgi/viewcontent.cgi?referer=&httpsredir=1&article=1005&context=honors.&article=1005&context=honors
·United States Air Force Medical Service, "Alcohol Brief Counseling: Alcohol Education Module," Air Force Alcohol and Drug Abuse Prevention and Treatment Tier II, October 2007, https://www.minot.af.mil/Portals/51/documents/resiliency/AFD-111004-02810-110043-200.

44章 クモ VS. 太陽

·Greene, Albert, Jonathan A. Coddington, Nancy L. Breisch, Dana M. De Roche, and Benedict B. Pagac Jr., "An Immense Concentration of Orb-Weaving Spiders with Communal Webbing in a Man-Made Structural Habitat (Arachnida: Araneae: Tetragnathidae, Araneidae)," *American Entomologist: Fall 2010*, 146–156, https://www.entsoc.org/PDF/2010/Orb-weaving-spiders.pdf.
·Höfer, Hubert and Ricardo Ott, "Estimating Biomass of Neotropical Spiders and Other Arachnids (Araneae, Opiliones, Pseudoscorpiones, Ricinulei) by Mass-Length Regressions," *The Journal of Arachnology* 37, no. 2 (2009): 160–169, https://doi.org/10.1636/T08-21.1.
·Newman, Jonathan A., and Mark A. Elgar, "Sexual Cannibalism in Orb-Weaving Spiders: An Economic Model," *The American Naturalist* 138, no. 6 (1991): 1372–1395, https://www.jstor.org/stable/2462552.
·Topping, Chris J., and Gabor L. Lovei, "Spider Density and Diversity in Relation to Disturbance in Agroecosystems in New Zealand, with a Comparison to England," *New Zealand Journal of Ecology* 21, no. 2 (1997): 121–128, https://newzealandecology.org/

nzje/2020.
·Wilder, Shawn M. and Ann L. Rypstra, "Trade-off Between Pre- and Postcopulatory Sexual Cannibalism in a Wolf Spider (Araneae, Lycosidae)," *Behavioral Ecology and Sociobiology* 66 (2012): 217–222, https://link.springer.com/article/10.1007/s00265-011-1269-0.

45章　人間を吸い込む

·Clark, R. P., and S. G. Shirley, "Identification of Skin in Airborne Particulate Matter," *Nature* 246 (1973): 39–40, https://www.nature.com/articles/246039a0.
·Morawska, Lidia and Tunga Salthammer, eds., *Indoor Environment: Airborne Particles and Settled Dust* (Hoboken, NJ: Wiley, 2003).
·Weschler, Charles J., Sarka Langer, Andreas Fischer, Gabriel Bekö, Jørn Toftum, and Geo Clausen, "Squalene and Cholesterol in Dust from Danish Homes and Daycare Centers," *Environ. Sci. Technol.* 45, no. 9 (2011): 3872–3879, https://pubs.acs.org/doi/10.1021/es103894r.

46章　キャンディーを砕いて発光させる

·Xie, Yujun, and Zhen Li, "Triboluminescence: Recalling Interest and New Aspects," *Chem* 4, no. 5 (May 10, 2018), https://doi.org/10.1016/j.chempr.2018.01.001.

さくっと答えます＃4

·Ratnayake, Wajira S., and David S. Jackson, "Gelatinization and Solubility of Corn Starch During Heating in Excess Water: New Insights," *Journal of Agricultural and Food Chemistry* 54, no. 10 (2006): 3712–3716, https://pubs.acs.org/doi/10.1021/jf0529114.
·Wertheim, Heiman F. L., Thai Q. Nguyen, Kieu Anh T. Nguyen, Menno D. de Jong, Walter R. J. Taylor, Tan V. Le, Ha H. Nguyen, Hanh T. H. Nguyen, Jeremy Farrar, Peter Horby, and Hien D. Nguyen, "Furious Rabies After an Atypical Exposure," *PLoS Med.* 6, no. 3 (2009): e1000044, https://doi.org/10.1371/journal

48章　陽子でできた地球、電子でできた月

·Carroll, Sean, "The Universe Is Not a Black Hole," 2010, http://www.preposterousuniverse.com/blog/2010/04/28/the-universe-is-not-a-black-hole/.
·Garon, Todd S., and Nelia Mann, "Re-examining the Value of Old Quantization and the Bohr Atom Approach," *American Journal of Physics* 81, no. 2, (2013): 92, https://aapt.scitation.org/doi/10.1119/1.4769785.

50章　日本がおつかいに行く

·Lindsey, Rebecca, "Climate Change: Global Sea Level," Climate.gov, August 14, 2020, https://www.climate.gov/news-features/understanding-climate/climate-change-global-sea-level.
·Gamo, T., N. Nakayama, N. Takahata, Y. Sano, J. Zhang, E. Yamazaki, S. Taniyasu, and N.Yamashita, "Revealed by Time-Series Observations over the Last 30 Years," 2014, https://www.semanticscholar.org/paper/Revealed-by-Time-Series-Observations-over-the-Last-Gamo-Nakayama/57bd09d9b01e7735cd593b5a2147a9c64bbd5b7e?p2df.
·Ward, Steven N., and Erik Asphaug, "Impact Tsunami-Eltanin," *Deep-Sea Research II* 49 (2002): 1073–1079, https://websites.pmc.ucsc.edu/~ward/papers/final_eltanin.pdf.

51章　月光で火を付ける

·Plait, Phil, "BAFact Math: The Sun Is 400,000 Times Brighter than the Full Moon," *Discover Magazine: Bad Astronomy*, August 27, 2012, https://www.discovermagazine.com/the-sciences/bafact-math-the-sun-is-400-000-times-brighter-than-the-full-moon.

52章　すべての法律を読む

·FindLaw, "California Code, Food and Agricultural Code (Formerly Agricultural Code) —FAC § 27637,"https://codes.findlaw.com/ca/food-and-agricultural-code-formerly-agricultural-code/fac-sect-27637.html.
·Fish, Eric S., "Judicial Amendment of Statutes," *84 George Washington Law Review* 563 (2016), https://papers.ssrn.com/sol3/papers.cfm?abstract_id=2656665.
·GovInfo, "F Code of Federal Regulations (Annual Edition)," https://www.govinfo.gov/app/collection/cfr.
·Legal Information Institute, "Primary Authority," Cornell Law, https://www.law.cornell.edu/wex/primary_authority.
·U.S. Department of State, "Treaties in Force," Office of Treaty Affairs, https://www.state.gov/treaties-in-force/.
·Zittrain, Jonathan, "The Supreme Court and Zombie Laws," July 2, 2018, https://medium.com/@zittrain/the-supreme-court-and-zombie-laws-2087d7bb9a75.

53章　唾液プール

·Fédération Internationale de Natation, "FR 2: Swimming Pools," https://web.archive.org/web/20160902023159/http://www.fina.org/content/fr-2-swimming-pools.

·Watanabe, S., M. Ohnishi, K. Imai, E. Kawano, and S. Igarashi, “Estimation of the Total Saliva Volume Produced Per Day in Five-Year-Old Children,” *Arch Oral Biol.* 40, no. 8, 781–782, https://www.sciencedirect.com/science/article/abs/pii/000399699500026L?via%3Dihub.

55章 ナイアガラ・ストロー

·Cashco, “Fluid Flow Basics of Throttling Valves,” 17, https://www.controlglobal.com/assets/Media/MediaManager/RefBook_Cashco_Fluid.pdf.
·New York Power Authority, “Niagara River Water Level and Flow Fluctuations Study Final Report,” *Niagara Power Project FERC No. 2216*, August 2005, https://web.archive.org/web/20160229090220/http://niagara.nypa.gov/ALP%20working%20documents/finalreports/html/IS23WL.htm.

56章 時間を遡って歩く

·Blum, M. D., M. J. Guccione, D. A. Wysocki, P. C. Robnett, E. M. Rutledge, “Late Pleistocene Evolution of the Lower Mississippi River Valley, Southern Missouri to Arkansas,” *GSA Bulletin* 112, no. 2 (February 2000): 221–235, https://pubs.geoscienceworld.org/gsa/gsabulletin/article-abstract/112/2/221/183594/Late-Pleistocene-evolution-of-the-lower?redirectedFrom=fulltext.
·Braun, Duane D., “The Glaciation of Pennsylvania, USA,” *Developments in Quaternary Sciences* 15 (2011): 521–529, https://www.sciencedirect.com/science/article/abs/pii/B9780444534477000404.
·Bryant, Jr., Vaughn M., “Paleoenvironments,” Handbook of Texas Online, 1995, https://www.tshaonline.org/handbook/entries/paleo environments.
·Carson, Eric C., J. Elmo Rawling III, John W. Attig, and Benjamin R. Bates, “Late Cenozoic Evolution of the Upper Mississippi River, Stream Piracy, and Reorganization of North American Mid-Continent Drainage Systems,” *GSA Today* 28, no. 7 (July 2018): 4–11, https://www.geosociety.org/gsatoday/science/G355A/abstract.htm.
·Fildani, Andrea, Angela M. Hessler, Cody C. Mason, Matthew P. McKay, and Daniel F. Stockli, “Late Pleistocene Glacial Transitions in North America Altered Major River Drainages, as Revealed by Deep-Sea Sediment,” *Scientific Reports* 8 (2018), https://www.nature.com/articles/s41598-018-32268-7.
· “Interglacials of the Last 800,000 Years,” *Reviews of Geophysics* 54, no. 1 (2015): 162–219, https://agupubs.onlinelibrary.wiley.com/doi/10.1002/2015RG000482.
·Knox, James C., “Late Quaternary Upper Mississippi River Alluvial Episodesa Their Significance to the Lower Mississippi River System,” *Engineering Geology* 45, no. 1–4 (December 1996): 263–285, https://www.sciencedirect.com/science/article/abs/pii/S0013795296000178?via%3Dihub.
·Millar, Susan W. S., “Identification of Mapped Ice-Margin Positions in Western New York from Digital Terrain-Analysis and Soil Databases,” *Physical Geography* 25, no. 4 (2004): 347–359, https://www.tandfonline.com/doi/abs/10.2747/0272-3646.25.4.347.
·Sheldon, Robert A., *Roadside Geology of Texas* (Missoula, MT: Mountain Press Publishing Company, 1991).

57章 アンモニア・チューブ

·Padappayil, Rana Prathap, and Judith Borger, “Ammonia Toxicity,” StatPearls Publishing LLC, https://www.ncbi.nlm.nih.gov/books/NBK546677/.

さくっと答えます＃5

·Olive Garden, “Nutrition Information,” https://media.olivegarden.com/en_us/pdf/olive_garden_nutrition.pdf.
·Sagar, Stephen M., Robert J. Thomas, L. T. Loverock, and Margaret F. Spittle, “Olfactory Sensations Produced by High-Energy Photon Irradiation of the Olfactory Receptor Mucosa in Humans,” *International Journal of Radiation Oncology, Biology, Physics* 20, no. 4 (April 1991): 771–776, https://www.sciencedirect.com/science/article/abs/pii/036030169190021U.

59章 世界を雪で包む

·Buckler, J. M., “Variations in Height Throughout the Day,” *Archives of Disease in Childhood* 53, no. 9 (1989): 762, http://dx.doi.org/10.1136/adc.53.9.762.
·National Oceanic and Atmospheric Administration, “Welcome to: Cooperative Weather Observer: Snow Measurement Training,” National Weather Service, https://web.archive.org/web/20150221171450/http://www.srh.noaa.gov/images/mrx/coop/SnowMeasurementTraining.pdf.
·Roylance, Frank D., “A Likely Record, but Experts Will Get Back to Us,” *Baltimore Sun*, https://web.archive.org/web/20140716134151/http://articles.baltimoresun.com/2010-02-07/news/bal-md.storm07feb07_1_baltimore-washington-forecast-office-snow-depth-biggest-storm.

61章 太陽のなかへ

・IEEE, org, "IEEE 1584-2018, IEEE Guide for Performing Arc-Flash Hazard Calculations," https://www.techstreet.com/ieee/standards/ieee-1584-2018?gateway_code=ieee&vendor_id=5802&product_id=1985891.

62章　日焼け止め

・Food and Drug Administration, "Sunscreen Drug Products," https://www.regulations.gov/docket/FDA-1978-N-0018.

63章　太陽の上を歩く

・Blouin, S., P. Dufour, C. Thibeault, and N. F. Allard, "A New Generation of Cool White Dwarf Atmosphere Models. IV. Revisiting the Spectral Evolution of Cool White Dwarfs," *The Astrophysical Journal* 878, no. 1 (2019), https://iopscience.iop.org/article/10.3847/1538-4357/ab1f82.

・Chen, Eugene Y., and Brad M. S. Hansen, "Cooling Curves and Chemical Evolution Curves of Convective Mixing White Dwarf Stars," *Monthly Notices of the Royal Astronomical Society* 413, no. 4 (June 2011): 2827–2837, https://academic.oup.com/mnras/article/413/4/2827/965051.

・Koberlein, Brian, "Frozen Star," March 2, 2014, https://briankoberlein.com/blog/frozen-star/.

・Renedo, I., L. G. Althaus, M. M. Miller Bertolami, A. D. Romero, A. H. Córsico, R. D. Rohrmann, and E. García-Berro, "New Cooling Sequences for Old White Dwarfs," *The Astrophysics Journal* 717, no. 1 (2010), https://iopscience.iop.org/article/10.1088/0004-637X/717/1/183.

・Salaris, M., L. G. Althaus, and E. García-Berro, "Comparison of Theoretical White Dwarf Cooling Timescales," *Astronomy & Astrophysics* 555 (July2013), https://www.aanda.org/articles/aa/full_html/2013/07/aa20622-12/aa20622-12.html.

・Srinivasan, Ganesan, *Life and Death of the Stars*, Undergraduate Lecture Notes in Physics, 2014, https://link.springer.com/book/10.1007/978-3-642-45384-7.

・Veras, Dimitri, and Kosuke Kurosawa, "Generating Metal-Polluting Debris in White Dwarf Planetary Systems from Small-Impact Crater Ejecta," *Monthly Notices of the Royal Astronomical Society* 494, no. 1 (May 2020): 442–457, https://academic.oup.com/mnras/article-abstract/494/1/442/5788436?redirectedFrom=fulltext.

・Wilson, R. Mark, "White Dwarfs Crystallize as They Cool," *Physics Today* 72, no. 3 (2019): 14, https://physicstoday.scitation.org/doi/10.1063/PT.3.4156.

64章　レモンドロップとガムドロップ

・Goldblatt, C., T. Robinson, and D. Crisp, "Low Simulated Radiation Limit for Runaway Greenhouse Climates," *Nature Geoscience* 6 (2013): 661–667, https://www.semanticscholar.org/paper/Low-simulated-radiation-limit-for-runaway-climates-Goldblatt-Robinson/4be39d2e4114f1347569d81029f59005e141befe.

・Gunina, Anna, and Yakov Kuzyakov, "Sugars in Soil and Sweets for Microorganisms: Review of Origin, Content, Composition and Fate," *Soil Biology and Biochemistry* 90 (2015): 87–100, https://www.sciencedirect.com/science/article/abs/pii/S0038071715002631.

・Heymsfield, Andrew J., Ian M. Giammanco, and Robert Wright, "Terminal Velocities and Kinetic Energies of Natural Hailstones," *Geophysical Research Letters* 41, no. 23 (November 25, 2014): 8666–8672, https://agupubs.onlinelibrary.wiley.com/doi/full/10.1002/2014GL062324.

・Myhre, G., D. Shindell, F.-M. Bréon, W. Collins, J. Fuglestvedt, J. Huang, D. Koch, J.-F. Lamarque, D. Lee, B. Mendoza, T. Nakajima, A. Robock, G. Stephens, T. Takemura, and H. Zhang, "Anthropogenic and Natural Radiative Forcing," *Climate Change 2013: The Physical Science Basis*, https://www.ipcc.ch/site/assets/uploads/2018/02/WG1AR5_Chapter08_FINAL.pdf.

訳者あとがき

ランドール・マンローの傑作ユーモア科学本、『ホワット・イフ？』の続篇『もっとホワット・イフ？』がついに登場した。前作を読んで、「もっと読みたい」と思われた方も少なくないのではないか。ようやく出来の『もっとホワット・イフ？』、期待にたがわぬハチャメチャな「もしも～なら？」という仮定の質問への、真面目でユーモラスな科学の答えが満載だ。

『ホワット・イフ？』の出版以来、「子どもに質問されたけれど、答えられず困っています。助けてもらえませんか？」とか、「友だちどうしで長年議論になっている問題があります。友だち関係修復のために解決してもらえませんか？」などという問い合わせがマンローに続々と寄せられるようになったという。重大な問題ではないし、バリバリの専門家に問い合わせるのは憚られるけれど、科学を使えば解決しそうな疑問を気安く尋ねられる相手として、マンローが浮上してきたわけだ。しかも、もらえる答えは、わかりやすくユーモラスなうえに、歴とした科学の裏付けがある。ならば、だめもとで、質問を送ってみようという気になりますよね。

そんな質問に答えていくうち、きっと同じような疑問を持っている人たちは大勢いて、答えを提供できれば役に立てるのではと思ったのが『もっとホワット・イフ？』出版の動機だそうだ。「あり得ない仮定の問題を解いて、何の役に立つの？」という声には、「まず、好奇心に応えることは大切だし、また、あり得ない問題も、重要な現実の問題も、解決に使うのは同じ科学なので、その当てはめ方や解く手順は実際に役立つ」と説明している。

さらに、普段科学に目を向けない人も、関心がないわけでなく、ただ時間に追われて科学の話題に集中できないだけだろうから、簡潔でパンチのある答えが示せれば、忙しい日常のなかで読んでもらえて役に立つこともあるはずだとも考えたそうだ。おかげで、一問の説明文が少し短くなった分、多くの質問が掲載されている。興味が湧いた質問からお読みいただければと思う。

『ホワット・イフ？』にあった「ステーキを空から落として焼く」の質問を、実際のステーキ肉を使って風洞のなかでシミュレーション実験した大学院生から報告があったという。マンローの予測通り、極超音速にさらされた肉は表面が焦げ、強風で吹き飛ばされるという結果になったとのことで、推論の正しさが証明され、マンロー面目躍如である。彼の本で好奇心を刺激されて、制御された環境の元で実験する人が実際に出てくるのは大変嬉しい。ただし、本書の冒頭にも、「絶対にご家庭では試さないでください」と断っているし、「損害に関しては責任を負いかねます」とあるので、制御された環境以外では絶対に実験しないでください。

最後になりましたが、翻訳にあたりひとかたならぬお世話になった石井広行氏をはじめ早川書房の皆さんに感謝申し上げます。

2023年１月　　　　吉田三知世

もっとホワット・イフ？

地球の1日が1秒になったらどうなるか

2023年2月20日　初版印刷
2023年2月25日　初版発行
著　者　ランドール・マンロー
訳　者　吉田三知世（よしだみちよ）
発行者　早川　浩
印刷所　三松堂株式会社
製本所　三松堂株式会社
発行所　株式会社　早川書房
郵便番号　101-0046
東京都千代田区神田多町2-2
電話　03-3252-3111
振替　00160-3-47799
https://www.hayakawa-online.co.jp

ISBN978-4-15-210213-3 C0040　定価はカバーに表示してあります。
Printed and bound in Japan
乱丁・落丁本は小社制作部宛お送り下さい。送料小社負担にてお取りかえいたします。

THIS MIGHT BE TO